SPRINGSTEEN
RETROSPEKTIVE

RYAN WHITE

MIT EINEM VORWORT VON
PETER AMES CARLIN

DEUTSCH VON
SONJA KERKHOFFS

© 2014 by
Palazzo Editions Ltd.
2 Wood Street
Bath, BA1 2 JQ
United Kingdom
www.palazzoeditions.com

Originaltitel: Springsteen. Album by Album

© 2014 der deutschen Ausgabe
Edel Germany GmbH, Hamburg
www.rockbuch.de

Projektkoordination: Dr. Marten Brandt
Übersetzung: Sonja Kerkhoffs,
    Print & Screen Productions, Köln | www.print-and-screen.de
Lektorat und Satz: Alexander Kerkhoffs,
    Print & Screen Productions, Köln | www.print-and-screen.de

Umschlaggestaltung:
    Groothuis, Lohfert, Consorten, Hamburg | www.glcons.de

Printed in China

ISBN 978-3-8419-0253-5

Seite 1: Porträtaufnahme von Tom Hill, August 1975, kurz vor der Veröffentlichung von *Born To Run*.
Seite 2: Porträtaufnahme von Danny Clinch, 2010.
Seiten 268–269: Alex Cooley's Electric Ballroom, Atlanta, 22. August 1975.
Seiten 284–285: Atlanta, 2007.
Seite 288: Amnesty International Human Rights Now! Tour, 1988.
Nachsatz: Spectrum, Philadelphia, September 1984.

INHALT

VORWORT

VON PETER AMES CARLIN

Bruce Springsteen genießt heute weltweit hohes Ansehen. Vielen gilt er – trotz seines mittlerweile immensen Vermögens – immer noch als die Stimme des einfachen Mannes, der die Probleme der Arbeiter versteht und anspricht. Es geht ihm um den amerikanischen Traum und die bittere Realität, geplatzte Träume und das Aufrappeln, die Überzeugung, gemeinsam etwas zum Guten wenden zu können. Bruce Springsteen scheint geradezu die amerikanischen Tugenden zu personifizieren – er ist eine amerikanische Ikone, die auf der ganzen Welt verehrt wird.

Dass seine Konzerte etwas von einer Messe haben, von einem Rock'n'Roll-Gottesdienst, ist längst nicht mehr nur die Überzeugung einer eingeschworenen Fangemeinde. Dieses sakrale Moment, das auch mit einer Art säkularer Heiligsprechung des Hohepriesters einhergeht, ist längst zu einem landläufigen Klischee geworden, das der Präsident der Vereinigten Staaten augenzwinkernd in den Rang einer höheren Glaubensgewissheit erhebt, wenn er verkündet: »Ich bin der Präsident, aber er ist der Boss.«

Keine schlechte Karriere für einen schüchternen Jungen aus einer heruntergekommenen Industrieregion in New Jersey. Als der in schwierigen, sehr bescheidenen Verhältnissen aufwachsende Teenager eines Tages Elvis im Fernsehen sieht, ist das für ihn eine Art Offenbarung. Mit 15 bekommt er eine E-Gitarre und übt jede freie Minute. Sieben Jahre lang spielt er in einer Reihe vorwiegend in Clubs auftretender Bands und entwickelt sich in der Zeit zum heißesten Gitarristen an der Jersey Shore. Im Winter 71/72 packt sich der damals 22-Jährige seine Gitarre und eine Handvoll neuer, selbst geschriebener Songs und spielt sie in New York zwei jungen Männern vor, die ihm die Tür zum Musikbusiness öffnen können – und werden.

Auf den ersten Blick scheinen seine Ambitionen absurd. Der langhaarige, spindeldürre, in seiner zerrissenen Jeans und dem dreckigen Sweatshirt ziemlich durchgefroren wirkende junge Musiker kann seinem Gegenüber kaum in die Augen sehen oder gar ein Gespräch führen, das über ein »Hi, wie geht's?« hinausgeht. Aber sobald Springsteen seine Gitarre in der Hand hat, zieht er alle in seinen Bann. Er

ist der »King of the Alley«, der »Lucky Young Matador«, der Loser, der den Schlüssel zum Universum in einer alten, verrosteten Schrottkarre gefunden hat. Er ist ein begnadeter, visionärer Songwriter mit einem unbestechlichen Blick für die Abgründe der Gesellschaft, dessen ungebändigte Energie auf andere sofort ansteckend wirkt.

So zumindest sehen es die zwei aufstrebenden Branchenkenner, die ihre Jobs kündigen, Hypotheken aufnehmen und durch ganz Amerika reisen, um Springsteen dabei zu unterstützen, so groß rauszukommen, wie er es ihrer Meinung nach verdient hat. Als er Mitte 72 einen Vertrag bei Columbia Records unterzeichnet, haben sich auch der renommierte Talentscout John Hammond (der u. a. Benny Goodman, Billie Holiday und Bob Dylan entdeckt hat), der legendäre Plattenboss Clive Davis und eine kleine Gruppe von Mitarbeitern der Plattenfirma mit dem Springsteen-Virus infiziert. Diese Menschen, die im Gegensatz zu so manchen Kollegen Springsteen von Anfang an als Rock'n'Roller sehen, machen sich immer wieder für ihn stark und schaffen es, auch andere von seinen Qualitäten zu überzeugen.

Der erste Punkt geht jedoch an die Skeptiker. Das Anfang 1973 veröffentlichte Debütalbum des als »Neuer Dylan« vermarkteten Springsteen, *Greetings From Asbury Park, N. J.*, wird ein Flop. Dem zehn Monate später erscheinenden Nachfolger *The Wild, The Innocent & The E Street Shuffle* ergeht es ähnlich. Springsteen gibt indes ein Konzert nach dem anderen und tourt mit seiner Band aus Jersey-Shore-Musikern, von denen die meisten schon seit Teenagertagen mit ihm zusammen spielen, quer durch die Ostküstenstaaten und den Mittleren Westen der USA. Sie spielen überall, wo man sie lässt. Die Strapazen dieses ständigen Tourens unter teils widrigsten Bedingungen, das am Ende des Tages kaum etwas abwirft, nehmen sie jahrelang auf sich, was sich in dem Moment auszahlt, als andere beginnen, eine Legende daraus zu stricken.

Springsteen ist wie gemacht für die Rolle des Rock'n'Roll-Helden. Er steht immer noch unter dem Eindruck der Verzauberung durch sein Kindheitsidol Elvis, und so versucht er bei jedem seiner Auftritte an all dem teilzuhaben, was ihm die Musik verheißen hat. Mit seiner ungeheuren Leidenschaft und ungebändigten Energie begeistert er sein Publikum überall und gewinnt immer neue Fans hinzu, die seine stetig wachsende treue Anhängerschaft bilden. Darunter sind auch einige Musikjournalisten, deren hymnische Lobgesänge die nächsten potenziellen Jünger in Springsteens Konzerte locken. Von diesen euphorischen Besprechungen kann es jedoch keine mit der legendären Konzertkritik aufnehmen, die Jon Landau im Mai 74 über einen Gig in Cambridge, Massachusetts, verfasst. »Ich sah die Rock'n'-Roll-Zukunft«, schreibt er, »und ihr Name ist Bruce Springsteen.«

Diese Zukunft beginnt genau ein Jahr später. Das lang erwartete dritte Springsteen-Album, *Born To Run*, wird enthusiastisch gefeiert, nicht nur von Musikjournalisten, die begeistert sind von der romantischen, aber dennoch unkitschigen Perspektive aufs Leben, und von Springsteens zielgerichtetem Streben nach Größe. Springsteen selbst wirft sich zu diesem Anlass in die klassische Rebellenkluft: Lederjacke, zerschlissenes T-Shirt und einen Elvis-Fan-Club-Button am Gitarrengurt. Auf dem Cover seines neuen Albums stützt er sich auf die Schulter seines Saxofonisten Clarence Clemons, der gerade einen richtig heißen Riff zu spielen scheint, und grinst ihm verschwörerisch zu. Ab jetzt gibt es kein Halten mehr. Überschwänglichen Kritiken folgen zeitgleiche Titelstorys in der *Time* und der *Newsweek*, ein blitzartiger Aufstieg des Albums auf Platz 3 der *Billboard*-Charts und leider auch einige mit dem Erfolg oft einhergehende Enttäuschungen: Freundschaften, die in die Brüche gehen, juristische Auseinandersetzungen und Sinnkrisen.

Da er aufgrund eines seine Arbeit blockierenden Rechtsstreits zwei Jahre lang nicht ins Studio gehen kann, tourt Springsteen unermüdlich weiter und festigt dabei seinen Ruf als phänomenaler Liveact. 1978 kommt das ebenfalls als Meisterwerk gefeierte *Darkness On The Edge Of Town* heraus, und die 80er beginnen mit dem sehr erfolgreichen und sogar seinen ersten Hit abwerfenden Doppelalbum *The River*. Mit dieser Platte im Gepäck kommt Springsteen zum ersten Mal für eine größere Tour nach Europa, wo er unerwartet warmherzig empfangen wird. Die Begeisterung der Europäer für ihn ist zum Teil auch politisch begründet. Anders als in dem amtierenden amerikanischen Präsidenten Ronald Reagan, der im Kalten Krieg auf eine offensive Abschreckungspolitik und Aufrüstung setzt, was von vielen Europäern sehr kritisch gesehen wird, sieht man in Springsteen jemanden, der für ein »besseres Amerika« steht.

Jetzt, wo er endlich ein Rockstar ist und auch ein solches Leben führen könnte, lotet Springsteen mit *Nebraska* die dunklen Seiten seiner Seele aus. Das bewusst unkommerzielle Album verfestigt seinen Ruf, trotz aller Erfolge und sich abzeichnender Massenkompatibilität ein ernsthafter Künstler mit Tiefgang zu sein, was ihm 1984, als er die schwindelerregenden Höhen des Superstarruhms erklimmt, zugute kommt.

Auf *Born In The U.S.A.* präsentiert sich Springsteen mit einer im Fitnessstudio gestählten Figur, engen Jeans, weißem T-Shirt und knallrotem Stirnband als eine Art Superheld für jedermann. Seine neuen, ungewöhnlich tanzbaren Songs sind sehr synthesizerlastig, und für die MTV-gerechte Vermarktung der ersten Singleauskopplung wird ein peppiger Videoclip mit einem attraktiven Model gedreht. Selten wurde so offensichtlich auf den kommerziellen Ertrag geschielt – und noch seltener mit derart durchschlagendem Erfolg. Spätestens Ende 1984 weiß die ganze Welt, was diese Springsteen-Jünger die ganze Zeit so zum Schwärmen brachte. 15 Millionen Exemplare von *Born In The U.S.A.* werden allein in Amerika verkauft, und im Rest der Welt kommen noch einige Millionen hinzu. Die Nachfrage nach Konzerttickets ist so gewaltig, dass Springsteen rund um den Globus die größten Stadien füllt, und das sogar oft mehrere Male hintereinander. Da Springsteen viel zu faszinierend ist und sich viel zu sehr als Projektionsfläche anbietet, um ein ganz gewöhnlicher Rockstar zu sein, wird er schon bald zum Volkshelden stilisiert. Er ist nicht mehr einfach nur ein Superstar oder der Hohepriester des Rock'n'Roll, er ist das Sprachrohr der Arbeiterklasse und eine extrem positive Identifikationsfigur, die Journalisten wie Präsidentschaftskandidaten jeder Couleur allzu gerne politisch für sich zu vereinnahmen versuchen. Die Konservativen bis hinauf zu Reagan stürzen sich

auf den donnernden Refrain von »Born In The U.S.A.« – »Born in the U.S.A.! I was born in the U.S.A.! I'm a cool rockin' daddy in the U.S.A.!« – und missverstehen den Song, für dessen Strophen sie scheinbar taub sind, als patriotische Hymne.

Allerdings ist das das absolute Gegenteil von dem, was Springsteen mit der Nummer beabsichtigt hatte, denn es geht ja in »Born In The U.S.A.« darum, dass die US-Regierung, die amerikanische Soldaten in den Krieg schickte, die heimgekehrten versehrten Vietnamveteranen sich selbst überlässt und weder Dankbarkeit zeigt noch ihrer Verantwortung gerecht wird, wodurch der Refrain sich mit jeder Wiederholung immer sarkastischer, immer hohler anhört. Und auch auf dem Rest des so positiv und mitreißend klingenden *Born In The U.S.A.* nimmt Springsteen kein Blatt vor den Mund; er singt von Werksschließungen, heruntergekommenen Einkaufsstraßen, von Menschen ohne Arbeit, ohne Liebe, ohne Hoffnung. Und wenn er bei seinen ausverkauften Stadionkonzerten viele der trostlosen Lieder von *Nebraska* spielt, spannt er damit einen Bogen von der Verantwortungslosigkeit der Politiker und der großen Wirtschaftsbosse hin zu der zerrütteten Gesellschaft, in der die Figuren aus seinen Songs leben müssen. Was seine Skepsis gegenüber Präsidenten, Premierministern und Regierungen angeht, so macht er keinen Hehl daraus, wenn er einleitend zu seiner Coverversion von Edwin Starrs Anti-Vietnamkriegs-Song »War« erklärt: »1985 kann einen das blinde Vertrauen in die politischen Führer oder Regime das Leben kosten.«

Zu politischen Projekten oder Politikern, mit denen er sympathisiert, äußert er sich in der Öffentlichkeit kaum, wohl aber spendet er überall dort, wo er auftritt, Geld an ortsansässige Tafeln oder andere lokale soziale Organisationen und wirbt für sie auf seinen Konzerten. Er singt mit bei »We Are The World«, der 1985 von USA for Africa aufgenommenen Benefizsingle, deren Einnahmen den Opfern der Hungersnot in Äthiopien zugute kommen sollen, und dem weitaus mutigeren Anti-Apartheid-Song »Sun City« seines Jugendfreundes und Ex-Gitarristen Steve Van Zandt. Im Großen und Ganzen nimmt bei Springsteen das Politische im Vergleich zur Musik noch einen eher geringen Raum ein. Für Schlagzeilen weltweit sorgt zu jener Zeit eher der beispiellose Run der Fans auf die Plattenläden Ende 1986, um ein Exemplar des gerade erschienenen und lange ersehnten ersten Livealbums *Bruce Springsteen & the E Street Band Live/1975–85* zu ergattern, das als 3-CD- bzw. 5-LP-Box eine üppige Werkschau bietet.

Und damit endet auch schon Springsteens Ära als weltweit führender Rocksuperstar.

1987 kehrt er mit *Tunnel Of Love* in die Öffentlichkeit zurück. Auf dem Album verarbeitet er in erster Linie die Erfahrungen, die er in seiner jungen Ehe mit Julianne Phillips gesammelt hat. Wieder einmal fängt das Cover die Atmosphäre der Platte ziemlich gut ein. Springsteen posiert darauf im schicken Cowboy-Staat. Die silbernen Spitzen seines Bolotie glänzen mit dem beigen Cabrio, an das er sich anlehnt, um die Wette. Ein ganzer Kontinent scheint zwischen Springsteen und der Jersey Shore zu liegen (wenngleich das Foto genau dort aufgenommen wurde). Damit nimmt die Coverabbildung bereits den Weg vorweg, den der Musiker wenig später einschlägt, als er an die Westküste zieht, wo er ohne seine langjährigen Wegbegleiter und ohne ein konkretes Ziel vor Augen weiterarbeitet.

Auf der Suche nach neuen Herausforderungen streift Springsteen in den 90ern hauptsächlich durch die Hollywood Hills und das nähere Umland. Er trennt sich von der E Street Band und arbeitet über zwei Jahre lang an dem neuen Studioalbum *Human Touch*, das mit seinem glattpolierten Sound allerdings von dem rauer klingenden *Lucky Town*, das er in nur drei Wochen nach der Fertigstellung von *Human Touch* schrieb, locker in den Schatten gestellt wird. Es folgt eine Tour mit neuen Musikern, was die Springteen-Fans in zwei Lager spaltet: Die einen freuen sich, dass er wieder zurück ist, die anderen trauern der E Street Band hinterher und werfen ihm Verrat an ihr vor. Ein weiteres Jahr verbringt Springsteen mit elektronischen Soundexperimenten, an deren Ende ein geheimnisumwittertes, bis heute unveröffentlichtes Album steht. Zudem schreibt er mit »Streets Of Philadelphia« den oscarprämierten Titelsong zu Jonathan Demmes AIDS-Drama *Philadelphia*, mit dem er weltweit wieder Spitzenplätze in den Charts belegt. Anschließend veröffentlicht er das akustische *The Ghost Of Tom Joad*, das wie ein Nachfolger von *Nebraska* wirkt. Das Album mit Geschichten über Menschen, die im amerikanischen Südwesten am Rande der Gesellschaft leben, trägt schon fast Züge einer akademischen Veröffentlichung, wenn Springsteen ihm sogar eine Liste von Autoren und Publikationen mitliefert, die seine Songs beeinflussten. Springsteens Einfühlungsvermögen und seine moralische Haltung sind echt, nicht aufgesetzt, und auch künstlerisch gibt es an dem Album nichts auszusetzen, doch ein langjähriger Fan bringt es auf den Punkt, wenn er schreibt: »Um ›Born To Run‹ zu schreiben, musste er sicher vorher keine Zeitung lesen.«

Schließlich kehrt Springsteen nach New Jersey zurück, und ebenfalls eine Art Heimkehr ist die Wiederaufnahme der Zusammenarbeit mit der E Street Band. Die Reunion-Tour 1999 wird wie die Wiederauferstehung einer amerikanischen Institution gefeiert. Zeitungen und Magazine informieren regelmäßig über die Tourproben, und in den Nachrichtensendungen auf der ganzen Welt wird über den Auftakt der Tournee berichtet. Paradoxerweise steigt mit diesem vermeintlichen Rückschritt Springsteens Marktwert enorm – und sein Ansehen im Kulturbetrieb. Für Schlagzeilen sorgt Springsteen Mitte 2000 mit »American Skin (41 Shots)«. Der Song greift den Skandal um einen von New Yorker Polizisten mit 41 Schüssen getöteten afrikanischen Einwanderer auf und wird vor allem in der Ostküstenmetropole sehr kontrovers diskutiert. Nachdem die Stadt ein Jahr später, am 11. September 2001, zum Ziel islamistischer Terroranschläge wird, schafft es Springsteen mit seinem nächsten Album *The Rising* die Gefühlslage der Nation einzufangen, Trost zu spenden und Zuversicht zu verbreiten. Er ist längst eine gesellschaftliche Autorität, und dass er 2008 schon frühzeitig den damaligen Präsidentschaftskandidaten Barack Obama unterstützt hat, wird von einigen als mitentscheidend für den Ausgang der Präsidentschaftswahlen angesehen.

In den letzten 15 Jahren war Springsteen produktiv wie nie zuvor, und dabei hat er ganz verschiedene Musik gemacht. Die Bandbreite reichte vom klassischen E-Street-Band-Rock über langsame, tiefgründige Soloprojekte *(Devils & Dust)* und ausgelassenen Kneipen-Folk mit der Seeger Sessions Band bis hin zu Sixties-Pop *(Working On A Dream)*. Seine Rede bei der South-by-Southwest-Musikkonferenz, Amerikas führendem Event der Alternative-Rock-Szene, ist 2012 *das* Gesprächsthema auf dem Festival. Sie weckt das Interesse einer ganz neuen Generation von Musikern an *Nebraska* und den anderen grenzüberschreitenden Alben von Bruce Springsteen, die bis heute viele Menschen inspirieren.

Selbst mit 65 brodelt es noch in ihm, und noch immer schafft er es, andere mitzureißen und für das zu begeistern, was ihm wichtig ist:

Erhebt euch, ihr jungen Musiker, erhebt euch! Öffnet eure Ohren und eure Herzen. Nehmt euch selbst nicht zu ernst, und zugleich so todernst wie möglich.

Springsteen richtet sich an jeden einzelnen Musiker, nicht nur auf der South-by-Southwest-Konferenz, sondern überall auf der Welt:

Sorgt euch nicht. Macht euch verrückt vor Sorgen. Habt unerschütterliches Selbstvertrauen, aber zweifelt! So seid ihr immer ganz bei der Sache und immer auf der Hut! Seid imstande, allzeit zwei völlig widersprüchliche Ideale in euren Herzen und Köpfen hochzuhalten und danach zu leben. Wenn euch das nicht in den Wahnsinn treibt, macht es euch stark.

Natürlich spricht Springsteen auch zu sich selbst. Er hat gerade ein weiteres Album fertiggestellt und steht kurz davor, wieder einmal zu einer weltumspannenden Mammuttour aufzubrechen. Und was noch wichtiger ist: Schon wenige Stunden später wird er wieder auf der Bühne stehen.

Stay hard, stay hungry, stay alive. Und wenn ihr heute Abend auf die Bühne geht, um es krachen zu lassen, macht euch dabei bewusst, dass das alles ist, was wir haben. Und denkt aber auch daran: It's only rock 'n' roll.

HEIMAT NEW JERSEY

»DIE LEUTE HIELTEN MICH FÜR VERRÜCKT, WEIL ICH IMMER SO SELTSAM DREIN-BLICKTE. ICH HAB MIR NUR ÜBER ALLES MÖGLICHE GEDANKEN GEMACHT, UND DABEI HABE ICH MICH SELBST IMMER VON AUSSEN BETRACHTET.«

BRUCE SPRINGSTEEN, 1979

1949

23. September: Bruce Frederick Springsteen, das erste Kind von Adele und Doug Springsteen, kommt im Krankenhaus in Long Branch, New Jersey, zur Welt.

1951

Winter: Geburt von Bruce' ältester Schwester Virginia, genannt Ginny.
Doug und Adele ziehen um ins Haus von Dougs Eltern, Fred und Alice, die in der Randolph Street in Freehold wohnen.

1954

Oktober: Doug und Adele kaufen ein eigenes Häuschen in der Institute Street in Freehold.

1955

Herbst: Bruce wird an der St. Rose of Lima Grundschule eingeschult.

um 1956

Nachdem Bruce Elvis Presley im Fernsehen in der *Ed Sullivan Show* gesehen hat, nimmt er ein paar Gitarrenstunden.

1961

Juli: Adele besucht mit ihren Kindern ein Konzert von Chubby Checker, das im Freizeitpark Steel Pier in Atlantic City stattfindet.

1962

8. Februar: Geburt von Pamela, Bruce' jüngster Schwester.
Fred und Alice Springsteen sterben kurz nach einander.
November: Die Springsteens mieten ein größeres Haus in der South Street in Freehold.

1963

Herbst: Bruce geht an die Freehold Regional High School.

1964

Januar: Als Springsteen »I Want To Hold Your Hand« von den Beatles hört, werden seine musikalischen Ambitionen erneut geweckt.
Sommer: Er kauft seine erste Akustische und beginnt, das Gitarrespielen ernsthaft zu lernen.
25. Dezember: Bekommt als Weihnachtsgeschenk seine erste E-Gitarre, eine 60 Dollar teure Kent.

1965

Frühjahr: Wird Mitglied der Band The Rogues, mit der er auch im Freehold Elks Club zum ersten Mal öffentlich auftritt, jedoch wird er kurz darauf rausgeworfen.
Juni: Bruce wird Leadgitarrist der Band The Castiles.
Sommer und Herbst: Ihr Manager Tex Vinyard verschafft den Castiles eine Reihe von Auftritten bei Tanzveranstaltungen.

1966

18. Mai: The Castiles nehmen ihre erste (und einzige) Single auf: »Baby I«/»That's What You Get«.
Herbst: Springsteen begegnet zum ersten Mal Steve Van Zandt, der Gitarrist bei der lokalen Band The Shadows ist.

1967

19. Juni: Wegen seiner langen Haare wird Springsteen die Teilnahme an seiner eigenen Highschool-Abschlussfeier untersagt.
September: Springsteen geht auf das Ocean County Community College im nahe gelegenen Toms River.
22. Oktober: Der Ex-Castiles-Drummer Bart Haynes fällt im Vietnamkrieg.

1968

Winter: Als sie schwanger wird, heiratet Ginny ihren Freund Michael »Mickey« Shave.
Bei einem Verkehrsunfall zieht sich Springsteen eine Gehirnerschütterung zu.
Anfang August: Nach einer groß angelegten Drogenrazzia in Freehold werden die meisten Castiles-Mitglieder verhaftet (Springsteen zählt nicht dazu), was kurz darauf zur Auflösung der Band führt.
10. August: Springsteens neue Band, Earth, hat ihren ersten Gig im Le Teendezvous in New Shrewsbury.

1969

14. Februar: Ihr letztes Konzert geben Earth im Clubhaus der Italian American Men's Association in Long Branch.
23. Februar: Eine Jamsession im Upstage Club in Asbury Park führt zur Gründung von Springsteens neuer Band, Child, mit Vini Lopez (Drums), Danny Federici (Tasteninstrumente) und Vinnie Roslin (Bass).
Februar/März: Carl »Tinker« West, ein Surfbretthersteller, wird Childs Manager und lässt die Band in seiner Fabrik proben.
2. April: Childs erstes Konzert, im Pandemonium Club in Wanamassa.
Juni: Doug und Adele (und Pamela) ziehen nach San Mateo, Kalifornien; Springsteen lebt allein im Haus der Familie in Freehold, bis er den Bandkollegen Lopez und Federici anbietet, bei ihm einzuziehen.
15.–17. August: Wegen eines dreitägigen Engagements im Student Prince in Asbury Park kann Child die kurzfristige Einladung, beim legendären Festival in Woodstock aufzutreten, nicht annehmen.
September: Nachdem der Mietvertrag für das Haus in der South Street ausgelaufen ist, quartieren sich Springsteen, Vini Lopez und Danny Federici in Tinker Wests Surfbrettfabrik ein.
Anfang November: Nachdem sie erfahren haben, dass es bereits eine andere Gruppe namens Child gibt, wird die Band in Steel Mill umbenannt.
31. Dezember: Die Band reist nach Kalifornien, um auf der Silvesterparty des Esalen Institute in Big Sur, das als ein Zentrum der amerikanischen Gegenkultur gilt, zu spielen.

1970

13. Januar: Ihr Gig im Matrix in San Francisco wird im *San Francisco Examiner* mit einer überschwänglichen Konzertkritik gewürdigt, was den Konzertveranstalter Bill Graham auf die Band aufmerksam macht.

Februar: Graham bietet Steel Mill einen Plattenvertrag bei seinem Label Fillmore Records an, doch angesichts der geforderten weitreichenden Rechteabtretungen lehnt die Band das Angebot ab.

18. Februar: Springsteen begegnet bei einem Bandwettbewerb im Fillmore West in San Francisco zum ersten Mal Nils Lofgren.

24. Februar: Steel Mill geben vor ihrer Heimreise das letzte Konzert auf ihrem Kalifornien-Trip am College of Marin in Kentfield.

28. Februar: Letzter Auftritt von Vinnie Roslin als Steel-Mill-Mitglied in der Free University in Richmond, Virginia.

27. März: Beim Gig im Hullabaloo Club in Richmond ersetzt Steve Van Zandt den gefeuerten Roslin am Bass.

August: Springsteen bietet Robbin Thompson, dem Leadsänger der Jersey-Shore-Band Mercy Flight, an, bei Steel Mill einzusteigen und sich mit ihm den Frontman-Posten zu teilen.

29. August: Die Band spielt beim Nashville Music Festival im Vorprogramm von Roy Orbison.

Anfang September: Weil er zur falschen Zeit am falschen Ort ist, wird Vini Lopez im Rahmen einer groß angelegten Drogenrazzia in Richmond festgenommen.

11. September: Steel Mill treten bei einem Benefiz-Open-Air im Clearwater Swim Club in Atlantic Highlands, New Jersey, auf, um Geld zu sammeln, damit sich Lopez einen Anwalt nehmen kann; das Konzert endet in Krawallen.

Anfang Oktober: Lopez wird freigelassen und kehrt zur Band zurück.

1971

23. Januar: Steel Mill geben ihr Abschiedskonzert im Upstage.

Februar – März: Springsteen testet Kandidaten für eine neue Band; die 17-jährige Patti Scialfa hat aufgrund ihres Alters als Backgroundsängerin noch keine Chance.

27. März: Eine vielköpfige Partyband-Besetzung, die als Bruce Springsteen and the Friendly Enemies firmiert, gibt als Vorgruppe der Allman Brothers im Sunshine In in Asbury Park ihr einziges Konzert.

14. und 15. Mai: Unter dem neuen Namen Dr. Zoom and the Sonic Boom gibt Springsteens Bigband zwei weitere Gigs, einen wieder im Sunshine In und einen im Newark State College in Union, New Jersey.

10. Juli: Die neunköpfige Bruce Springsteen Band gibt beim Nothings Festival des Brookdale Community College ihr Livedebüt.

11. Juli: Das Publikum ist vom Auftritt der Band im Sunshine In als Vorgruppe von Humble Pie so begeistert, dass die Headliner nur mit Mühe überredet werden können, ihr Set noch zu spielen.

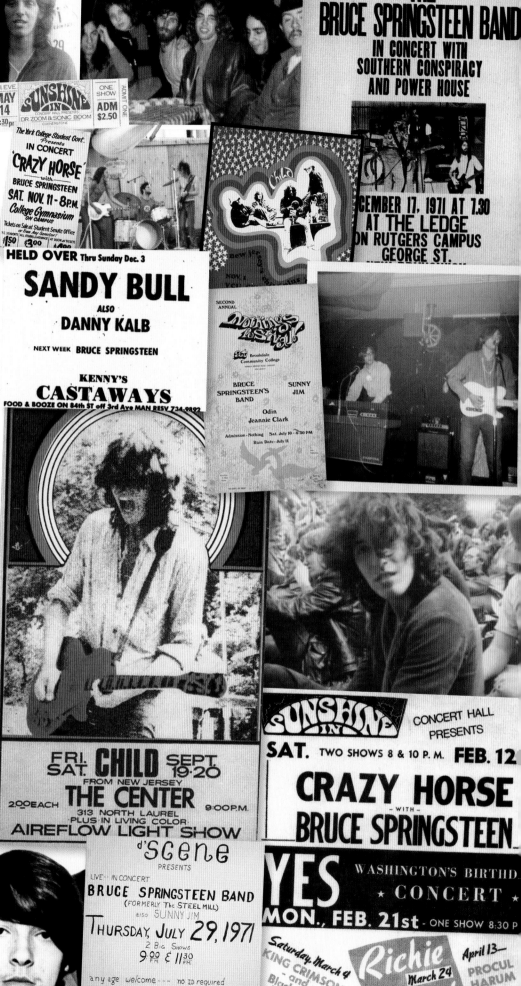

J eder Musiker hat sein Initiationserlebnis.«
Bruce Springsteen stand hinter dem Katheder im Festsaal des Kongresszentrums in Austin, Texas. Er war 62 – eine Ikone, die das tat, was von Ikonen gelegentlich erwartet wird: Er hielt eine Rede. Um genau zu sein, die Grundsatzrede zur South by Southwest Music Conference 2012. Die Ärmel seines blauen Hemdes hochgekrempelt, begann er, drei Geschichten zu erzählen, die untrennbar miteinander verwoben sind: seine eigene, die des Rock'n'Roll und die amerikanische.

»Meines war der Auftritt von Elvis in der *Ed Sullivan Show* 1956.«

Elvis. Der mittellose weiße junge Mann aus Mississippi, der schwarze Musik wie Gospel, R&B und Blues mit Country kombinierte, seine Hüften schwang und die Kulturszene mächtig durcheinandergewirbelt hat. Elvis ließ niemanden kalt, er zwang einen förmlich dazu, Stellung zu beziehen. Entweder man mochte ihn, oder man lehnte ihn ab. Sullivan hatte zunächst gesagt, er würde Elvis niemals in seiner Fernsehshow auftreten lassen – am Ende zahlte er ihm sagenhafte 50 000 US-Dollar, damit er kam.

»Das war der Abend, als mir bewusst wurde, dass man auch als Weißer über Magie verfügen kann, dass man nicht eingeschränkt, nicht festgelegt ist durch seine Erziehung, sein Aussehen oder die soziale Herkunft. Dass man dank seiner Fantasie die Macht hat, jemand anders zu sein, ein transformiertes Selbst.«

Ein Begriff wie »transformiertes Selbst« gehörte 1956 gewiss noch nicht zu Springsteens Wortschatz. Dem Schüler muss Elvis in erster Linie jede Menge Spaß und Freude vermittelt haben. Elvis ging aus sich heraus, und er hatte so gar nichts gemein mit dem, was Springsteens Welt ausmachte, die damals aus nicht mehr als ein paar Blocks in der Arbeiterstadt Freehold in New Jersey bestand.

So wie der arme Süden Elvis geprägt hat, hat Freehold Springsteen geprägt, und zwar seit dem Tag seiner Geburt am 23. September 1949. Die Fröhlichkeit, die Rastlosigkeit, das Düstere und das Dynamische – all diese Wesenszüge machen Springsteen schon seit seiner Kindheit aus.

22 Jahre vor Springsteens Geburt war Virginia, die ältere Schwester seines Vaters, überfahren worden. Sie war fünf, als sie starb, Douglas Springsteen nicht einmal zwei. Dougs Eltern, Fred und Alice, waren so hilflos und paralysiert in ihrer Trauer, dass sie es nicht schafften, sich um den kleinen Jungen zu kümmern, den sie für eine Zeit zu Verwandten gaben.

Seine Eltern hatten den tragischen Verlust der Tochter nie verwunden, nie ihre Trauer und Verzweiflung überwunden. Nachdem er von der Schule abgegangen war, arbeitete Doug zunächst in einer Fabrik, bevor er zur Army ging und als LKW-Fahrer am Zweiten Welt-

»NACH IHM [ELVIS] ÄNDERTE JEDER SEINE MEINUNG ZU ALLEM: ZU RASSENFRAGEN ODER ZUM GESCHLECHTERVERHÄLTNIS, DAZU WIE MAN AUSSEHEN ODER WAS MAN ANZIEHEN KONNTE.«

Bruce Springsteen, 2011

krieg teilnahm. Als er 1945 nach Freehold heimkehrte, gabs für ihn nicht viel zu tun. Bis er Adele Zerilli kennenlernte, für die er sich mächtig ins Zeug legte. »Ich wurde ihn einfach nicht mehr los«, sagte sie in einem unveröffentlichten Interview 2011. Zumindest hierbei zeigte Doug etwas von der Entschlossenheit, die seinen Sohn später auszeichnen sollte.

Adele trug ihre eigene komplizierte Geschichte mit sich herum. Sie wuchs dank ihres Vaters Anthony, eines Lebemanns, der als Anwalt zu Geld gekommen war, in wohlbehüteten Verhältnisssen auf. Das änderte sich schlagartig infolge der Weltwirtschaftskrise und der Verurteilung ihres Vaters wegen Unterschlagung zu einer Haftstrafe, die er in der Strafvollzugsanstalt Sing Sing verbüßte.

Kurz vor Haftantritt hatte er für seine drei Töchter ein kleines Häuschen gekauft. Die jungen Frauen hielten zusammen und versuchten, so gut es ging, über die Runden zu kommen. Sie tanzten viel – das half.

Seite 14: Voller Zuversicht, 1971.

Seite 15: Asbury Park, 1973.

Oben links: Auf dem Karussell mit seiner Schwester Ginny, 1954.

Oben rechts: Das Foto aus dem Jahrbuch zu seinem Abschlussjahr an der Freehold Regional High School, 1967.

Die lebenslustige Adele und der von seinen Dämonen geplagte Douglas heirateten im Februar 1947. Er fand Arbeit in einem Ford-Werk und sie eine Stelle als Sekretärin. Erst wurde Bruce geboren, und keine zwei Jahre später seine Schwester Ginny. Weil sie mehr Platz brauchten, zogen sie zu Fred und Alice in ihr heruntergekommenes altes Haus in der Randolph Street.

Fred und Alice sahen in Bruce eine Art Ersatz für ihre verstorbene Tochter. Bei ihnen drehte sich alles um Bruce. Sie erfüllten ihm fast jeden Wunsch, und er konnte mehr oder weniger alles tun, was er wollte.

Adeles Job und ihre Zielstrebigkeit sorgten für ein bisschen Stabilität, doch alle anderen Erwachsenen, die in Bruce' Leben eine Rolle spielten, ließen sich einfach nur treiben. Doug war oft arbeitslos. Und Fred, der mal als Elektriker gearbeitet hatte, durchforstete den Müll anderer Leute nach defekten Radios, die er reparierte und anschließend verkaufte.

Dies alles bestimmte die Atmosphäre, in der er aufwuchs, wobei auch der Katholizismus eine entscheidende Rolle spielte – die St. Rose of Lima Church lag direkt gegenüber. Taufen, Hochzeiten und Beerdigungen gehörten hier zum Alltag. Die finstren Schatten und das gleißende Licht. »Das alles war voller Schrecken und Mysterien, aber auch voller Poesie, und es ging weit über das hinaus, was ich begreifen konnte«, sagte Springsteen 2005, »aber aufgesogen habe ich es dennoch.« Wie er alles in sich aufgesogen hat.

Vor Elvis gab es die Musik aus dem Küchenradio. »Doo-Wop! Der Sound von purem Sex. Von knisternden Seidenstrümpfen, die an Lederpolstern reiben«, wie er seinen Zuhörern erzählte. Diese Musik hörte man überall.

1961 machten die Springsteens einen Ausflug nach Atlantic City, um ein Konzert von Chubby Checker zu besuchen. Noch im selben Jahr verlagerte die Teppichfabrik, bei der Doug mal gearbeitet hatte – wie so viele andere Leute aus Freehold – ihre Produktionsstätte.

Roy Orbison und Johnny Cash erschienen auf der Bildfläche. Kurz darauf Bob Dylan. Und Phil Spectors Name wurde zu einem Synonym für seine Wall of Sound. Soulmusik beflügelte die Fantasie. »Das war Musik, die geradezu Schweißgerüche ausdünstete und durchtränkt war von der Lust auf alles Mögliche und dem Einfordern von Respekt«, sagte Springsteen. »Das war Erwachsenenmusik, gesungen von Männern und Frauen mit Soul – und nicht von Teenie-Sternchen.«

Das Jahr 1964 begann mit dem Auftritt der Beatles bei Ed Sullivan und endete mit der Kinopremiere des Musikfilms *T. A. M. I. Show*. Gezeigt wurden darin Auftritte u. a. von Chuck Berry, The Beach Boys, Jan and Dean, The Supremes, Marvin Gaye, Smokey Robinson, The Rolling Stones und dem unvergleichlichen James Brown, der eine grandiose Show ablieferte.

»Das musst du dir unbedingt anschauen, dann weißt du alles, was du wissen musst«, sagte Springsteen über den Auftritt des Godfather of Soul. »Oder zumindest fast alles.«

In der Zwischenzeit hatte aus tiefer Sorge um die amerikanischen Kinder das FBI eine Untersuchung des Kingsmen-Hits »Louie Louie«, der angeblich anstößige Textstellen enthalten sollte, eingeleitet.

In seinem Schlafzimmer übte Springsteen endlos Gitarre spielen. Als er bei den Rogues aufgenommen wurde, spielte er zum ersten Mal in einer Band. Jedoch trat er mit ihr nur einmal auf, und zwar im Freehold Elks Club, wo sie ihren Gig mit der Beatles-Version von »Twist and Shout« begannen. Kurz danach wurde er rausgeworfen. Er übte noch mehr und trat bald den Castiles (benannt nach dem Lieblingsshampoo der Bandmitglieder) bei. Seine Mitmusiker verlangten von ihm, mehr Leadgitarre zu spielen. Und so ging er nach Hause und übte besessen Leadgitarre.

Oben links: Mit Zopf, Koteletten und Gibson Les Paul in der Prä-Tele-Ära.

Oben rechts: Der unvergleichliche James Brown in vollem Einsatz bei der *T. A. M. I. Show* im Dezember 1964.

Links: Als die Beatles Amerika mit ihrem Auftritt in der *Ed Sullivan Show* im Februar 1964 im Handstreich nahmen, saß auch Springsteen gebannt vorm Fernseher.

Das war 1965. Der Vietnamkrieg begann zu eskalieren. Dylan wurde elektrisch und The Animals landeten mit »We Gotta Get Out Of This Place« einen Hit.

»Das war das erste Mal, dass ich das Gefühl hatte, dass ein Song, der aus dem Radio kommt, etwas mit meinem Leben zu Hause zu tun hat, mit meiner Kindheit«, sagte Springsteen.

Gordon »Tex« Vinyard nahm die Band als Mentor und Manager unter seine Fittiche. Sie spielten hauptsächlich Coversongs, z.B. »Hold On, I'm Comin« von Sam and Dave oder »Fire« von Jimi Hendrix, aber auch Nummern wie Glenn Millers »In The Mood«.

1966 nahmen sie mit »Baby I« und »That's What You Get« zwei Eigenkompositionen auf, die Springsteen zusammen mit George Theiss, dem anderen Castiles-Gitarristen, geschrieben hatte. Sie traten überall auf, sogar im legendären Café Wha? in Greenwich Village.

Springsteen befreundete sich mit einigen Musikern, von denen er mit manchen später zusammenspielte und die teils sogar bis heute seine Bandkollegen sind. Zum Beispiel Steve Van Zandt. Es gibt keine mythische Erzählung darüber, wie sich kennengelernt haben. Sie waren sich schlicht zu ähnlich, um es nicht zu tun. Van Zandt hatte wie die meisten anderen erkannt, dass es Springsteen mit seinem Talent und seiner Zielstrebigkeit noch weit bringen würde.

Doug war oft lange ohne Arbeit. Sein Gemütszustand verfinsterte sich zusehends. Nachts saß er meist allein Bier trinkend und Kette rauchend in der dunklen Küche. Eine gequälte Seele, die sich immer mehr in sich selbst zurückzog. Wenn er mal nicht ganz in seinen Gedanken versunken war, tat er, was viele Eltern tun – er fragte sich, was in seinem Sohn vorging.

Was Adele betraf, so charakterisierte Springsteen seine Mutter ein paar Jahre später in dem unveröffentlichten »Family Song« folgendermaßen: »Meine Mama ist ein Regenbogen, der sich aufspannt, um den Gewitterwolken ein Plätzchen zum Ausruhen zu bieten.«

Die große Kluft, die sich überall zwischen den Eltern der Kriegsgeneration und ihren aus den starren Zwängen ausbrechenden, freigeistigen Kindern auftat, war auch bei den Springsteens und in ihrer Stadt deutlich zu spüren.

Im Sommer 1968 führte die Polizei in ganz Freehold eine Razzia zu Hause bei allen Jugendlichen durch, die sie verdächtigte, Drogen zu besitzen.

Gewalt prägte diese Jahre. 1967 fiel in Vietnam Bart Haynes, der ehemalige Drummer der Castiles. Im April 1968 wurde Martin Luther King Jr. in Memphis ermordet, in derselben Stadt, in der Elvis großgeworden war. Im August desselben Jahres kam es während der Democratic National Convention in Chicago zu gewalttätigen Ausschreitungen. Die Kultur veränderte sich grundlegend, weil die Jugendlichen alles nach ihren eigenen Maßstäben beurteilten und ganz andere Dinge mochten und vieles anders machen wollten als ihre Eltern.

»Am Ende war es der größte Paradigmenwechsel, den es je gab«, sagte Van Zandt 2011. »Ich bin davon überzeugt, dass man in 500 Jahren die Geschichte in die Prä-Sixties und die Post-Sixties einteilen wird. Das glaube ich wirklich. Es hat sich damals einfach alles verändert, alles.«

Die Castiles waren eine Teenagerband, und so war irgendwann ihre Zeit vorüber, und sie lösten sich auf.

Als Nächstes gründete Springsteen mit dem an Cream orientierten Powertrio Earth seine erste eigene Band, die jedoch nicht lange Bestand hatte. Earth machten harte Musik und gaben lange Konzerte, wobei sie ausgiebig improvisierten, und Springsteen, der nach Tausenden Stunden Gitarren-

> »WIR [DIE CASTILES] HATTEN ALS KLEINE GREASER AUS FREEHOLD ANGEFANGEN UND ENDETEN ALS LANGHAARIGE HIPPIES – WAS WAHRLICH KEIN WUNDER WAR, DENN WIR REDEN VON 1967.«

Bruce Springsteen, 2011

Links und oben: Im Mai 1966 nahm Springsteen mit den Castiles seine allererste Single auf: »Baby I«/»That's What You Get«.

Gegenüber: Mit Steel Mill ging es für Springsteen dann Richtung Hardrock – auch optisch, um 1970.

übens sein Instrument virtuos beherrschte, erwarb sich den Ruf eines Gitarrengotts aus New Jersey.

Im Februar 1969 ging Springsteen in den Upstage Club in Asbury Park und fragte, ob er dort mal spielen dürfe. Er durfte, natürlich. Der Club war ein vor Energie pulsierender Ort. Das Upstage hatte immer bis in die frühen Morgenstunden geöffnet – hier trafen sich alle möglichen Musiker, um zu jammen. Ein Traum für einen jugendlichen Musikjunkie.

Springsteen ging auf die kleine Bühne und legte los. Nach und nach gesellten sich andere Musiker zu ihm und jammten mit ihm. In dieser Nacht wurde eine Band geboren, die neben Springsteen aus dem Drummer Vini »Mad Dog« Lopez (der, nachdem er Springsteen einmal live mit Earth gesehen hatte, ohnehin eine Band mit ihm gründen wollte) und dem Keyboarder Danny Federici bestand.

Der neuen Band gaben sie den Namen Child, doch weil eine andere Gruppe bereits so hieß, nannten sie sich kurz darauf in Steel Mill um. Abgesehen von ein paar Monaten im Sommer 1969, als Springsteens Familie nach Kalifornien umgezogen war und er allein in dem Haus in Freehold lebte, für das die Miete schon im Voraus bezahlt worden war, wohnte und probte die Band in der Surfbrettfabrik von Carl »Tinker« West, ihrem neuen Manager.

Die Jungs aus der Band halfen, wenn nötig, in der Fabrik mit aus, und ansonsten probten sie und schrieben Songs: Lange Songs, heavy Songs. Prog-Rock, Southern Rock, Rock, bei dem man richtig mitgehen konnte. Ausufernde, epische Nummern wie »The Wind And The Rain«, ein Trennungssong, den sie mühelos auf über 20 Minuten ausdehnen konnten. Das war allerdings ein kompakter kleiner Popsong verglichen mit »Garden State Parkway Blues«, der auch mal locker über eine halbe Stunde dauern konnte. Die Tracks zeugen alle von Springsteens frühem Interesse an typischen Arbeiterthemen – und enthalten darüber hinaus Anspielungen auf das so chaotische wie tragische Altamont-Konzert der Stones Ende 1969.

Oben links: Child spielen beim Labor Day Festival am Strand von Long Branch, 1. September 1969.

Oben rechts: Nach der Auflösung von Steel Mill Anfang 1971 gründete Springsteen eine Reihe Bands mit sehr großer Besetzung, darunter auch Dr. Zoom and the Sonic Boom.

»The War Is Over« war die Art Antikriegssong, die sich in diesen Tagen fast von selbst zu schreiben schien. Dabei war Springsteen eigentlich völlig unpolitisch. Jede Zeit bringt ihre eigene Kunst hervor.

Was er sagte, war allerdings ohnehin sekundär. Worauf es ankam, war die Musik, die Steel Mill machten, ihre Energie und ihre Bereitschaft, alles zu geben. Tausende kamen zu ihren Gigs, und Tinker West verschaffte ihnen Konzerte vor immer größerem Publikum – Springsteen war nun ein Rockstar. Sie spielten in etlichen Städten an der Ostküste, hatten aber auch an der Westküste Auftritte, sogar in San Francisco, wo sie fast mit Bill Graham ins Geschäft gekommen wären. Steel Mill spielten im Vorprogramm von Grand Funk Railroad, Chicago, Black Sabbath und Roy Orbison. Da sie bereits anderweitig gebucht waren, konnten sie die Einladung, bei dem legendären Festival in Woodstock aufzutreten, nicht annehmen.

Doch auch so hatte die Band ihr eigenes denkwürdiges Open-Air-Erlebnis, denn im September 1970 stürmte die örtliche Polizei während des Steel-Mill-Gigs im Clearwater Swim Club die Bühne und das Festivalgelände. »Ob es sich um gewalttätige Ausschreitungen handelte oder bloß ein Handgemenge, vielleicht nur ein wenig Unruhe oder aber um eine Überreaktion seitens der Polizei auf eine tatsächliche oder nur eingebildete Bedrohung durch die jungen Konzertbesucher, wird jetzt zu klären sein«, schrieb das Wochenmagazin *Courier*. Federici, der eine Reihe Lautsprecher von der Bühne herab auf die heranstürmenden Cops kippte und dann abtauchte, was ihm den Spitznamen »das Phantom« einbrachte, wurde daraufhin mit Haftbefehl gesucht.

Nach dem Clearwater-Desaster begann Springsteen vermehrt Sologigs zu spielen, während er gleichzeitig immer kühnere kreative Ideen entwickelte. Bald darauf löste er Steel Mill auf und stellte die Bruce Springsteen Band zusammen.

Vini Lopez war auch hierbei als Schlagzeuger mit von der Partie, wie auch Steve Van Zandt, der bei Steel Mill den gefeuerten Bassisten Vinnie Roslin ersetzt hatte, jetzt jedoch als Gitarrist fungierte. David Sancious übernahm die Tasteninstrumente und Garry Tallent den Bass. Zudem verstärkte Springsteen die Band noch um ein paar Bläser und Backgroundsängerinnen.

Gleichzeitig stellte er mit Dr. Zoom and the Sonic Boom ein weiteres Projekt auf die Beine. Hierbei spielten so gut wie alle Musiker mit, mit denen Springsteen in den letzten Jahren

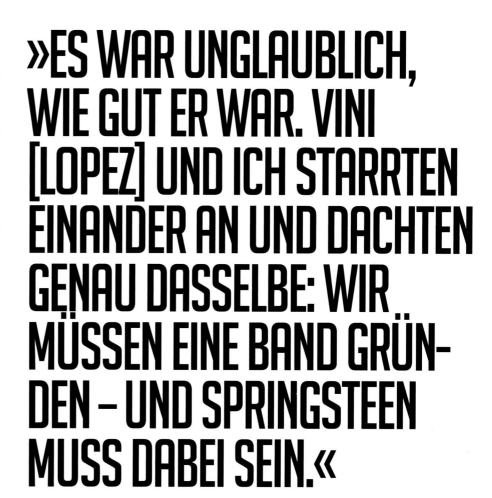

mal zusammengespielt hat – etwa der Sänger John Lyon, der schon bald unter seinem Spitznamen »Southside« selbst Berühmtheit erlangte.

Die Bruce Springsteen Band fügte zu der Power von Steel Mill noch Jazz-, Funk- und ein paar Soulelemente hinzu, doch war die vielköpfige Gruppe finanziell nicht überlebensfähig, auch weil sie nicht mehr so viele Zuschauer anlockte. Als Nachfolger der rockigen, ungemein populären Steel Mill hatte die Bruce Springsteen Band einen schweren Stand. Und überdies war der Kopf der Gruppe noch dabei, all seine Talente – als Songwriter, Gitarrist, Bandleader oder Bandmitglied – zu erproben, um herauszufinden, welche Richtung er wirklich einschlagen wollte.

»Das war der Moment, als ich eine Wahl treffen musste«, sagte Springsteen 2011. »Und ich entschied mich für die Stimme, die man auf *Greetings from Asbury Park* hört.«

»ES WAR UNGLAUBLICH, WIE GUT ER WAR. VINI [LOPEZ] UND ICH STARRTEN EINANDER AN UND DACHTEN GENAU DASSELBE: WIR MÜSSEN EINE BAND GRÜNDEN – UND SPRINGSTEEN MUSS DABEI SEIN.«

Danny Federici, 2006

Nächste Seite, großes Bild: Der Big Man im Los Angeles Coliseum vor dem letzten Konzert der *Born in the U.S.A.*-Tour am 7. Oktober 1985. Clarence Clemons, der sich in der Clubszene von New Jersey bereits einen Namen gemacht hatte, stieg im Herbst 1972 in Springsteens Band ein.

Nächste Seite, kleines Bild: Diese Tür fliegt nicht aus den Angeln, 1978.

AND THE BIG MAN JOINED THE BAND

An dem einen Tag war Clarence Clemons noch nicht da. Und am nächsten gab es die E Street Band. Ist das zu stark vereinfacht? Keine Frage. Ist das zeitlich stimmig? Auch nicht ganz.

Aber wollen wir denn nicht genau wissen, was sich in der Nacht zugetragen hat, als Clemons zur Band stieß? Haben wir nicht ein bisschen Magie verdient?

Vielleicht war es so, dass Bruce Springsteen und Steve Van Zandt die Uferpromenade dick eingemummelt entlanggingen, als eine geheimnisvolle Gestalt eiligen Schritts die eisige Nacht durchmaß. »Und was echt schräg war, denn es war vier Uhr morgens, und ich dachte, ich seh nicht richtig, aber Steve bestätigte es mir: Der Typ hatte ein Saxofon dabei«, erzählte Springsteen 1975 auf der Bühne.

Was metaphorisch erklärt, dass Clarence Clemons die Wärme, ja die Hitze, in ihre Musik gebracht hat.

»Die wahre Geschichte ist die beste«, sagte Clemons 2009, als er seine halbfiktive Autobiografie *Big Man: Real Life & Tall Tales* vorstellte.

In dieser Version war es eine finstre, stürmische Nacht, der Wind heulte um das Student Prince in Asbury Park. Clemons war dort hingegangen, um sich diesen Springsteen mal anzusehen, von dem so viele schwärmten. Als er die Tür öffnete, wurde sie von dem Sturm aus den Angeln gerissen und segelte die Kingsley Street hinunter. Und so stand Clemons, der mächtige Ex-Footballspieler, in der Türöffnung, in der sich vor dem grellen Licht eines Blitzes seine Silhouette abzeichnete, während ihn im nächsten Moment ein gewaltiger Donnerschlag ankündigte.

»Genauso war's«, sagte er.

Warum sollte man mehr wissen wollen? Auch Springsteen besteht darauf, dass es genau so gewesen ist. Doch wie er in seinem Vorwort zu Clemons Buch einräumt, »helfen Fakten nicht, das Geheimnis des Big Man zu ergründen.«

GREETINGS FROM ASBURY PARK, N.J.

1973

»LETZTEN ENDES FAND ICH DAS, WAS ICH ALLEINE MACHTE, INTERESSANTER. ES HÖRTE SICH UNVERWECHSELBARER AN, MEHR NACH MIR.«

BRUCE SPRINGSTEEN, 2011

1971

Herbst: Tinker West gibt den Job als Springsteens Manager auf, stellt ihn aber dennoch kurz darauf Mike Appel vor.

Dezember: Während eines Trips nach Kalifornien, wo er seine Familie besucht, schreibt Springsteen neue Songs, darunter auch »It's Hard To Be A Saint In The City«.

1972

Februar: Er spielt seine neuen Songs Mike Appel und dessen Geschäftspartner Jimmy Cretecos vor, die ihm daraufhin anbieten, als seine neuen Manager für ihn zu arbeiten.

März: Springsteen unterschreibt einen Vertrag mit der von Appel und Cretecos neu gegründeten Managementfirma Laurel Canyon.

2. Mai: Springsteen überzeugt beim Vorspieltermin John Hammond, den legendären A&R-Manager von Columbia Records.

9. Juni: Appel und Cretecos unterzeichnen einen Plattenvertrag zwischen Laurel Canyon und Columbia, womit Springsteens Verpflichtung indirekt geregelt ist.

Juli – September: Aufnahmesessions zu *Greetings from Asbury Park, N.J.*, in den 914 Sound Studios, Blauvelt, New York.

5. Juli: Die Bruce Springsteen Band spielt auf einem Benefizkonzert im Cinema III Theater in Red Bank, New Jersey, zugunsten des Präsidentschaftskandidaten der Demokratischen Partei, George McGovern.

21. Oktober: Clarence Clemons tritt zum letzten Mal mit Norman Seldin auf und steigt umgehend bei Springsteens bis dahin namenloser Band ein.

Oktober: Danny Federici, der seit Steel-Mill-Tagen nicht mehr regelmäßig mit Springsteen zusammengespielt hat, wird Mitglied der neuen Band.

28. Oktober: Die Band tritt in der neuen Besetzung im West Chester College, Pennsylvania, zum ersten Mal live auf.

7. Dezember: Die Band spielt vor Häftlingen im Staatsgefängnis Sing Sing.

1973

5. Januar: Veröffentlichung von *Greetings from Asbury Park, N.J.* (US 60, UK 41).

Vorherige Seite : Mit einer ganzen Reihe neuer Songs im Gepäck ging Springsteen ins Studio, um sein Debütalbum aufzunehmen – eine völlig neue Erfahrung für den Livemusiker.

Recht: Springsteen entdeckte irgendwo diese Grußpostkarte aus Asbury Park und überzeugte Columbias Chefgrafiker John Berg, sie für das Cover seines ersten Albums zu verwenden.

Zum ersten Mal erwähnte der *Rolling Stone* den Namen Bruce Springsteen am 15. März 1973. Sein Debütalbum *Greetings from Asbury Park, N.J.* war da schon seit zwei Monaten auf dem Markt. Aber um das Album ging es gar nicht. Springsteens Name taucht in einer Randbemerkung über John Hammond, »den führenden Talentscout bei Columbia Records«, auf. Hammond hatte nach einem Springsteen-Gig im New Yorker Club Max's Kansas City einen Herzinfarkt erlitten. Gegenüber dem *Rolling Stone* erklärte Hammond den Infarkt mit Überarbeitung und einem Infekt, den er sich zugezogen hatte. »Sein Arzt ist allerdings anderer Ansicht. Er gibt Hammonds Begeisterung über Springsteens Auftritt die Schuld [an dem Infarkt].«

So oder ähnlich lief es für Springsteen fast das ganze Jahr hindurch. Über ihn selbst wurde allerhand berichtet, sein Album wurde jedoch bestenfalls beiläufig erwähnt.

Die am 5. Januar 1973 erschienene LP wurde stolz als New-Jersey-Platte beworben. Das Cover ziert die Reproduktion einer Postkarte, die Springsteen irgendwo entdeckt hatte. Die Rückseite zeigt – eingerahmt wie eine Briefmarke – ein reichlich wüst aussehendes Porträt des Sängers, der direkt in die Kamera grinst – oder die Zähne fletscht; man kann es nicht genau sagen. Abenteuer, Romantik und Herzschmerz sind die zentralen Themen des Albums. Handlungsort ist hauptsächlich ein Zirkus nahe der Küste, es gibt aber auch zwei, drei Abstecher in die Großstadt.

Der Opener »Blinded By The Light« ist zugleich die erste Singleauskopplung des Albums. Als eine Art Einleitung versuchte Springsteen jeden, den er kannte und alles was er je getan hatte und noch tun wollte, in die Eröffnungsnummer zu packen. Sobald die Nadel das Vinyl berührt, wird man von Geschichten über verrückte Musiker, verführerische und stürmische Damen (eine davon mit einem schießwütigen Vater), mürrische Autoritätspersonen, diverse Idioten und von Springsteens großen Ambitionen fast erschlagen.

»Ich wollte wirklich vom Licht geblendet werden«, sagte er 2005 bei *VH1 Storytellers.* »Ich wollte Dinge tun, die ich noch nie getan hatte, Dinge sehen, die ich noch nie gesehen hatte … Es war die Geschichte eines jungen Musikers.«

Im Herbst 71, als die Bruce Springsteen Band mit dem geringen Publikumsinteresse zu kämpfen hatte, fuhr West mit Springsteen nach New York, um Mike Appel und Jimmy Cretecos zu treffen. West hatte sich zwar als Manager zurückgezogen, aber er glaubte fest an seinen ehemaligen Schützling und wollte ihn einfach unterstützen.

»WENN DU DEINE ERSTEN SONGS SCHREIBST, WEISST DU NICHT, OB SIE JEMALS JEMAND HÖREN WIRD. ES GEHT DABEI AUSSCHLIESSLICH UM DICH UND DEINE MUSIK. DAHIN GIBT ES KEIN ZURÜCK MEHR.«

Bruce Springsteen, 1998

Ein Freund hatte West auf Appel und Cretecos aufmerksam gemacht, zwei Songwriter, die bei dem Musikverlag unter Vertrag standen, der unter anderem die Songs für die beliebte TV-Serie *Die Partridge Familie* produzierte. Appel und Cretecos suchten nach neuen Herausforderungen – und neuen Talenten.

West vereinbarte einen Termin mit ihnen und fuhr mit Springsteen nach New York. Der spielte Appel auf seiner Akustikgitarre zwei seiner Singer-Songwriter-Nummern vor – »Baby Doll« und »Song To The Orphans«. Das waren keine Songs für Nächte in stickigen Bars. Das waren Kaffeehauslieder, die Springsteen auf der Suche nach einem eigenen Stil aus der Feder geflossen waren. Eine Suche, für die er selbst die geringen Einkünfte, die ihn zu Steel-Mill-Zeiten einigermaßen über Wasser gehalten hatten, geopfert hatte.

»Zum ersten Mal hatte ich nicht mal Geld für Essen«,

Links: John Hammond, der legendäre A&R-Manager von Columbia Records, holte Springsteen zu der Plattenfirma, bei der er bis heute geblieben ist.

Gegenüber: Auf der Bühne, März 1973. Springsteen überzeugte im Jahr zuvor John Hammond beim Vorspielen mit seinem kraftvollen Spiel auf der akustischen Gitarre und seinen lyrischen Texten.

sagte Springsteen 2011. »Ich glaube, dass es wichtig für mich war, diese Phase durchgemacht zu haben. Es brachte mich dazu, mein Bestes zu geben.«

Appel hatte jedoch kein Interesse an dem, was Springsteen ihm zu bieten hatte. Aber er war von ihm als Musiker fasziniert. Er bestärkte ihn, weiterzuschreiben.

Über Weihnachten reiste Springsteen nach Kalifornien. Als er Mitte Januar nach New Jersey zurückkehrte, hatte er ein paar Dutzend neuer Songs im Gepäck – und nur wenige davon hatte er für die Band geschrieben. Er konzentrierte sich jetzt vor allem auf eine Solokarriere.

Einer seiner neuen Songs hieß »Randolph Street«, er erzählt vom Leben bei Fred und Alice. »Family Song« ist gewissermaßen eine Fortsetzung dazu. Es geht um die schlechten Zeiten, die die Familie an der Ostküste durchmachte, und wie nach ihrem Umzug in den Westen alles besser wurde. »You could say it took California to bring us close«, singt Springsteen.

Andere neue Nummern hießen »Two Hearts In True Waltz Time«, »Saga Of The Architect Angel«, »Visitation At Fort Horn« und »Street Queen« – allein die Titel vermitteln schon einen Eindruck von den Filmen, die sich in Springsteens Kopf abspielten.

Im Februar spielte Springsteen Appel erneut Songs auf seiner Akustischen vor – und diesmal hat der Funken gezündet. Appel ließ sich sofort von allen anderen Verpflichtungen entbinden und konzentrierte sich voll und ganz auf Springsteen. Er setzte sich bedingungslos für ihn ein, alles andere ordnete er dem unter.

Den *Crawdaddy*-Redakteuren Peter Knobler und Greg Mitchell, die er Ende 72 zu einem Springsteen-Auftritt vor Häftlingen im Staatsgefängnis Sing Sing eingeladen hatte (wo einst auch Springsteens Großvater eingesessen hatte), verkaufte er den jungen Musiker als »eine Kreuzung aus Bob Dylan, Chuck Berry und Shakespeare«.

Springsteen gab noch ein paar abschließende Gigs mit der Band, bevor er sich, ohne großes Aufheben darum zu machen oder eine Abschiedshow zu geben, für eine Solokarriere entschied.

Appel rührte kräftig die Werbetrommel und fing gleich ganz, ganz oben an, bei John Hammond. Der war eine Legende, hatte er doch bereits Billie Holiday, Benny Goodman und Bob Dylan entdeckt. Und genau da setzte Appel an: »Sie haben Dylan entdeckt? Sie glauben, etwas von Musik zu verstehen? Ich habe hier jemanden, der Dylan locker in die

»LETZTEN WINTER SCHRIEB ICH WIE EIN BESESSENER. ICH LIESS ALLES RAUS. ICH HATTE KEIN GELD, KEIN RICHTIGES ZUHAUSE UND NIX ZU TUN. ES WAR KALT UND ICH HAB GESCHRIEBEN UND GESCHRIEBEN.«

Bruce Springsteen, 1973

Tasche steckt.« Diese Großkotzstrategie machte ihn nicht gerade sympathisch, aber immerhin war es eine Strategie. Und Appel zog sie durch.

Für den unverschämten, großmäuligen Manager konnte sich Hammond nicht erwärmen. Und Springsteen war der ganze Wirbel um ihn sowieso unangenehm. Mit dem Ausgang waren indes alle zufrieden.

Springsteen schnappte sich eine etwas lädierte Akustikgitarre und spielte »It's Hard To Be A Saint In The City«, einen Song, der in schnell aneinandergereihten Szenen vom Leben in der Großstadt erzählt. Dabei verwandelt sich die anfängliche, großspurige Zuversicht des Erzählers zusehends in Panik. Als »King of the Alley« und »Prince of the Paupers« bezeichnet er sich. Die Frauen tuscheln: »Don't that man look pretty?«, doch schon an der nächsten Ecke wartet ein Bettler, der um ein paar »Nickles for your Pity« bittet. Und dann taucht urplötzlich der Teufel auf und jagt den Erzähler bis runter in

Gegenüber: Backstage im Max's Kansas City in New York, 1973.

Links: Mike Appel (Mitte) mit seinem Schützling und Columbia-Boss Clive Davis. Springsteen sagte über Appel: »Ich brauchte jemanden, der ein bisschen verrückt war, weil ich selbst so an die Dinge heranging.«

die U-Bahn-Station, wo sich die Situation zuspitzt. Das rasante Tempo des Songs beschwört eine klaustrophobische Atmosphäre herauf, aus der es für den Erzähler kein Entrinnen zu geben scheint. Doch dann steht er mit einem Mal wieder auf der Straße – und der Song endet so unbekümmert, wie er begonnen hat.

Damit war Hammonds Interesse geweckt. Springsteen kam am nächsten Tag noch einmal zu ihm, um ein paar Demos aufzunehmen, die wenig später auch Clive Davis, den Boss von Columbia Records, von seinem Talent überzeugten. Im Namen ihrer neu gegründeten Managementfirma Laurel Canyon Ltd. schlossen Appel und Cretecos mit Columbia einen Vertrag, demzufolge Springsteen im Auftrag von Laurel Canyon für Columbia tätig wurde.

Als Solokünstler versteht sich. Davon zumindest gingen alle aus, denn nur als solchen hatten ihn die Herren in New York bis dahin erlebt. Filmaufnahmen von seinem Auftritt im Max's Kansas City im September 72 belegen, dass da kein typischer Folkie auf der Bühne stand und sang. In seiner Interaktion mit dem Publikum mag Springsteen noch etwas unbeholfen gewesen sein, aber was er musikalisch ablieferte, war absolut beeindruckend. Einen guten Eindruck davon vermitteln auch die Columbia-Demos, die 1998 im Rahmen des Boxsets *Tracks* veröffentlicht wurden. Dieser bärtige junge Mann war zweifellos mehr als ein gewöhnlicher Folksänger.

Als die Studioarbeit beginnen konnte, teilte Springsteen seiner Plattenfirma mit, er brauche eine Band. Aber nicht irgendeine. Mit irgendwelchen Studiomusikern gab er sich nicht zufrieden. Er brauchte seine Jungs, die »Outlawband aus New Jersey«, wie Tallent sie laut der 2013 auf Deutsch erschienenen Biografie *Bruce* von Peter Ames Carlin nannte.

Ebenjener Garry Tallent wurde für Springsteens Debütalbum dann auch als Bassist verpflichtet. David Sancious spielte Piano und Orgel. Vini Lopez saß hinterm Schlagzeug. Der Einzige, der erstaunlicherweise nicht mit von der Partie war, war Steve Van Zandt, dem man nach der ersten Session in den 914 Sound Studios erklärte, dass seine Dienste nicht benötigt würden. Das war im Juli. Im August legte Springsteen CBS und Davis das fertige Album vor, das ihm allerdings zur Überarbeitung noch mal zurückgegeben wurde: Es fehlte ein überzeugender Singlehit.

Springsteen zog sich in sein Apartment über einem leerstehenden Schönheitssalon in Asbury Park zurück und schrieb »Blinded By The Light« und »Spirit In The Night«, die Geschichte über einen abendlichen Ausflug an den Greasy Lake, in der neben Springsteens damaliger Freundin Diane Lozito (als Crazy Janey) noch einige andere Springsteen-typische Charaktere wie Hazy Davy, Wild Billy, Killer Joe und G-Man ihren Auftritt haben.

»ICH WAR WOHL AUCH VOM DAMALIGEN ZEITGEIST ZIEMLICH BEEINFLUSST: EIN MANN, SEINE GITARRE, SEIN SONG. ICH WAR DABEI, MICH NEU ZU ERFINDEN.«

Bruce Springsteen, 2011

Zusammen mit Lopez und Clarence Clemons ging Springsteen noch einmal ins Studio und nahm die neuen Songs auf (die Bass- und Pianoparts spielte er dabei selbst ein). Dieses Mal war Columbia mit den neun Tracks zufrieden, und der Veröffentlichung seines Debütalbums stand nichts mehr im Wege.

Greetings war eine Kompromisslösung, nicht nur zwischen der Plattenfirma und dem Künstler. Springsteen musste auch für sich Entscheidungen treffen, mit denen er nicht rundum glücklich war. Sein Alleingang mag für ihn wichtig gewesen sein, um seine Stimme zu finden, und womöglich hatte Columbia genau diese Stimme haben wollen, als sie ihn unter Vertrag nahmen, aber es gab keinen Grund, die Entwicklung an dieser Stelle abzubrechen.

»Growin' Up«, der Song, in dem Springsteen den Schlüssel zum Universum im Motor eines alten Autos findet, legt nahe, dass er alles, was er braucht, in seinem unmittelbaren Umfeld zur Verfügung hat. Um in dieser Metapher zu bleiben, könnte man sagen, er musste den Motor lediglich auseinandernehmen und neu zusammensetzen.

»Spirit In The Night« und »Blinded« machen klar, wie wichtig Clemons für diesen neuen Motor war.

In »Mary Queen Of Arkansas« und »The Angel« geht es zum ersten Mal um das Thema Flucht. In Letzterem spielt zudem die Faszination der Straße eine entscheidende Rolle. »The interstate's choked with nomadic hordes«, singt Springsteen vor dem Hintergrund einer schwermütigen Klavierbegleitung. Düsternis und Ein-

Backstage im Max's Kansas City, 1973. Springsteen trat in dem legendären New Yorker Club in den Jahren 1972 und 1973 über vierzigmal auf.

»ICH MAG'S NICHT, KANN NICHTS DAMIT ANFANGEN. ES IST AUCH QUATSCH, ANDERE SO ZU NENNEN.«

samkeit prägen »The Angel«, das dezent festhält, wie die Zeichen der Zeit ihre Spuren hinterlassen haben, etwa wenn erzählt wird, wie der Protagonist »dead-end signs into the sores« folgt.

»For You« und »Lost In The Flood« sind die beiden großen narrativen Songs des Albums. Kriegsmetaphorik und katholische Bildwelten dominieren Letzteren. »That pure American brother, dull-eyed and empty-faced«, singt Springsteen und erzählt von schwangeren Nonnen, die durch den Vatikan rennen und für sich reklamieren, unbefleckt empfangen zu haben.

»For You« ist eine Selbstmordballade. Springsteens sich emotional steigernder Gesang gipfelt in der Erkenntnis: »So you left to find a better reason than the one we were living for.« Es ist eine verzweifelte Situation, ein möglicher Nachhall von »Mary Queen Of Arcansas«, in dem der Protagonist noch ausrief: »but I was not born to die.« »Does This Bus Stop At 82nd Street?« zeichnet ein naives Bild von New York aus der Perspektive des im Autobus Vorbeifahrenden.

Am 26. April 1973 beschäftigte sich der *Rolling Stone* eingehender mit Springsteen. »Er ist viel weiter, viel reifer als es Bobby war, als ich ihn zum ersten Mal traf«, erklärte Hammond in einem Artikel mit dem Titel »It's Sign Up A Genius Month« und blieb damit ganz auf der Linie von Columbias Marketingstrategie, Springsteen mit Bob Dylan zu vergleichen.

Dylan war aber nur die unvermeidlichste aller Messlatten. Lester Bangs, der für den *Rolling Stone* doch noch eine Besprechung von *Greetings* schrieb, glaubte auch Anklänge an The Band und Van Morrison herauszuhören. Er hatte einen zwiespältigen Eindruck. Gesanglich war Springsteen für ihn »eine Art Robbie Robertson auf Droge, dem Dylan in den Nacken kotzt«. Aber er schrieb auch: »Verdammt, was für ein Wortschwall«, und schloss mit dem Rat, Springsteen im Auge zu behalten: »Er ist nicht der neue John Prine.«

Prine war erst kurz zuvor zum »Neuen Dylan« gekürt worden Es gab jede Menge »Neue

Dylans«. »Dabei war der alte Dylan gerade mal 30 Jahre alt«, wunderte sich Springsteen noch 2012.

Schuld an diesem Hype war die Musikindustrie, waren die Geschäftemacher, die schon vor der Zeit Dylan-Nachfolger suchten, die sich genauso gut verkauften. Dylans Einfluss war ja auch enorm. »So wie Elvis den Körper befreite, befreite Bob den Geist«, sagte Springsteen in der Laudatio, die er 1988 zu Ehren von Dylans Aufnahme in die Rock and Roll Hall of Fame hielt.

Die Texte von *Greetings* stehen unbestreitbar in der Tradition Dylans und seiner Fähigkeit, das Romantische im scheinbar Banalen zu entdecken. Auf *Greetings* finden sich etliche dylaneske Dekonstruktionen. Statt eines schmuddeligen Pornokinos entdeckt Springsteen auf seiner Busfahrt durch New York »tainted women in Vistavision« und zwar bevor Mary Lou »rides to heaven on a gyroscope«.

Es gab also durchaus Gemeinsamkeiten zwischen Springsteen und Dylan, doch im Grunde waren beide sehr verschieden. Dylans Stärke bestand immer darin, sich nie festlegen zu lassen. Das erlaubte ihm stets zu tun, was er wollte, ganz gleich ob es gut, schlecht oder indifferent war.

Springsteen war niemals indifferent. *Greetings* mag ein Kompromiss gewesen sein, aber es war ein Kompromiss im Dienste des großen Ganzen. Er wusste, wer er war und wo er hinwollte. Nur den genauen Weg dorthin kannte er nicht. Mike Appel, John Hammond, Clive Davis und Columbia Records hatten ihn als Solokünstler unter Vertrag genommen, und Springsteen konnte diese Rolle auch durchaus spielen.

»Aber ich war ein Wolf im Schafspelz«, sagte er.

Gegenüber: Springsteen hält sein erstes Album in Händen. Das im Januar 1973 veröffentlichte *Greetings from Asbury Park, N. J.* fand nicht gerade reißenden Absatz.

THE WILD, THE INNOCENT & THE E STREET SHUFFLE

1973

»ALS DAS ZWEITE ALBUM ANSTAND,
SAGTE ICH: ›DANN LASST UNS JETZT MAL
RICHTIG KRACH MACHEN.‹ UND ALLE
WAREN SOFORT EINVERSTANDEN.«

BRUCE SPRINGSTEEN, 2011

1973

Februar: Springsteens erste Single »Blinded By The Light« / »Spirit In The Night« kommt heraus, schafft es aber nicht in die Charts.

5. Februar: David Bowie sieht Springsteens Gig im Max's Kansas City in New York und nimmt ein paar Monate später als erster Musiker überhaupt Coverversionen von Springsteen-Songs auf (»Growin' Up« und »It's Hard To Be A Saint In The City«).

Februar – März: Die Band tourt kurz an der Westküste.

Mai: Columbia-Präsident Clive Davis wird entlassen, wodurch Springsteens Stellung innerhalb der Plattenfirma geschwächt wird.

Mai – Juni: Als Springsteen auf einer Minitour von Chicago in deren Vorprogramm auftritt, spielt er zum ersten Mal in großen Hallen.

Mai – September: Aufnahmesessions zu *The Wild, The Innocent & The E Street Shuffle* in den 914 Sound Studios.

27. Juli: Springsteen liefert bei der alljährlichen CBS-Vertriebskonferenz in San Francisco einen wenig überzeugenden Auftritt ab.

28. September: Die erste Show der sogenannten *The Wild, The Innocent & The E Street Shuffle*-Tour findet im Hampden-Sydney College, Virginia, statt – die Tour endet erst im März 1975.

5. November: Veröffentlichung von *The Wild, The Innocent & The E Street Shuffle* (US 59, UK 33).

Vorherige Seite: Porträt aus dem Covershooting mit dem Fotografen David Gahr, 1973.

Oben: Liberty Hall, Houston, März 1974.

Rechts: Die E Street Band in ihrer Urbesetzung (v. l. n. r.): Clarence Clemons, Danny Federici, Bruce Springsteen, Vini Lopez, Garry Tallent und David Sancious.

Anfang 73, kurz nach der Veröffentlichung von *Greetings*, gab Springsteen einem Radiosender aus Maryland ein Interview. Er wurde gefragt: »Was tun die Leute in Asbury Park?«

»Nicht viel«, sagte er. »Keinen zieht es mehr dorthin. Das Durchschnittsalter ist sehr hoch.« Mit *Greetings* hatte Springsteen ganz bewusst seine Verbundenheit mit New Jersey und Asbury Park betont. Er mag vielleicht höher hinaus gewollt haben als die Wolkenkratzer von Manhattan, aber er war nun mal einfach ein Musiker von der Jersey Shore. Mit seinem zweiten Album dehnte er seinen Aktionsradius aus. Verströmte *Greetings* mit seinem Postkartencover noch unverfälschtes Asbury-Park-Flair, so war die heimatliche Prägung auf dem elf Monate später veröffentlichten *The Wild, The Innocent & The E Street Shuffle* deutlich geringer: Auf ein Drittel Jersey Shore kamen jetzt zwei Drittel Hollywood.

The Wild and the Innocent ist der Titel eines Western aus dem Jahr 1959 (der in Deutschland *Morgen bist du dran* hieß). Audie Murphy spielt darin den Trapper Yancy, der sich mit der von Sandra Dee gespielten Rosalie in die Großstadt aufmacht und unterwegs gefährliche Abenteuer besteht.

Soweit die Vorlage, der Rest ist Springsteen. »Ich wollte einen Tanz erfinden, bei dem es keine vorgegebene Schrittfolge gibt«, schrieb er 1998 in seiner Lyrics-Sammlung *Songs*. »Den Tanz, den wir alltäglich und allabendlich tanzen, um mit dem Leben fertig zu werden.« Er sah ihn überall um sich herum: in den Straßen, den Bars, an all den Orten, wo er mit der Band hinkam. Er tanzte ihn selbst. Alle tanzten den »E Street Shuffle«.

Springsteens »The E Street Shuffle« basiert auf dem 63er R&B-Hit »The Monkey Time«, den Curtis Mayfield geschrieben und Major Lance gesungen hat. Einen wie auch immer gearteten Bezug zu Dylan gibt es nicht. Der Song beginnt ein wenig kakophonisch. Die Bläser scheinen sich zunächst nicht einig zu sein, fangen sich aber, und dann nimmt mit einem funky Gitarrenriff der Shuffle Fahrt auf. Und Springsteen singt: »Sparks fly on E Street when the boy-prophets walk it handsome and hot.«

»Die Band sprühte nur so vor frischer, ungebändigter Energie«, schrieben Peter Knobler und Greg Mitchell 1973 im *Crawdaddy*. Und dabei bezogen sie sich auf ein Konzert, das die Band im Dezember 72, also noch vor der Veröffentlichung von *Greetings,* gegeben hatte. »Das nächste Album wird ganz sicher ein Knaller sein«, fügten sie noch hinzu.

»MAN MUSS AUFPASSEN, NICHT ZU EGOZENTRISCH ZU WERDEN. DIE GEFAHR IST GROSS, WEIL DIE LEUTE IMMER VERSUCHEN, DIR IN DEN ARSCH ZU KRIECHEN.«

Bruce Springsteen, 1973

Das nächste Album hätte alles verändern sollen. Tatsächlich änderte sich durch das nächste Album kaum etwas. Zumindest nichts Grundlegendes.

Gerade mal zwei Dollar musste man dafür bezahlen, um Bruce Springsteen am 17. Dezember 1973 im Student Prince spielen zu sehen. Der Abend in Asbury Park war kalt und windig. Etwas mehr als ein Jahr war vergangen seit dem Gig, über den Knobler und Mitchell berichtet hatten, und etwa sechs Wochen seit der Veröffentlichung des »nächsten Albums«. Wie wenig sich durch *The Wild, The Innocent & The E Street Shuffle* verändert hatte, sah man daran, dass Springsteen und die Band genau wie zwei Jahre zuvor drei Auftritte im Student Prince absolvieren mussten, um sich ein bisschen Weihnachtsgeld zu verdienen.

Allerdings hatte Springsteen nach einem Jahr intensiven Tourens in verschiedenen Ecken der USA, vor allem an der Ostküste – Boston, Philadelphia, New York –, eine stetig wachsende Fangemeinde. Nicht nur die Fans, auch die Kritiker waren von seinen leidenschaftlichen, kraftvollen Auftritten begeistert. Zwar war der »Neue Dylan«-Hype noch nicht ganz abgeklungen, aber immerhin hatte es Springsteen geschafft, sich davon einigermaßen

Gegenüber: Auf diesem Porträt schaut Springsteen weniger nachdenklich als auf dem, das schließlich für das Cover ausgewählt wurde.

Links: Audie Murphy und Sandra Dee in *The Wild and the Innocent* (dt. Titel: *Morgen bist du dran*), 1959.

zu distanzieren. Keine Frage: Jemand, der *Greetings* gehört hatte, hätte so eine Show, wie sie der Musiker auf der Bühne abzog, sicher nicht erwartet.

»Ihr wundert euch wahrscheinlich und fragt euch: ›Was hat dieser Folksänger hier nur für sonderbare Klamotten an?‹«, sagte Springsteen, als die Band auf die Bühne kam. Bassist Garry Tallent schulterte seine Tuba, Danny Federici machte sein Akkordeon startklar. Die Gruppe stand auf der Bühne des Main Point in Bryn Mawr, einem kleinen Örtchen in der Nähe von Philadelphia.

Springsteen witzelte, dass er Federici bei einer Lawrence-Welk-Show entdeckt habe, wo er »so gut spielte, dass ich ihn fragte, ob er nicht bei uns einsteigen wolle.« Nach einer kurzen Pause fuhr er fort: »Das nächste Stück ist ein Zirkussong – wie übrigens die meisten unserer Nummern.«

Alle lachten und Springsteen spielte die ersten Akkorde von »Wild Billy's Circus Story«. Federici gab sich alle Mühe, sein Akkordeon wie eine Dampforgel klingen zu lassen und die ganze verrückte Szene mit Miss Bimbo, den Flying Zambinis und all den anderen zum Leben zu erwecken.

Dass Danny Federici wieder bei Springteens Band mitmachte, war mehr oder weniger eine Verlegenheitslösung gewesen. Nach dem Ende der *Greetings*-Sessions hatte sich David Sancious nach Virginia zurückgezogen, wo er einen Job hatte und eine eigene Platte machen wollte. Also fragte Springsteen Federici, den er nach der Auflösung von Steel Mill abserviert hatte, ob er nicht wieder in seiner Band mitspielen wolle. Es war allerdings einige Überzeugungsarbeit erforderlich, um Federici zurückzuholen, der nicht noch einmal so eine Enttäuschung erleben wollte.

Sie gingen auf Tour und traten dabei dort, wo sie sich vieler treuer Fans sicher sein konnten, oft mehrmals hintereinander auf. Die Website Brucebase, die Daten zu allen Liveauftritten von Springsteen sammelt, listet vier Shows im Main Point, sieben im Paul's Mall in Boston, vier Gigs im My Father's Place in Roslyn, New York, fünf Auftritte im Quiet Night in Chicago und sechs im Max's Kansas City in Manhattan.

Das erste Konzert im Max's wurde für die *King Biscuit Flower Hour* Radioshow aufgezeichnet. Das bei diesem Auftritt gespielte »Bishop Danced« wurde später auf *Tracks* veröffentlicht.

Zum 1. Mai flog Springsteen nach Kalifornien, und zwar diesmal nach Los Angeles. Bei einem von Columbia organisierten Konzert spielte er ein 40-minütiges Set. Drei der dort aufgenommenen Songs erschienen 2005 auf der als

Making-of zu *Born To Run* herausgebrachten Dokumentation *Wings For Wheels*.

»Thundercrack« war inzwischen bei fast allen ihren Shows einer der Höhepunkte. Springsteen schrieb die Nummer für seine damalige Freundin Diane Lozito, und der Text lässt erahnen, dass es in ihrer Beziehung öfter hoch herging. Selbst Springsteens Erläuterungen dazu konnten beißend sein. Während eines der Main-Point-Gigs entdeckte er Lozito im Publikum. »Sie ist übrigens hier – mit ihrer Schwester«, sagte er. »Ich werde den Song für ihre Schwester spielen.«

In Los Angeles spielte die Band eine über zehnminütige Version von »Thundercrack«. Springsteens Augen blitzten, während er sich an der Gitarre austobte. Im Hintergrund drosch Lopez auf sein Drumset ein. Und plötzlich kam Clemons ins Bild, der etwas rief. Springsteen und Lopez legten noch einen Zahn zu und gaben noch einmal richtig Gas. Es baute sich eine Spannung auf, die jederzeit zu explodieren drohte. Gegen Ende des Solos drehte Springsteen sich zu Clemons um, und die beiden spielten eine ansteigende Melodie. Wie hätte etwas so Authentisches bloß ein Hype sein können?

Ende Mai hatte die Band ihren ersten von insgesamt zwölf Auftritten als Vorgruppe von Chicago. Zum ersten Mal spielten sie in wirklich großen

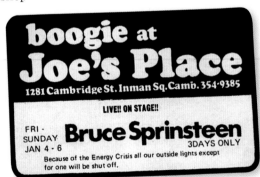
Joe's Place, Cambridge, Massachusetts, 5. Januar 1974. Springsteen tourte 1974 das Jahr hindurch, wobei er sich eine große Fanbasis aufbaute und dabei vor einem stetig größer werdenden Publikum spielte.

»AUF DER BÜHNE KRISTALLISIEREN SICH DINGE HERAUS, DIE ES AUF DEM ALBUM GAR NICHT GIBT. WER UNS VERSTEHEN WILL, MUSS UNS EINFACH LIVE ERLEBEN.«

Bruce Springsteen, 1974

»DIE MUSIKER GUTER BANDS STAMMEN MEIST AUS DEMSELBEN VIERTEL ODER ZUMINDEST AUS DERSELBEN REGION. SCHAU DIR EINFACH DIE BANDS AN, DIE DU MAGST – IHRE VORGESCHICHTEN SIND MEIST ZIEMLICH ÄHNLICH.«

Bruce Springsteen, 2011

Hallen. Doch Springsteen ärgerte sich darüber, dass sie für ihr Set so wenig Zeit zur Verfügung hatten und dass das ohnehin kaum begeisterungsfähige Publikum nur auf den Headliner wartete. Von großen Hallenkonzerten wolle er daher vorerst nichts mehr wissen, erklärte er Appel nach der Tour. Lieber spiele er in kleinen Hallen oder Clubs, wo er einem interessierten Publikum seine komplette Show präsentieren konnte.

Genau das tat er dann auch – bis zum 27. Juli, als er mit der Band wieder nach Kalifornien kam, nach San Francisco, um genau zu sein. Hier galt es, die Teilnehmer der jährlich stattfindenden CBS-Vertriebstagung, die ja *The Wild, The Innocent & The E Street Shuffle* bestmöglich vermarkten sollten, zu beeindrucken.

Die Band ging direkt nach Edgar Winter auf die Bühne, der mithilfe einer spektakulären Lightshow einen denkwürdigen Auftritt abgeliefert hatte. Bruce Springsteen begann mit leisen Tönen und wehmütigem Akkordeon: »4th Of July, Asbury Park (Sandy)«. Der Erzähler ist seiner vertrauten Umgebung überdrüssig geworden, die Menschen dort bezeichnet er als »stranded«. »This boardwalk life is through«, erklärt er und sehnt sich danach, dem allen zu entfliehen. Er will seine Freundin überreden, mit ihm fortzugehen und alles hinter sich zu lassen.

Hammond war verärgert über die eigensinnige Songauswahl und verließ kommentarlos den Saal. Doch zweifellos bewies Springsteen gerade damit subversiven Humor – und dass er statt eines Kurzsets mit nicht mehr als drei Songs (wie alle anderen) ganze 40 Minuten spielte, irritierte das Publikum zusätzlich.

Im Gespräch mit dem Journalisten Paul Williams sagte Springsteen 1974 über die Tour mit Chicago:

»Diese großen Hallen – das hatte nichts mit dem zu tun, worum es mir ging.« Und genauso wenig, wie ihm das behagte, konnte man von ihm erwarten, sich bei einer Vertriebskonferenz wohlzufühlen. Er hatte seine eigenen musikalischen Ideen, eine Vision für seine Musik, und damit stand und fiel alles. Wenn »Thundercrack« nicht zum Konzept des Albums passte, musste der Song eben außen vor bleiben, dasselbe galt für die R&B-Ballade »The Fever«. Springsteen hatte eine ganz konkrete Geschichte im Kopf, und anders als bei *Greetings* wollte er sich von niemandem vorschreiben lassen, wie er sie zu vertonen hatte.

The Wild, The Innocent & The E Street Shuffle entstand im Verlauf mehrerer Sessions zwischen Mai und September 1973. Sancious, der aus Virginia zurückgekehrt und wieder zur Band gestoßen war, half den Sound zu verdichten und lieferte die Inspiration zum Albumtitel: Seine Mutter wohnte in der E Street.

Der *Rolling Stone* meinte über die im November veröffentlichte Platte, dass sie sich »ernster nimmt. Die Songs sind länger, ambitionierter und romantischer«. Die Leistungen von Sancious und Clemons wurden besonders herausgestellt und die Band als »lupenreine R&B-Formation« bezeichnet. »Funky-Butt ist Springsteens zweites musikalisches Zuhause«, hieß es weiter. Das Album hatte mit dem Sound der Bruce Springsteen Band wesentlich mehr zu tun als die sanften Kaffeehausklänge von *Greetings*.

»Kitty's Back« klingt wie ein Aufruhr in einem Jazzclub, entfesselt von einer Stripperin (Springsteen ließ sich zu diesem Titel von einer im Vorbeifahren entdeckten Leuchtreklame inspirieren). Kitty, so heißt es im Song, kehrt nach Hause zurück, der Rest der Platte klingt allerdings mehr nach Aufbruch. »4th Of July,

Die zu der Zeit noch namenlose spätere E Street Band in ihrer natürlichen Umgebung an der Jersey Shore, August 1973.

Asbury Park (Sandy)« und »Wild Billy's Circus Story« haben etwas von einem Blick zurück auf einen Ort, den man gerade verlässt.

Statt »Thundercrack« kam »Rosalita (Come Out Tonight)« auf das Album, ein Song, bei dem Springsteen wieder einmal seinen Einfallsreichtum beim Erfinden von Spitznamen unter Beweis stellte: Jack the Rabbit, Weak Knees Willie, Big Bones Billie. Der Protagonist der Nummer will seine Freundin aus der elterlichen Obhut befreien. Er verspricht ihr eine goldene Zukunft und dass sie eines Tages über die Vergangenheit lachen wird. »Because the record company, Rosie, just gave me a big advance«, singt Springsteen.

In »New York City Serenade« verschmelzen »New York City Song« und »Vibes Man«. Der Track schließt den über das ganze Album gespannten Bogen mit einem weiteren Abschied: »Sometimes you just gotta walk on.«

Sein künstlerischer Radius vergrößerte sich und die Jersey

Shore reichte als Kulisse für seine Geschichten nicht mehr aus. Die wirtschaftliche Lage der USA und die politischen Unruhen in den frühen 70ern hatten auch in Asbury Park ihre Spuren hinterlassen. Die Stadt verfiel Stück für Stück. Das Upstage wurde geschlossen. Springsteens Musik passte nicht zu dieser Kulisse, ganz gleich wie nachdenklich der Musiker auf dem Cover seines neuen Albums auch guckte. Das Bild auf der Coverrückseite erzählt die wahre Geschichte.

Es ist ein Bandfoto mit echtem Streetgang-Charme. Ganz links steht Clemons mit offenem Hemd und einem weißen Tuch um den Hals. Springsteen steht gleich daneben, in einem ärmellosen Shirt, Jeans und blauen Converse. Sancious sitzt barfuß auf einer Treppenstufe und sieht aus wie ein waschechter Jazzmusiker. Daneben Federici, der in seinem Button-Down-Hemd ausschaut, als hätte er die letzte Nacht durchgefeiert. Ganz rechts steht Tallent, ebenfalls

Oben: Jon Landau, dessen Artikel im Wochenblatt *Real Paper* Springsteen einen ungeheuren Auftrieb verlieh.

Links: Als Clive Davis, der Präsident von Columbia Records, aus der Plattenfirma rausgeworfen wurde, drohte die Karriere von Springsteen, dem nun ein wichtiger Rückhalt beim Label fehlte, vorzeitig zu scheitern.

ohne Schuhe. Hinter ihnen allen, etwas erhöht auf einer Stufe, steht Lopez, der in seinem offenen Hawaiihemd und mit seinem stattlichen Schnurrbart nur wenig von einem »verrückten Hund« zu haben scheint.

Diese etwas gammelig wirkende Truppe war es, auf die Springsteen sich verließ, nicht auf die Anzugträger bei Columbia Records, die ohnehin nicht mehr bedingungslos hinter ihm standen (insbesondere seit man Clive Davis vor die Tür gesetzt hatte). Wie schon bei *Greetings* brauchte Springsteen seine eigenen Leute, die seine Musik und seine Sprache verstanden.

Die Radiosender würden seine Songs schon irgendwann spielen, hoffte Springsteen. Und wenn es gar nicht anders ging, würde er zur Not auch Klinken putzen, um den Leuten seine Musik nahe zu bringen.

»Ich sagte ihnen, dass ich acht Jahre lang in Bands gespielt hatte, und zwei, drei Monate solo unterwegs war«, erzählte Springsteen Knobler und Mitchell. »Das mit den acht Jahren haben sie vergessen, nur an die zwei Monate erinnerten sie sich später noch.«

Springsteen war mit seinem neuen Album einen Schritt vorangekommen, aber das Gewicht, das auf seinen Schultern lastete und das er in »Blinded By The Light« besang, wog immer noch schwer. Das Geld war knapp, und im Namen der kreativen Freiheit hatte er sich selbst noch ein paar zusätzliche Steine in den Weg gelegt.

»Wäre ich nicht überzeugt gewesen, dass das, was wir machten, gut war, wäre ich nicht dabeigeblieben«, sagte Tallent 2011. Auch die Jungs waren davon überzeugt. Appel war davon überzeugt. Und eine Handvoll Fans, die es auch bei der Plattenfirma noch gab, war es auch. Sie wussten, dass sie richtig lagen. Sie taten alles, um genug Konzerte für Springsteen an Land zu ziehen. Und sie sorgten dafür, dass Columbia ihn nicht abservierte, bevor er sein drittes Album fertig hatte.

Alles, was sie brauchten, war ein bisschen Unterstützung. Wirklich nur ein wenig. Nur ein kleiner Artikel in einem alternativen Wochenblatt wie dem Bostoner *Real Paper*, geschrieben von einem Journalisten namens Jon Landau, der selbst gerade eine schwere Zeit durchmachte. Ein Mann, der etwas suchte, an das er glauben konnte, und der dabei auf einen anderen traf, der den Menschen etwas gab, woran sie glauben konnten.

Oben: Das auf der Coverrückseite abgebildete Bandporträt von David Gahr fing perfekt das Zusammengehörigkeitsgefühl und den leicht gammeligen Charme von Kapitän Bruce und seiner Crew ein.

BORN TO RUN

1975

»LETZTENDLICH HAT ER NICHT NUR EIN GROSSARTIGES ALBUM ABGELIEFERT, SONDERN GENAU DAS ALBUM, DAS IN DIESEM AUGENBLICK VON IHM GEFORDERT WAR. DAS WAR KEIN ZUFALL.«

JON LANDAU, 2011

1974

Winter

Columbia Records beschließt, erst mal nur noch eine Single zu finanzieren, anhand derer die Plattenfirma dann entscheiden will, ob sie noch ein drittes Springsteen-Album herausbringt.

Januar

Aufnahme früher Versionen von »Born To Run« und »Jungleland«.

Februar

Springsteen wirft Vini Lopez raus, nachdem der Drummer wieder einmal ausgerastet ist. Ernest »Boom« Carter wird sein Nachfolger.

Frühjahr

Die Band nennt sich nun E Street Band.

10. April

Springsteen lernt Jon Landau bei einem Gig in Charlie's Place in Cambridge, Massachusetts, kennen.

Mai – Oktober

Erste Phase der *Born To Run-Sessions* in den 914 Sound Studios.

22. Mai

Landaus berühmter »Rock'n'Roll-Zukunft«-Artikel erscheint.

12. – 14. Juli

Bei den sechs Auftritten in drei Tagen im New Yorker Bottom Line wird »Born To Run« von Branchenkennern bestens aufgenommen.

August

David Sancious und Boom Carter steigen aus der E Street Band aus, für sie kommen Roy Bittan und Max Weinberg.

Winter

Jon Landau besucht Springsteen in Long Branch, wo sich beide intensiv über ihre musikalischen Vorlieben austauschen.

1975

März

Die *Born To Run*-Aufnahmen werden in den Record Plant Studios in Manhattan fortgeführt, und Jon Landau wird Coproduzent.

Juli

Die Aufnahmen zu *Born To Run* werden endlich abgeschlossen.

20. Juli

Erster Gig der *Born To Run*-Tour im Palace Concert Theater in Providence, Rhode Island; für Steve Van Zandt ist es das Livedebüt als neues Mitglied der E Street Band.

13. – 17. August

Eine weitere Serie legendärer Gigs im Bottom Line.

1. September

Veröffentlichung von *Born To Run* (US 3, UK 17), das überall positive Rezensionen erntet.

16. Oktober

Robert De Niro besucht das Konzert im Roxy in West Hollywood – manche glauben, dass er sich hier bei Springsteen die aus *Taxi Driver* berühmte »Are you talkin' to me?«-Einlage abschaute.

20. Oktober

Springsteen erscheint am selben Tag auf dem Cover der *Time* und der *Newsweek*.

18. November

Springsteen gibt im Hammersmith Odeon in London sein erstes Konzert außerhalb der USA – es ist der Auftakt zu einer einwöchigen Mini-Europa-Tour.

Ganz oben: In Pauls Valley, Oklahoma, 17. September 1975.

Oben: Monmouth Arts Center, Red Bank, New Jersey, 11. Oktober 1975.

Ganz links: The Bottom Line, New York City, August 1975.

Links: Alex Cooley's Electric Ballroom, Atlanta, Georgia, 21. August 1975.

Vorherige Seite: Big in L.A. Sunset Boulevard, Los Angeles, 1975.

Das *Real Paper* mag zwar nur ein unbedeutendes Wochenblatt gewesen sein, aber Jon Landau war alles andere als ein unbedeutender Kritiker. Er war für die Plattenbesprechungen im *Rolling Stone* verantwortlich. Zusammen mit Greil Marcus, Dave Marsh, Lester Bangs, Paul Williams und einer Handvoll anderen gehörte er zu denen, die dem Musikjournalismus zu Ansehen und Geltung verhalfen. Zudem hatte er als Produzent großen Anteil an Alben von MC5 und Livingston Taylor. Seine Meinung war in der Musikbranche gefragt. Seine Worte hatten Gewicht – das wir ihm natürlich bewusst. Nicht bewusst war ihm hingegen im Frühjahr 74, was das wirklich bedeutete.

Springsteen hatte derweil seine eigenen Sorgen. »Was soll man tun, wenn die eigenen Wünsche in Erfüllung gehen?«, fragte er in der 2005 erschienen Doku *Wings For Wheels: The Making Of Born To Run*. »Und was, wenn nicht?«

»Gibt es wahre Liebe?« Etwas banaler, wenn auch nicht weniger drängend, war die Frage, wie all die Rechnungen bezahlt werden sollten.

Die Entwicklung, die sich schon 1973 abgezeichnet hatte, setzte sich Mitte 74 fort: Er gewann immer mehr Fans und die allgemeine Springsteen-Begeisterung nahm stetig zu. Die Alben verkauften sich indes nur schleppend und auch im Radio hörte man seine Songs nur selten – abgesehen von ein paar Sendern, bei denen es DJs gab, die seine Musik spielten. Springsteen belastete nicht nur das mangelnde Vertrauen der Plattenfirma, sondern generell die große Verantwortung, die er zu tragen hatte.

Das oder Ähnliches mag ihm durch den Kopf gegangen sein, als er sich Anfang April 74 vor dem Charlie's Place, einem kleinen Bostoner Club, in dem er an vier Abenden auftrat, die Füße vertrat. Im Schaukasten vor der Tür hing eine Kopie der begeisterten Besprechung von *The Wild, The Innocent & The E Street Shuffle*, die im *Real Paper* erschienen war. Springsteen begann zu lesen: »Leidenschaftliche und beseelte Straßenpoesie.« Das klang gut. »Schwacher Drumsound« und »eine dürftige Produktion« – das weniger.

Ein Problem hatte Springsteen bereits aus der Welt geschafft: Nach einer heftigen Auseinandersetzung zwischen Vini »Mad Dog« Lopez und Mike Appels Bruder hatte er seinen langjährigen Drummer im Februar gefeuert und durch Ernest »Boom« Carter ersetzt, einem Freund seines Keyboarders David Sancious.

Springsteen las noch die Plattenkritik, als Landau hinzukam, der sich als ihr Verfasser vorstellte und ihn fragte, was er davon halte. Die beiden unterhielten sich ein paar Minuten. Nach der Show setzten sie ihr Gespräch fort. Und am nächsten Tag telefonierten sie miteinander. Springsteen war interessiert, mehr über die Geheimnisse der Plattenproduktion zu erfahren.

»JEDER FAND SEINE EIGENEN HOFFNUNGEN UND TRÄUME IN DIESEM ALBUM WIEDER.«

Roy Bittan, 2005

Es war der Beginn einer Freundschaft, die wichtiger war, als die beiden damals ahnen konnten. Als Springsteen am 9. Mai abermals in Boston auftrat, diesmal im Harvard Square Theater im Vorprogramm von Bonnie Raitt, war auch Landau wieder im Publikum. Nach der Show fuhr er nach Hause und schrieb:

»Es ist vier Uhr früh und es regnet.« So beginnt der Artikel, der die vielleicht berühmteste Zeile in der Geschichte des Musikjournalismus enthält. »Ich bin heute 27 Jahre alt geworden, fühle mich alt, höre mir meine Platten an und erinnere mich daran, dass vor zehn Jahren noch alles anders war.«

Man kann förmlich hören, wie Springsteen Worte singt, die noch gar nicht geschrieben wurden:

So you're scared and you're thinking
That maybe we ain't that young anymore

»Im College konsumierte ich Musik, als wäre sie mein täglich Brot«, schrieb Landau. »[…] Ganz gleich, ob es durchgeknallte oder experimentelle oder einfach nur religiöse Musik war. Das war mir völlig egal.«

Natürlich war es egal. Mit 17 ist man unbekümmert – mit 27 nicht mehr. Landau machte die Musik zu seinem Beruf, und dadurch wurde sie zu seinem Geschäft. Er hatte eine chronische Krankheit (Morbus Crohn), seine Ehe war zerrüttet. Und in den vergangenen zehn Jahren war viel passiert: Von den Beatles über den Vietnamkrieg bis hin zur Watergate-Affäre.

Landau war desillusioniert zu dem Konzert im Harvard Square Theatre gegangen – und hatte es mit frischem Mut verlassen. Am 22. Mai konnten die Leser des *Real Paper* in Landaus Kolumne lesen, warum: »Ich sah die Rock'n'Roll-Zukunft, und ihr Name ist Bruce Springsteen. An einem Abend, an dem ich das starke Bedürfnis hatte, mich jung zu fühlen, gab er mir das Gefühl, zum allererste Mal Musik zu hören.«

Danny Federici, Clarence Clemons und Bruce Springsteen beim Verbeugen vor dem Publikum im Hammersmith Odeon, London, 18. November 1975. Dies war der erste Auftritt der E Street Band außerhalb der USA.

Doppelporträt von Eric Meola
vom *Born to Run*-Covershooting,
1975.

Was er auch zum allerersten Mal hörte, war ein neuer, noch nicht ganz ausgearbeiteter Song, mit dem sich der Musiker auf die Suche nach Antworten auf seine eigenen Fragen begab: »Born To Run«. Landau sah in Springsteen jemanden, der die erhebenden Gefühle, die für ihn zum Rock'n'Roll immer dazugehört hatten, wieder hervorrufen konnte, der das Rock'n'Roll-Gefühl, den Glauben an die Erlösung, gewissermaßen erneuern konnte. Springsteens Glaube hatte etwas Unverfälschtes, und in »Born To Run« kam dieser Erlösungsglaube in seiner bislang reinsten Form zum Ausdruck.

Was Landau schrieb, »erinnerte fast an Dickens mit seiner parodistischen Anspielung auf Scrooges spirituelle Auferstehung«, schrieb Dave Marsh in *Born to Run. The Bruce Springsteen Story.* »Andere Wiedergaben dieses Zitats ließen es allerdings so aussehen, als hätte Landau versucht, einen Werbetext zu schreiben.« Denn diese nicht ganz korrekten Zitate beinhalteten ein kleinen, aber entscheidenden Formulierungsfehler, der sich selbst auf Springsteens eigener Website eingeschlichen hat: »Ich sah die Zukunft des Rock'n' Roll«, ist dort zu lesen (statt »Rock'n'Roll-Zukunft«).

Was natürlich nicht heißt, dass nicht auch korrekte Zitate als Werbetexte missbraucht werden können. In der Marketingabteilung von Columbia erkannte man sofort das in Landaus Aussage steckende Potenzial. Man machte einen TV-Spot für die ersten beiden Alben, in dem eine seriöse Stimme aus dem Off die Worte »Rock'n'Roll-Zukunft« spricht. Und ein Plakat, auf dem Springsteens Konterfei unter Landaus Zitat vor einem kitschig-blauen Wolkenhimmel zu sehen ist.

Springsteen war jetzt nicht mehr der neue Dylan. Er war der neue Messias. In jedem Fall aber war er ein Mensch, dem schon dezente Werbemaßnahmen zuwider waren und dem eine solch großspurige Kampagne erst recht nicht behagte, ja, der an solcherart Hype geradezu litt. Allerdings stärkte Landaus griffige Formulierung auch Springsteens Selbstvertrauen in einem Moment, in dem es für ihn wichtig war, zu wissen, dass das, was er tat, anderen etwas bedeutete.

Dass der Weg nach ganz oben für ihn kein Zuckerschlecken war, veranschaulicht schon die langwierige Produktion von *Born To Run*. Jetzt, da es mit seiner Karriere wieder voranzugehen schien, brauchte er eine neue Platte. In *Songs* schreibt Springsteen, dass ihm die Worte »Born To Run« beim Gitarrespielen in

seinem kleinen Mietshaus in West Long Branch, New Jersey, in den Sinn kamen. Wer weiß, vielleicht hatte er sie zuvor irgendwo geschrieben gesehen, vielleicht auch in irgendeinem alten Streifen aufgeschnappt.

Die Aufnahmen zu »Born To Run« begannen im Mai 74 in den 914 Sound Studios und zogen sich mit diversen Unterbrechungen bis in den Oktober hin. Die Aufnahmen zu dem Song wohlgemerkt – nicht die zu dem Album! »Wenn man sechs Monate lang an einem Song arbeitet, kann irgendwas nicht stimmen«, konstatiert Van Zandt in *Wings For Wheels*.

»»Born To Run« steht quasi in der Tradition der fast schon überladenen, üppig arrangierten Songs des goldenen Zeitalters«, sagte Springsteen. Einer seiner Heroen aus dieser Ära war Roy Orbison, dessen kräftige, wohlklingende Stimme er zu imitieren versuchte.

Musikalisch, sagt Springsteen, erinnert ihn »Born To Run« an Phil Spector, an dessen Wall of Sound und Evergreens wie »Be My Baby« von den Ronettes und

Links oben: Ein seltener Moment der Ruhe im Tourbus.

Links Mitte: Springsteen und Steve Van Zandt – ein perfekt eingespieltes Team auf und abseits der Bühne, das auch beim Billard keine Gnade kennt. Lee Dorsey's Ya Ya Lounge, New Orleans, September 1975.

Links unten: Ein Big Mac in New Orleans, September 1975.

»Then He Kissed Me« von den Crystals, wobei Spring-steen Letzteren – nach Ersetzen des Pronomens »he« durch »she« – mit der Band auch live gespielt hatte.

»Phils Platten wirkten immer so, als würden sie ins Chaos abdriften«, sagte Springsteen in Austin. »Das war pure Gewalt, verpackt in einer süßen Hülle aus Zuckerguss, gesungen von den Frauen, die Roy-O stän-dig zu Antidepressiva greifen ließen. Wenn Roy Opern schrieb, dann schrieb Phil Sinfonien, kleine dreiminü-tige Orgasmen, gefolgt von einem großen Nichts.«

Genau dieses Nichts war es, vor dem Springsteen sich fürchtete und von dem das Paar aus »Born To Run« nur einen kleinen Schritt entfernt ist. Die Zu-kunft ist für sie ein Ort, an dem die Möglichkeiten we-niger werden statt mehr, wo man sich, ohne es zu mer-ken, plötzlich rauchend und biertrinkend in einer dunklen Küche wiederfindet und sich fragt, was ei-gentlich falsch gelaufen ist. Angesichts dessen gibt es nur eine Lösung: »We gotta get out while we're young«.

Die Jungs von der Uferpromenade mit den fantasie-vollen Spitznamen sind verschwunden. Übrig geblie-ben sind Wendy und ein namenlos bleibender Erzäh-ler, der sich mit ihr zusammen aufmacht, vorbei an dem Vergnügungspark, der wie ein Gebirge aufragt jenseits der Straße, auf der sich die gebrochenen Helden tummeln. Die beiden sind nicht allein, alle sind auf der Flucht und »there's no place left to hide«.

Das galt genauso für das Paar aus dem Song wie auch für Springsteen. Noch eine Chance würde er nicht bekommen – das nächste Album musste *das* Al-bum werden. Darauf musste er alles sagen, was er zu sagen hatte. Alle seine musikalischen Ideen mussten hier gebündelt werden. »Er wollte es gewissermaßen zu seinem Vermächtnis machen«, sagte Landau 2011.

»Born To Run« sollte ein Meisterwerk werden. Springsteen feilte unaufhörlich am Text und an der Musik. Er baute den Song Stück für Stück zusammen und schichtete dabei Instrumente auf Instrumente.

Oben: Die Aufnahmen zu *Born To Run* dauerten erheblich länger als die zu Springsteens ersten beiden Alben zusammen.

»ICH MOCHTE DEN KLANG SEINER STIMME UND HAB MIR GESAGT: ›VERSUCH'S EINFACH MAL.‹ ICH HAB'S DANN ZWAR NICHT GEPACKT, DAFÜR ABER WAS ANDERES.«

Bruce Springsteen über seinen Versuch, Roy Orbisons Stimme zu imitieren, 2011

Rechts: Mit Elvis-Button an seiner Lederjacke und Roy Orbisons Stimme im Ohr bemächtigte sich Springsteen der Vergangenheit, um den Sound für die »Rock'n'Roll-Zukunft« zu finden.

Nächste Seite: Das ikonografische Coverfoto von Eric Meola – das freche Grinsen der Rebellion.

»KEINE AHNUNG, WAS DAS IST, ABER ES IST NATÜRLICH VON BEDEUTUNG.«

Bruce Springsteen auf die Frage, was unter dem rätselhaften Begriff
»Tenth Avenue Freeze-Out« zu verstehen sei, 2005

Im Juli 74 stand die Band sechsmal an drei aufeinanderfolgenden Abenden auf der Bühne des New Yorker Bottom Line. Die Plattenfirma lud etliche Medienvertreter und Branchenkenner dorthin ein, die allesamt beeindruckt waren. Und als die Columbia-Leute »Born To Run« hörten, waren auch sie restlos begeistert.

Nachdem Sancious angekündigt hatte, die Gruppe zu verlassen und Carter mitzunehmen, um eine eigene Platte aufzunehmen, musste Springsteen die Band neu aufstellen.

Durch eine Anzeige in der *Village Voice* kamen Drummer Max Weinberg und Pianist Roy Bittan zur E Street Band. Beide standen bereits seit frühester Jugend auf der Bühne. Weinberg hatte man von Kindesbeinen an eingeschärft, sich immer ordentlich anzuziehen und pünktlich zu sein. Von der »Rock'n'Roll-Zukunft« hatte er noch nichts gehört, als er zum Vorspielen mit einem recht minimalistischen Drumset erschien. Was ihn auszeichnete, war seine Fähigkeit, Springsteen instinktiv zu folgen. Er registrierte sofort, dass alle auf Springsteen achteten, um ihm folgen zu können, wenn er eine Volte schlug oder das Tempo änderte. »Alle waren mit einem Ernst bei der Sache, wie ich es noch nie erlebt hatte«, sagte Weinberg 2011.

Bittan hatte die E Street Band schon einmal live gesehen und war von ihr beeindruckt. »Mir war klar, dass sie es noch weit bringen würden«, sagte er. »Doch ich fand, dass sie sich stärker in Richtung Rock'n'Roll orientieren mussten.«

Und genau das tat die Band mit dem neuen Line-up. Sancious und Carter waren Jazzmusiker mit einem Hang zum Eklektizismus und zur Improvisation. Mit Weinberg und Bittan in der Band verlagerte sich der Fokus stärker auf Springsteen.

Sie tourten weiter, schließlich mussten Rechnungen bezahlt werden. Unterdessen bereitete Springsteen das Schreiben neuer Songs zum ersten Mal Mühe. »Es wird schwerer, weil es persönlicher ist«, erklärte er dem Journalisten Robert Hilburn, als er im Sommer nach Los Angeles kam.

Erste Versionen von »Jungleland« tauchten im Set auf. Anfang 75 spielte die Band einen »Wings For Wheels« genannten Song, aus dem sich später »Thunder Road« entwickelte. Und im März ging Springsteen wieder ins Studio, diesmal jedoch nicht ins 914 Sound.

Seit ihrer ersten Begegnung standen Springsteen und Landau in einem regen Gedankenaustausch. Landau spielte für die Karriere des verehrten Musikers nun eine immer größere Rolle. Er war es auch, der auf ein besseres Studio drängte und auch eines fand: das Record Plant in New York. Dort arbeiteten alle wie besessen. Landau wurde die Rolle des Coproduzenten – neben Springsteen und Appel – angeboten.

Van Zandt schloss sich der Band wieder an, nachdem er eines Tages, als er eine Aufnahme des Bläsersatzes zu »Tenth Avenue Freeze-Out« gehört hatte, Springsteen unverblümt erklärt hatte, dass das Arrangement beschissen sei. Der Aufforderung, es besser zu machen, kam er sofort nach – mit Erfolg.

Die für Juli angesetzte Born To Run-Tour rückte immer näher. Kurz vor dem geplanten Termin arbeitete die Band in mehreren Studios gleichzeitig. Zuletzt legten sie einen 72-Stunden-Marathon ein und stiegen danach völlig erschöpft in ihren Van, um zum ersten Konzert nach Providence, Rhode Island, zu fahren – die letzten Töne von Clemons' »Jungleland«-Saxofonsolo waren kaum verklungen.

Noch nie hatte so viel Energie in einem so vollgepackten Van gesteckt. Sie hatten es geschafft! Oder etwa doch nicht? Springsteens Reaktion auf die erste Testpressung, die ihm im Hotel vorbeigebracht wurde, ist legendär: Restlos enttäuscht von der Aufnahme schleuderte er die Acetatplatte (die auf dem benutzten Billigplattenspieler aus Plastik gar nicht vernünftig klingen konnte) in den Pool und drohte, das ganze Album zurückzuziehen. Appel und Landau mussten lange auf ihn einreden, damit eine der größten Rockplatten aller Zeiten – und die wichtigste in Springsteens Karriere – endlich erscheinen konnte.

Born To Run handelt von einer »endlosen Sommernacht« wie Springsteen in Wings For Wheels erklärt. Im Lauf der Jahre bezeichnete er die Platte immer wieder als eine Einladung. 2009 sagte er bei einem Konzert in Detroit, bevor er das komplette Album spielte: »Damit begann ein Gespräch, das ich mein Leben lang mit euch geführt habe und ihr mit mir.«

Die Wirkung des Albums beginnt mit dem Cover. Auf der Fotografie von Eric Meola trägt Springsteen eine schwarze Lederjacke, seine 50er-Jahre Fender Esquire-Telecaster (mit Elvis-Button am Gurt) hängt ihm locker vor der Hüfte. Alles an ihm erinnert an Marlon Brando und James Dean. Er wirkt wie ein junger Rebell. Grinsend lehnt er sich an Clemons' Schulter. In seinem Blick liegt Bewunderung, freundschaftliche Zuneigung. Und selbstverständlich ist diese Darstellung auch ein dezidiertes Statement zur Rassenfrage: »Im Bewusstsein der wechselvollen amerikanischen Geschichte nehmen hier eine Freundschaft und eine Geschichte Form an, und schon liegt Musik in der Luft«, schrieb Springsteen im Vorwort zu Clemons' Autobiografie Big Man aus dem Jahr 2009.

Die Geschichte beginnt mit »Thunder Road«, benannt nach einem Robert-Mitchum-Film von 1958. Die Handlung könnte an der Jersey Shore spielen, aber auch überall sonst in den USA. »The screen door

Die E Street Band in voller Aktion während der Born To Run-Tour.

slams, Mary's dress waves.« Wer kennt diese Geräusche nicht? Ob in Kansas oder Kalifornien, sie klingen überall gleich. Der Konflikt, um den es geht, ist simpel: Mary kann den ganzen Sommer lang mit Beten verschwenden oder zum Erzähler ins Auto springen und losdüsen. »It's a town full of loosers and I'm pulling out ouf here to win«, singt Springsteen. Die Musik schwillt an und Clemons' Saxofon klingt, als könne es jede Straßensperre einfach wegblasen.

»Tenth Avenue Freeze-Out« ist die Geschichte der Band. Springsteen alias Scooter ist alleine unterwegs, bis »the change was made up town and the Big Man joined the band«. Zusammen wollen sie die Stadt aus den Angeln heben. Was ein »Tenth Avenue Freeze-Out« ist, weiß Springsteen selbst nicht, aber es ist auch nicht wichtig.

»Night« explodiert förmlich vor Energie und hilft, die Enttäuschungen des Tages abzuschütteln. Während der Arbeitszeit »you're just a prisoner of your dreams«. Doch in der Nacht locken neue Möglichkeiten und Mysterien.

»Backstreets« ist auch heute noch einer seiner stärksten Songs, eine Geschichte von Freundschaft, Betrug und jugendlicher Unschuld, die im Lauf der Jahre unweigerlich verloren geht. (»Well, after all this time to find we're just like all the rest.«)

Mit Carters Trommelwirbel am Anfang von »Born To Run« beginnt die B-Seite. »She's The One« basiert auf einem Bo-Diddley-Beat, vor dessen Hintergrund ein komplexes Gewirr an Gefühlen ausgebreitet wird. Ja, sie lügt. Und ja, er würde sie gern verlassen. Aber nein, er wird es nicht tun. Es gab eine Zeit, in der ihre Liebe ihn davor bewahrte, zu verbittern. Das wird er so schnell nicht aufgeben.

»Meeting Across The River« ist eine Geschichte, die zu erzählen Springsteen früher sicher länger gebraucht hätte. Auf *Born To Run* braucht er knapp dreieinhalb Minuten, um von zwei Männern zu erzählen, die versuchen etwas zu sein, was sie nicht sind.

Springsteen brauchte den Platz für »Jungleland«, ein letztes großes, neuneinhalbminütiges Epos über den Krieg auf der Straße. Magic Rat mit seinem schillernden Spitznamen ist noch eine Reminiszenz an seine früheren Texte, aber schon das »barefoot girl sitting on the the hood of a Dodge drinking warm beer in the soft summer rain« zeigt, wie wunderbar schlicht er inzwischen erzählen kann.

Lester Bangs, der *Born To Run* für die *Creem* besprach, schrieb: »In einer Zeit, die so erbärmlich ist wie unsere und in der unsere Ansprüche immer geringer werden, ist Springsteens Musik erhaben und leidenschaftlich, ohne sich dafür rechtfertigen zu müssen.«

Den vielleicht zweitberühmtesten Satz über Springsteen schrieb Greil Marcus in seiner *Born To Run*-Rezension im *Rolling Stone*: »Es ist ein großartiges

Im Oktober 1975 war Springsteen gleichzeitig auf dem Cover des *Time*-Magazins und der *Newsweek* – und damit eine Woche lang allgegenwärtig an den Zeitungsständen in den USA.

»DEINEN KUMPEL PLÖTZLICH AUF DEM COVER DER TIME / NEWSWEEK ZU SEHEN, IST TOTAL SURREAL.«

Steve Van Zandt, 2011

Album, das jede Wette rechtfertigt, die je auf ihn [Springsteen] abgeschlossen wurde – ein 57er Chevy, der von eingeschmolzenen Crystals-Platten angetrieben wird und jede Kritik an ihm im Keim erstickt.«

Im Oktober zierte Springsteens Konterfei gleichzeitig die Titelseiten der *Time* und der *Newsweek*. Die *Time* brachte einen ziemlich konventionellen Artikel über Springsteen, der Herkunft und Werk des Rockmusikers unter die Lupe nahm und seinen Status als »Rock's New Sensation« beleuchtete. In der *Newsweek* warf man einen näheren Blick auf die Umstände von Springsteens Aufstieg im Musikbusiness. Die Headline lautete:»Making of a Rock Star«. Inzwischen waren zwar bereits 600 000 Exemplare von *Born To Run* verkauft worden, und das Album stand auf Platz 3 der *Billboard*-Charts, doch, so die beiden Verfasser des *Newsweek*-Artikels, die Plattenfirma hatte auch bereits 200 000 Dollar für Werbung in die Platte investiert, und bis zum Ende des Jahres sollten weitere 50 000 folgen. Dass eine derart gewaltige PR-Maschinerie angeworfen worden war, war allerdings kein großes Geheimnis.

Es gab jedoch auch Krik: Andrew Tyler vom englischen *New Musical Express* schrieb, nachdem er einen Gig von Springsteen in L. A. gesehen hatte: »Mundharmonika spielt er genauso schlecht wie Dylan«, außerdem sänge er »knarzig und falsch«. Tyler gab ihm noch sechs Monate und ließ den Leser mit einer ominösen Bemerkung zurück, die von Springsteen selbst stammte: »Ich dachte immer, ich hätte alles unter Kontrolle, aber jetzt bin ich mir nicht mehr so sicher.«

FINALLY. LONDON IS READY
BRUCE SPRINGSTEEN
AND THE E STREET BAND

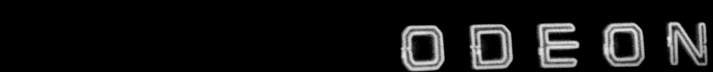

ODEON

FINALLY. LONDON IS READY FOR …

»Nach unserem allerersten, ›äußerst‹ bedenklichen Höhenflug quer über den Atlantik stiegen wir hinab in … nun ja … die Hölle, die ich dort bald kennenlernte«, schrieb Springsteen 2005, als die Videoaufnahme seines Konzerts im Londoner Hammersmith Odeon vom 18. November 1975 auf DVD erschien.

Wenn ihm die PR-Maßnahmen in den USA schon zusetzten, dann gab ihm sein erster Besuch in Europa den Rest. Er musste nur einen einzigen Blick auf die Leuchtreklame werfen – »Finally. London is ready for Bruce Springsteen and the E Street Band« –, schon war er auf hundertachtzig.

Man geht nun mal nicht auf eine Party und heißt den Gastgeber herzlich willkommen. Springsteen zerriss alle »Rock'n'Roll-Zukunft«-Plakate, die in der Halle hingen. Er wischte alle Promo-Flyer von den Sitzen. Und wenig später ging er auf die Bühne, um sich einem Publikum zu stellen, das gespannt war zu sehen, was er draufhatte.

Noch 1999 bezeichnete der Musikjournalist Eric Alterman den Auftritt als »fast einschläfernd«. Denn genau so hatten ihn alle in Erinnerung, selbst Springsteen schien fest davon überzeugt zu sein, dass er keine gute Show abgeliefert hatte. Das Video erzählt eine ganz andere Geschichte. Das Konzert beginnt mit »Thunder Road«. Springsteen steht stocksteif da, wie eine Strickmütze tragende Statue in schwarzer Lederjacke.

Dann aber hebt Clemons, adrett gekleidet in einem weißen Anzug mit passendem Hut und einer roten Blume am Revers, zum Intro von »Tenth Avenue Freeze-Out« an. Van Zandt, zur Linken Springsteens, trägt einen roten Anzug mit weißer Blume und einen weißen Hut mit rotem Band. Inmitten dieser elegant gekleideten Herren wirkt Springsteen wie ein Hafenarbeiter, der sich auf eine Hochzeit verirrt hat. Dennoch, die Stimmung wird immer ausgelassener. In halsbrecherischem Tempo spielt sich die Band durch »Born To Run« und »It's Hard To Be A Saint In The City«. »Backstreets« trifft mitten ins Herz und beim »Detroit Medley« gibts kein Halten mehr, jetzt herrscht Party pur.

»Während die Schlüssel zum Himmelreich vor unserer Nase baumelten und uns das Messer an der Kehle saß, setzten wir alles auf eine Karte«, schrieb Springsteen. Erst sechs Jahre später setzte er wieder einen Fuß auf europäischen Boden.

DARKNESS ON THE EDGE OF TOWN

1978

»MAN WEISS NIE, OB DIE NÄCHSTE PLATTE NICHT DIE LETZTE IST. ES GIBT KEIN MORGEN. NUR DEN AUGENBLICK.«

BRUCE SPRINGSTEEN, 2010

→11

→10A

KODAK SAFETY FILM 5063

→14

→13A

KODAK SAFETY FILM 5063

→10

→9A

KODAK SAFETY FILM 5063

→13

→12A

KODAK SAFETY FILM 5063

→9

→8A

KODAK SAFETY FILM 5063

→12

→11A

KODAK SAFETY FILM 5063

1975

Dezember: Springsteen sieht sich seinen 1972 mit Laurel Canyon geschlossenen Vertrag zum ersten Mal genauer an und ist entsetzt.
31. Dezember: Abschlusskonzert der *Born To Run*-Tour im Tower Theater in Philadelphia.

1976

25. März: Auftakt zur Chicken-Scratch-Tour im Township Auditorium in Columbia, South Carolina.
28. Mai: Abschluss der Chicken-Scratch-Tour in Annapolis, Maryland.
27. Juli: Springsteen reicht Klage gegen Mike Appel ein.
29. Juli: Appel reicht Gegenklage ein, womit auch verhindert wird, dass Springsteen ein neues Album aufnehmen kann.
26. September: Auftakt zur Lawsuit-Tour im Arizona Veterans Memorial Coliseum, Phoenix.
4. November: Abschluss des ersten Teils der Tour im Palladium in New York City.

1977

Januar: Da sie nicht ihre eigene Musik aufnehmen können, helfen Springsteen und die E Street Band Ronnie Spector, ihre Single »Say Goodbye To Hollywood« einzuspielen.
7. Februar: Der zweite Teil der Lawsuit-Tour beginnt mit dem Auftritt im Palace Theater in Albany, New York.
19. Februar: Die Coverversion der Manfred Mann's Earth Band von »Blinded By The Light« wird Nummer eins in den USA.
25. März: Abschluss der Lawsuit-Tour in der Music Hall in Boston.
28. Mai: Springsteen erzielt eine außergerichtliche Einigung mit Appel und unterzeichnet sofort einen eigenen Vertrag mit Columbia.
Juni: Die Aufnahmen zu *Darkness On The Edge Of Town* beginnen in den New Yorker Atlantic Studios, im September zieht man in die Record Plant Studios um.
August: Zwei Tage nachdem Elvis Presley gestorben ist, unternimmt Springsteen zusammen mit Van Zandt und dem Fotografen Eric Meola einen Trip durch die Wüste von Utah und Nevada.

1978

Januar: Abschluss der *Darkness*-Aufnahmesessions.
April: Patti Smiths Version von »Because The Night« schafft es bis auf Platz 13 in den USA (und Platz 5 in Großbritannien).
23. Mai: Auftakt zur *Darkness On The Edge Of Town*-Tour im Shea's Buffalo Theater, Buffalo, New York.
2. Juni: Veröffentlichung von *Darkness On The Edge Of Town* (US 5, UK 16).
7. Juli: Bei dem legendären Konzert im Roxy in L. A. spielt Springsteen zum ersten Mal »Twist And Shout« und »Raise Your Hand«.
Sommer: Springsteen engagiert Jon Landau als seinen Manager.
21. – 23. August: Er gibt drei im Nu ausverkaufte Konzerte im New Yorker Madison Square Garden.
24. August: Mit »Bruce Springsteen Raises Cain« von Dave Marsh bringt der *Rolling Stone* seine erste Springsteen-Coverstory.

1979

1. Januar: Abschlusskonzert der *Darkness*-Tour im Richfield Coliseum, Richfield, Ohio.

Nicht weit entfernt von der Thunder Road stand ein Wagen im Regen, die Scheiben beschlagen von Desillusion. Andere rauschten auf der regennassen Straße vorüber. Im ausverkauften Monmouth Arts Center in Red Bank senkte sich an diesem Sommerabend indes Stille herab und Melancholie machte sich breit.

Springsteen saß alleine am Klavier und sang sich selbst in die oben geschilderte Szene hinein: »When the promise was broken, I was drunk and far away from home sleeping with a stranger in the backseat of a borrowed car.« Er setzte seine beiden Helden aus »Thunder Road« in ein Auto und schickte sie hinaus in die Welt. Und dann wurde das Leben kompliziert.

Am 3. August 1976 wurde »The Promise« in Red Bank uraufgeführt. Eingerahmt von »Born To Run« und »Backstreets« stand der Song mitten in einem Teilabschnitt des Sets, der mit einer Coverversion des Animals-Hits »It's My Life« sehr trotzig begonnen und mit dem darauf folgenden »Thunder Road« die Aussicht auf unendliche Möglichkeiten eröffnet hatte.

»Thunder Road« war das Versprechen gewesen. Ein Hoffnungsschimmer am Horizont. Einsteigen, losfahren und nicht mehr zurückblicken, hieß es dort. »Und sie lebten glücklich und zufrieden bis ans Ende ihrer Tage«, hätte es nach dem Erfolg von Born To Run entsprechend heißen können.

»Das Paradoxe am Erfolg ist, dass man plötzlich Kompromisse eingehen muss, die im Falle eines Misserfolgs nie von einem verlangt worden wären«, schrieb Dave Marsh in Born To Run. The Bruce Springsteen Story. Damals drängte man Springsteen zu mehr Kompromissen, als er sich je hätte träumen lassen, aber er wehrte sich dagegen. »Ich hab angefangen, Musik zu machen, um so viel Kontrolle über mein Leben zu erlangen wie möglich, aber die entglitt mir plötzlich, und das machte mir Angst«, erklärte Springsteen Dave Herman 1978 in einem Interview.

Eine Woche vor der Livepremiere von »The Promise« hatte Springsteen Klage gegen Appel eingereicht, unter anderem wegen Betrugs und Veruntreuung. Zwei Tage später konterte Appel mit einer Gegenklage, was zur Folge hatte, dass Springsteen die Hände gebunden waren und er nicht den Nachfolger zu Born To Run aufnehmen konnte. Denn der Musiker arbeitete laut Vertrag ja für Appels Firma, und eben die hatte den Vertrag mit Columbia geschlossen, nicht Springsteen.

Appel und Springsteen hatten drei Verträge gemacht: einen Produktions-, einen Verwertungs- und einen Managementvertrag. Alle drei begünstigten Appel. In dem Dokumentarfilm The Promise. The Making of Darkness On The Edge Of Town von 2010 bezeichnet Springsteen diese Verträge als blauäugig und »im Kern destruktiv«.

Obschon finanziell einiges auf dem Spiel stand – Appel hatte Columbia einen Vorschuss von 500000 Dollar

»DER SONG HANDELT DAVON ZU KÄMPFEN, OHNE ZU GEWINNEN – VON DEN ENTTÄUSCHUNGEN JENER ZEIT. ER GING MIR ZU NAH.«

Bruce Springsteen über »The Promise«, 2010

auf die zu erwartenden Einnahmen aus Born To Run abgerungen, und aus der Rechteverwertung war auch einiges zu erwarten, wobei sich allerdings inzwischen auch reichlich Schulden angesammelt hatten –, ging es Springsteen in erster Linie darum, die Kontrolle zu behalten. Künstlerisch wollte er sich von niemandem etwas vorschreiben lassen, und er wollte allein entscheiden können, mit wem er zusammenarbeitete.

»Für all das hätte ich mein Leben gegeben«, sagte Springsteen. »Ich war fest entschlossen, diesen Kampf bis zum Ende auszufechten.« Und zwar nicht nur gegen einen Freund, sondern gegen einen Freund, der genauso entschlossen war wie er selbst. 2011 sagte er über den Beginn seiner Freundschaft zu Appel: »Ich brauchte jemanden, der auch ein bisschen verrückt war, weil ich selbst so an die Dinge heranging.«

Daran hatte sich in der Zwischenzeit bei beiden nichts geändert. Bis zur Urteilsverkündung würde es eine Weile dauern, und wie viel Zeit hatte Springsteen schon? Er hatte gerade einen Hit gelandet, aber wie lange würde die Welt auf den nächsten warten?

Schon beim letzten Album ging es für Springsteen um alles, und jetzt war die Situation keineswegs entspannter, nur anders. Kein Wunder, dass Springsteen anfing, sich mit den Helden des Film Noir und den entsprechenden literarischen Figuren zu identifizieren. »Die Helden dieser Geschichten hatten nie festen Boden unter den Füßen«, sagte er.

Die Born To Run-Tour endete an Silvester 75. Anfang März 76 ging es aber schon wieder weiter: Die Band brach zu einer zweimonatigen Tour auf durch Regionen, in denen es bislang keine Springsteen-Hochburgen gab. Die Konzertreise, die später als Chicken-Scratch-Tour bekannt wurde, führte sie vor allem in

Seite 69: Kontaktabzüge von Frank Stefankos Fotoshooting für das Albumcover.

Vorherige Seite: Springsteen zeigt beim Flippern mit Clarence Clemons, Roy Bittan und Steve Van Zandt, wer der Boss ist.

Gegenüber: In seinem Haus in Holmdel, New Jersey, wo er die Songs für Darkness schrieb. Im Arm hält er eine Fender Stratocaster. Porträt von Eric Meola, 1977.

den Süden der USA, unter anderem auch nach Memphis, wo Springsteen und Steve Van Zandt nach Graceland fuhren und über die Mauer des Anwesens kletterten, in der Hoffnung, einen Blick auf Elvis erhaschen zu können. Der King war jedoch nicht zu Hause.

Ende September begann die sogenannte Lawsuit-Tour im Arizona Veterans Memorial Coliseum in Phoenix, wo die Band ihr erstes größeres Hallenkonzert gab. Es folgten noch weitere Auftritte in großen Hallen – seine Vorbehalte gegen solche großen Veranstaltungsstätten hatte er angesichts der finanziellen Zwänge schließlich aufgeben müssen.

Anfang 77 folgte der zweite Teil der Lawsuit-Tour. Springsteen und die Bandmitglieder konnten nur mit Konzerten Geld verdienen, und selbst das mehr schlecht als recht. Er zog um in ein altes Farmhaus in Holmdel, New Jersey, das groß und abgelegen genug war, um mit der Band die ganze Nacht hindurch proben zu können. Er schrieb immer mehr neue Songs.

Am 28. Mai 1977 erzielten die Anwälte von Springsteen und Appel endlich eine Einigung. Appel bekam eine große Summe und behielt eine Beteiligung an den Lizenzeinnahmen sämtlicher Songs, die über Laurel Canyon veröffentlicht worden waren. Springsteen erhielt wieder die volle Kontrolle zurück.

Eine Woche nach dieser Einigung ging Springsteen mit Landau und Band ins Studio, um den *Born To Run*-Nachfolger aufzunehmen. Mit diesem Album drang er noch tiefer in die amerikanische Geschichte ein. Springsteen war fasziniert von John Fords Film *Die Früchte des Zorns*, der vom harten Schicksal der Farmerfamilie Joad während der Weltwirtschaftskrise handelt (den gleichnamigen Roman von John Steinbeck hatte er da noch nicht gelesen). Auch Countrymusik hatte es ihm angetan, besonders Hank Williams. »Diese bittere Erkenntnis, dass sich das Schicksal gegen dich verschworen hat«, sagte er in seiner SXSW-Rede, »der dem Country zugrunde liegende Fatalismus, das faszinierte mich.« Sein eigener Fatalismus fand Niederschlag in seinen Notizbüchern. Die Zeile »As soon as you've got something, they send someone to come along and try and take it away« floss beispielsweise in den Text von »Something In The Night« ein.

Und dann starb am 16. August 1977 der »King of Rock'n'Roll«. »Es war nur schwer zu verstehen, wie jemand, der so viele Menschen aus ihrer Einsamkeit

Oben: Verbeugung vor dem Publikum im Springfield Civic Center, Springfield, Massachusetts, am 22. August 1976. V. l. n. r.: Clarence Clemons, Bruce Springsteen, Max Weinberg, Garry Tallent, Steve Van Zandt, Roy Bittan und Danny Federici.

Gegenüber: Der Boss stolziert während der *Darkness On The Edge Of Town*-Tour auch im Jackett über die Bühne.

»ERWACHSEN SEIN BEDEU-TET, KOMPROMISSE EINZU-GEHEN. DAS GEHT GAR NICHT ANDERS. BEI MANCHEM IST MAN GERN DAZU BEREIT, DOCH BEI VIELEM ANDEREN MÖCHTE MAN KEINE ZUGESTÄNDNISSE MACHEN.«

Bruce Springsteen, 2010

befreite, selbst als so einsamer Mensch enden konn-te«, sagte Springsteen 1984 während eines Konzerts. »Es gibt viele Arten von Einsamkeit, die einen um-bringen können.« Wenige Tage nach Elvis' Tod flogen Springsteen und Van Zandt mit dem Fotografen Eric Meola nach Utah. Sie mieteten ein Cabrio und fuhren über den »Rattlesnake Speedway« durch eine Land-schaft, die zum »The Promised Land« werden sollte. Meola fing die »dark clouds rising from the desert floor« in einer atemberaubenden Bilderserie ein.

Die Fertigstellung von *Born To Run* hatte sich un-endlich in die Länge gezogen, weil es zu viele Varianten eini-ger weniger Songs gegeben hat-te. Die Produktion des neuen Albums litt unter der schieren Masse an Songs. Es waren Dut-zende. Einige der besten hatte Springsteen anderen Künstlern überlassen. »Because The Night« hatte er Patti Smith gegeben und das von Elvis inspirierte »Fire« Robert Gordon. Auch an Van Zandts Zweitband Southside

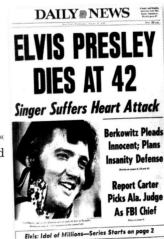

Johnny and the Asbury Jukes trat er ein paar Songs ab. »The Promise« wurde von der Liste potenzieller Albumtitel gestrichen und ebenso aussortiert wie eine Reihe nahezu perfekter souliger Popnummern, die Springsteen – damals zumindest – nicht vorhatte, zu veröffentlichen.

»Er verfügt über eine außerordentliche Disziplin und Willenskraft, die es ihm ermöglichen, derart ext-rem zu sein«, sagte Van Zandt 2011. »Und er kommt damit durch. Er kann seine besten Songs in den Müll werfen und trotzdem ein großartiges Album machen.«

Im Frühjahr 78 hatte sich schließlich eine Aus-wahl an Songs zu den Themen Herausforderung, Identität und Entscheidung herauskristallisiert.

Die Protagonisten auf *Darkness* sind einsam. Das Leben verlangt ihnen einiges ab. »Meine neuen Figuren sollten was durchgemacht haben und sich älter fühlen, aber nicht kapituliert ha-ben«, schrieb Springsteen in *Songs*.

Der Protagonist des Albumopeners »Bad-lands« weigert sich zu verlieren; aus einem Ge-fühl der Hilflosigkeit heraus spuckt er jedem ins Gesicht, der versucht, sich ihm in den Weg zu stellen. »I want control right now«, singt

»DER GANZE HYPE IST NICHTS IM VERGLEICH ZU EINEM GESPRÄCH ZWISCHEN ZWEI JUGENDLICHEN, BEI DEM DER EINE ZU DEM ANDEREN SAGT: ›WAR DAS STARK, MANN, DU HÄTTEST DABEI SEIN MÜSSEN.‹«

Bruce Springsteen, 1975

Springsteen. »You better listen to me, baby.« Wie erreicht man das? Durch harte Arbeit, Glaube, Liebe, ein bisschen Hoffnung und die Erkenntnis »that it ain't no sin to be glad you're alive«.

In »Adam Raised A Cain« und »Factory« setzt Springsteen sich mit seinem Vater auseinander. Thema des tonnenschweren Rocksongs »Adam Raised A Cain« ist die schlichte Erkenntnis, dass sich Vater und Sohn am Ende gar nicht so unähnlich sind: »the same hot blood burning in our veins«. Der Weg ist vorgezeichnet, man tut, was der Vater getan hat, und das war nicht viel. »Daddy worked his whole life for nothing but the pain.« Und nun läuft er durchs Haus »looking for something to blame« – und das ist der eigene Sohn. »Factory« schleppt sich dahin wie die endlosen Wochen, Monate und Jahre im Leben eines Fabrikarbeiters. Tag für Tag bietet sich dasselbe Bild: »I see my daddy walking through the factory gates in the rain.« Es werden Opfer gefordert (»factory takes his hearing«), doch trotz der Gefahren und der Eintönigkeit stellt auch diese Arbeit etwas Positves dar, denn auch sie verleiht dem Leben scheinbar einen Sinn (»factory gives him life«).

Hatte »Night« auf *Born To Run* noch Erwartungen erzeugt und Hoffnungen geweckt, so ist in »Something In The Night« davon nichts mehr zu spüren. Der Rock'n'Roll erlaubt einem kurz abzuschalten, wenn man ihn so laut aufdreht, dass er die eigenen Gedanken übertönt, aber mehr als eine kurze Verschnaufpause ist nicht drin. »Burned and blind« setzt Springsteen seine Reise fort, während er vergeblich gegen den dunklen Abgrund anbrüllt.

»Candy's Room« ist das Zimmer einer Prostituierten, »pictures of her heroes« hängen an den Wänden. Die Dunkelheit erhellt den Weg, der zu ihr führt. »There's a sadness hidden in that pretty face.« Klar ist, dass der Erzähler sie liebt und gerne von ihr geliebt werden will. »In the darkness there'll be hidden worlds that shine«, singt Springsteen. »When I hold Candy she makes these hidden worlds mine.« Sie jedoch erklärt dem Erzähler, dass er noch viel zu lernen habe.

In »Racing In The Street« geht es um den Übergang von der sorglosen Jugend zum Ernst des Lebens als Erwachsener. Der Protagonist des Songs bekommt die Frau, die er haben will, aber »she stares off alone into the night, with the eyes of one who hates for just being born«. Ihren Frieden finden die beiden zu guter Letzt nur, indem sie zum Meer runter fahren, »to wash these sins off our hands«.

»The Promised Land« ist ein Glaubensbekenntnis: »I believe in the promised land.« An etwas zu glauben, ist schön und gut, aber das allein reicht nicht aus. Der Protagonist des Songs steht jeden Morgen auf und geht zur Arbeit. »I've done my best to live the right way«, sagt er, dennoch braut sich am Horizont ein Unwetter zusammen und droht, alles zu zerstören. Ent-

»ICH HABE DIESMAL GANZ BEWUSST AUF FLUCHTMÖGLICHKEITEN VERZICHTET. MEINE FIGUREN MÜSSEN SICH IHREN HERAUSFORDERUNGEN STELLEN.«

Bruce Springsteen, 1998

weder hält man den Stürmen stand, oder man endet wie die Figuren in »Streets Of Fire«: betrogen und zwiegespalten, »a loser down the tracks«.

»Prove It All Night« erinnert daran, dass man die Arbeitsmoral nicht einfach mit der Stechkarte am Arbeitsplatz zurücklässt. Die zentrale Aussage des Albums findet sich jedoch in »Darkness On The Edge Of Town«, nämlich dass die Dunkelheit als ein notwendiger Bestandteil zum Leben dazugehört. Das Leben ist hart, alles Erstrebenswerte kostet Mühen. »Tonight I'll be on that hill 'cause I can't stop«, singt Springsteen. »I'll be on that hill with everything I've got.«

Für das, was er erreichen will, würde Springsteen alles riskieren. »Meine Figuren sehen einer ungewissen Zukunft entgegen, aber sie sind fest entschlossen und voller Tatendrang«, schrieb er in *Songs*. »Als sich die Arbeit an *Darkness* dem Ende näherte, hatte ich meine ›erwachsene Stimme‹ gefunden.«

Darkness on the Edge of Town wurde am 2. Juni 1978 veröffentlicht und eroberte sofort die amerikanischen Top-Ten. Allerdings verabschiedete es sich auch schnell wieder von dort. Auch die erste Singleauskopplung »Prove It All Night« zündete nicht wirklich. Springsteen hatte sich angesichts der gigantischen Marketingkampagne für *Born To Run* gewünscht, das Album ohne allzu großen Werberummel an den Start zu bringen, doch lief der Verkauf nun schlechter als erwartet. Also wurde doch noch Zeit und Geld in Pressearbeit investiert. Man filmte ein paar Liveauftritte für einen TV-Spot und ließ einige Gigs im Radio übertragen.

»Driving all night, chasing some mirage.« Tankstopp in Valmy, Nevada, während Springsteens Wüstentrip mit Steve Van Zandt und dem Fotografen Eric Meola im August 1977.

Dave Marsh, der zu mehreren Konzerten in L.A. eingeladen war, schrieb anschließend die erste *Rolling Stone*-Titelstory über den Musiker: Springsteen, wie er am Strand entlangschlendert, nachts auf sein eigenes Werbeplakat hoch oben über dem Sunset Strip »Prove it all night« sprüht und Robert Hilburn, den Kritiker der *Los Angeles Times*, in Verlegenheit bringt, indem er eine atemberaubende Show im Roxy hinlegt, nachdem Hilburn schon das Konzert im Forum als »one of the best events ever in Los Angeles« bezeichnet hatte.

Statt auszurasten, machte sich Springsteen diesmal über die ganzen Superlative der Journalisten lustig. »Große Sache, was?«, sagte er Marsh zufolge während des Gigs im L. A. Forum. »Aber ich sag euch, so richtig ab geht's bei uns nur mittwochs und freitags.«

Die Konzerte der *Darkness*-Tour sind legendär. Die Band verausgabte sich jeden Abend, an dem sie immer länger als drei Stunden auf der Bühne stand. Der vorherige Soundcheck dauerte in der Regel noch länger, weil Springsteen den Sound auf vielen verschiedenen Plätzen der Hallen selbst überprüfte.

»Prove It All Night« wurde mit einem längeren Pianointro und einem ausgedehnten Gitarrensolo zu einem Höhepunkt der Shows. In »Backstreets«, das eine zentrale Rolle im Set spielte, baute Springsteen

eine berührende Geschichte über Verrat ein. »Und wie immer in diesen Tagen kamen von dir Versprechungen und Lügen«, sang Springsteen in San Francisco. »Nicht wahr?« Die Musik schwillt an, Springsteen seufzt. Der Song kommt zu einem abrupten Ende, und dann hebt die Band erneut zu »Backstreets« an. Danach ging es noch Schlag auf Schlag weiter mit »Rosalita (Come Out Tonight)«, »Born To Run«, »Detroit Medley«, »Tenth Avenue Freeze-Out«, »Raise Your Hand« und »Quarter To Three«.

»Sein Credo war immer, so lange zu spielen, bis alle umfallen«, sagte Bittan 2011. Nicht nur er selbst. Nicht nur die Band. Einfach alle. »Ich hab jemanden, der mich rausträgt«, witzelte er auf der Bühne in Saginaw, Michigan. »Doch ihr müsst selbst nach Hause gehen.«

2009 spielten Springsteen und die E Street Band *Darkness On The Edge Of Town*, das längst als eines seiner Meisterwerke gilt, im Paramount Theater in Asbury Park komplett live, aber ganz ohne Publikum.

Der Entstehungsprozess des Albums war langwierig und aufreibend, aber es gab keinen anderen Weg für ihn. Manche Kompromisse kann man eingehen, andere nicht. »Ich wollte mehr sein als reich, berühmt oder glücklich«, sagte er einmal, »ich wollte außergewöhnlich sein.«

Oben: Beim legendären Auftritt im Forum in Los Angeles am 5. Juli 1978.

Gegenüber: Porträt von Lynn Goldsmith, 1978.

THE PROMISE

Hätte es diese ganze elende Angelegenheit nie gegeben, hätte Springsteen Appel nie verklagt und Appel
keine Gegenklage eingereicht, die Beziehung zwischen
Musiker und Manager wäre weiterhin harmonisch gewesen und die Arbeit an dem Nachfolger zu *Born To Run*
hätte sicher allen großen Spaß gemacht.

»Ich war immer noch sehr fasziniert von den heraus-
ragenden Popalben, die mich als Jugendlicher und junger Musiker geprägt hatten«, schreibt Springsteen in
seinen Anmerkungen zu *The Promise,* einem Doppelalbum mit 22 Outtakes von den *Darkness*-Sessions, das
2010 auf den Markt kam.

Songs wie »Save My Love«, »The Little Things (My
Baby Does)«, »Gotta Get That Feeling«, »Talk To Me« und
»Spanish Eyes« strotzen gleichzeitig vor Sehnsucht und
Humor und vermitteln die Atmosphäre einer weiteren
Sommernacht, vielleicht sogar der unmittelbar auf *Born
To Run* folgenden.

Anders als auf *Darkness*, das geprägt ist von Einsamkeit und dem Ernst und der Last des Erwachsenseins,
trifft man hier auf Figuren, die sich nach zwischen-
menschlichen Beziehungen sehnen. »If you hold me
tight, we'll be riders on the night«, singt Springsteen in
»Rendezvous«. Springsteen klingt immer noch ein bisschen wie Roy Orbison, und Clemons verzaubert mit seinem schlichten, aber gefühlvollen Saxofon. Lange bevor man es tatsächlich getan hat, hätte man
Springsteen als großen Songwriter feiern können.

»Dieses Talent ist für ihn völlig selbstverständlich«,
sagte 2011 Steve Van Zandt, der Mann, den die Entscheidungen, die Springsteen Ende der 70er-Jahre traf,
am meisten enttäuschten, »dabei ist es sein vollkom-
menstes.«

Der »Rattlesnake Speedway«.
Diese Aufnahme von Eric Meola
entstand abseits des Highway 80
in Nevada im August 1977.

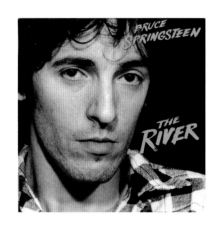

THE RIVER

1980

»ICH WOLLTE EINE PLATTE MACHEN,
BEI DER NEBEN DEN GESCHICHTEN,
DIE ICH ERZÄHLE, AUCH DER SPASS
RÜBERKOMMT, DEN DIE BAND
BEIM SPIELEN HAT.«

BRUCE SPRINGSTEEN, 2011

1979

Februar: Die Pointer Sisters erreichen mit »Fire« Platz 2 in den USA.

März: Beginn der Aufnahmen zu *The River* in den Power Station Studios.

21./22. September: Springsteen tritt als Headliner bei zwei Benefizkonzerten für MUSE (Musicians United for Safe Energy) im Madison Square Garden am Vorabend seines 30. Geburtstags auf.

November: Veröffentlichung des *No Nukes*-Livealbums, das die ersten offiziellen Livemitschnitte der E Street Band enthält.

1980

Mai: Abschluss der Aufnahmesessions für *The River*.

18. Juli: Premiere des *No Nukes*-Konzertfilms.

3. Oktober: Auftaktkonzert zur *River*-Tour in der Crisler Arena in Ann Arbor, Michigan.

17. Oktober: Veröffentlichung von *The River* (US 1, UK 2).

27. Dezember: Springsteens erste Top-Ten-Single in den USA, »Hungry Heart«/»Held Up Without A Gun«, erreicht Platz 5.

1981

5. März: Abschlusskonzert des ersten Abschnittes der nordamerikanischen *River*-Tour in der Market Square Arena in Indianapolis, Indiana.

7. April: Auftakt zu Springsteens erster großer Europa-Tour im Hamburger Kongresszentrum.

8. Juni: Abschlusskonzert der Europa-Tour in der Birmingham International Arena, Birmingham, England.

20. Juni: Die komplette E Street Band spielt auf Max Weinbergs Hochzeitsfeier in New Jersey.

2. Juli: Der zweite Abschnitt der amerikanischen *River*-Tour beginnt mit einem Konzert in der Brendan Byrne Arena, East Rutherford, New Jersey.

20. August: Das erste von sechs Konzerten in der Los Angeles Memorial Sports Arena wird als Benefizkonzert zugunsten der Vietnam Veterans of America Foundation abgehalten.

14. September: Nach fast einem Jahr endet die *River*-Tour im Riverfront Coliseum in Cincinnati, Ohio.

24. September: Bei Clarence Clemons Hochzeit auf Hawaii ist Springsteen der Trauzeuge, und die E Street Band spielt ein weiteres Mal auf einer Hochzeitsfeier.

Seite 87: Zwei Jahre nach Dark-ness posiert er wieder vor der Rosentapete.

Rechts: Druckablassen auf dem Dach der Power Station Studios während der endlosen River-Sessions.

ie Eltern des Ende des 19. Jahrhunderts in
New Orleans aufgewachsenen Rufus »Tee-
Tot« Payne waren noch Sklaven gewesen. Er
selbst schlug sich später als Straßenmusiker
in Georgiana, Alabama, durch, wo er auch
den jungen Hank Williams kennenlernte.
Payne brachte dem späteren Countrystar die ersten
Akkorde auf der Gitarre bei und überlieferte ihm
wahrscheinlich auch das Lied »My Bucket's Got A
Hole In It«, mit dem Williams 1949 einen Hit landete.

In *Songs* beschreibt Springsteen, wie er eben diese
Nummer in einem New Yorker Hotelzimmer singt, als
ihm plötzlich eine Idee kam. »Noch in derselben Nacht
fuhr ich zurück nach New Jersey, setzte mich in mein
Zimmer und schrieb ›The River‹.« Dave Marsh stellte
in einem Artikel, der 1981 im *Musician* erschien, die
Vermutung an, dass Springsteen damals auch den
»Long Gone Lonesome Blues« hörte, der von einem
Mann handelt, der sich in einem Fluss ertränken will,
jedoch feststellen muss, dass »the doggone river was
dry«. Williams' Stimme heult durch die einsame
Nacht, während der Erzähler nach etwas sucht, an das
er glauben kann.

»Wie Jerry Lee Lewis, die lebende Legende, die
Rock und Country wie niemand sonst verkörpert,
einst sagte: ›Ich bin tief gefallen und arbeite mich
weiter nach unten‹«, so Springsteen in seiner Rede
auf der South by Southwest Music Conference 2012.
»Das war echter Working Man's Blues.«

Ohne Frage konnte man Springsteen 1979 nach den
zwei großen Erfolgsalben als Rockstar bezeichnen,
und es wäre nur allzu verständlich gewesen, wenn er
sich jetzt erst mal ein bisschen Ruhe gegönnt hätte.
Mit *Born To Run* hatte er voll ins Schwarze getroffen
und den Weg zum Starruhm geebnet. Mit *Darkness*
hat er dann die Auswirkungen dieses Erfolgs verarbeitet und zugleich seine künstlerische Unabhängigkeit
behauptet. Nachdem Springsteen bewiesen hatte, dass
er trotz der hohen Erwartungen und der immensen
Summen, die in ihn investiert worden waren, bereit
war, seinen eigenen Weg zu gehen, hätte er sich zunächst beruhigt zurücklehnen können.

Stattdessen beschäftigte
er sich mit schlichten
Countrysongs und ging
den Fragen nach, die sie
aufwarfen. »Warum nur ist
das ›hole in the bucket‹,
das Loch im Eimer?«, fragte er in seiner SXSW-Rede.
Wichtiger noch: Wie geht
man mit den Problemen,
die durch das Loch entstehen, am besten um? Was
man definitiv nicht tun

darf, ist die Augen vor dem Loch zu verschließen und
sich zurückzulehnen.

»Denn«, so schrieb Paul Nelson im *Rolling Stone* in
seiner *River*-Kritik, »[Springsteen] erkennt, dass unsere Gegenwart zum größten Teil aus den Scherben der
Vergangenheit besteht, von der wir uns einst eine bes-
sere Zukunft erhofften.« Und von dieser Zukunft steht
nicht unendlich viel zur Verfügung.

Nach ein paar Monaten ohne Verpflichtungen gingen Springsteen und die E Street Band im März 79
wieder ins Studio. Sie wollten diesmal eine schnelle
Platte machen. 18 Monate später war *The River* fertig.

In der Zwischenzeit waren sie nur zweimal aufgetreten, nämlich bei den »No Nukes«-Konzerten im
Madison Square Garden im September 79. Diese Pro-
testveranstaltung war eine Reaktion auf den Reaktor-
unfall im Kernkraftwerk
Three Mile Island in Pennsylvania im März 79. Organisiert hatte dieses Konzert
eine Gruppe prominenter
Atomkraftgegner, die sich
zu der Vereinigung Musi-
cians United for Safe Energy (MUSE) zusammenge-
schlossen hatten und an
deren Spitze die Musiker
Jackson Browne, Bonnie
Raitt und Graham Nash

Links: Springsteen in seiner von
James Brown inspirierten Per-
formance beim zweiten »No
Nukes«-Konzert im Madison
Square Garden am 22. Septem-
ber 1979.

Oben: Auch nach »No Nukes« unterstützte Springsteen Anti-Atom-
kraft-Initiativen, wie hier mit Gary
U.S. Bonds beim »Survival Sunday«-Konzert in der Hollywood
Bowl am 14. Juni 1981.

standen. Aus den Mischnitten der Shows wurden später ein Film und ein Tripelalbum erstellt. Nur zwei Musiker gaben kein offizielles Statement zu der Veranstaltung ab: Bruce Springsteen und Tom Petty.

Springsteen fand, seine Mitwirkung sei Statement genug. »Meine Band hätte ich nie nur so für irgendein Event zur Verfügung gestellt«, sagte er 2011. Und er hatte gründlich über die Teilname nachgedacht. Zu »Roulette«, dem ersten Song, den sie für das neue Album eingespielt hatten, war er von dem AKW-Unfall inspiriert worden. Es geht in ihm darum, dass man im Leben jederzeit aus der Bahn geworfen werden kann und wir nur Figuren in einem großen Spiel sind, bei dem ein mächtiger Spieler riskante Einsätze wagt.

Da die »No Nukes«-Konzerte unmittelbar vor Springsteens 30. Geburtstag stattfanden, war es nahe liegend, dass er sich auch wieder mit dem Thema Erwachsenwerden beschäftigte. Und so entschied er sich bei der Festlegung der Setlist nicht für »Roulette«, sondern für »The River«. Diesem Song, den er hier zum ersten Mal live spielte, lag die Geschichte seiner Schwester Ginny und ihres Mannes Mickey zugrunde.

Es gibt das Leben, das andere für uns vorherbestimmen. »They bring you up to do like your daddy done«, singt Springsteen. Dann das Leben, das wir uns für uns selbst ausmalen. Und schließlich das Leben, das wir tatsächlich führen. Darum geht es in ›The River‹, einer knappe Skizze über die Unwägbarkeiten des Lebens. Das Paar, um das es geht, muss sich einer ungeplanten Schwangerschaft stellen, heiratet und versucht, das Beste aus der Situation zu machen. Finanziell geht es bergab, der Job ist weg und die Zukunft sieht plötzlich ganz anders aus, als man ihnen immer versprochen hatte. »Is a dream a lie if it don't come true, or is it something worse?«, fragt Springsteen. Wie das Paar in »Racing In The Street«, das sich aufmacht

Zusammen mit Jackson Browne und Tom Petty spielte Springsteen beim »No Nukes«-Konzert »Stay«, den Doo-Wop-Hit von Maurice Williams and the Zodiacs aus dem Jahr 1960, 22. September 1979.

»DAS, WAS BRUCE' ARBEIT WIRKLICH AUS-MACHT, VERLANGT IHM ALLES AB. AUF DER SUCHE NACH SONGS WÜHLT ER TIEF, TIEF, TIEF IN SEINEM INNEREN. MAN MUSS SICH SCHON GANZ DARAUF EINLASSEN, DAS IST KEIN VERGNÜGEN.«

Chuck Plotkin, 2011

zum Meer, um wiedergeboren zu werden, zieht es den Erzähler von »The River« zum Wasser. »Though I know the river is dry«, ganz wie bei Hank Williams.

Nicht nur thematisch knüpfte das neue Album an *Darkness* an, auch hinsichtlich der Studioarbeit änderte sich wenig. Springsteen konnte aus einem großen Vorrat an Songs schöpfen, und jeden Tag wurden es mehr. Steve Van Zandt ahnte schon früh, dass ihnen wieder eine Marathonproduktion bevorsteht, und wollte beizeiten das Handtuch werfen. Stattdessen machte Springsteen ihn zum Coproduzenten. Jedoch wurde die Produktion dadurch keineswegs beschleunigt.

»Er hatte jeden Tag vier neue Songs dabei«, sagte Van Zandt 2011. »Keine fertigen, natürlich. Manchmal kam er mit einem großartigen Riff, einem genialen Akkordwechsel oder irgendwas Nicht-ganz-Ausgear-beitetem. An manchen Tage kam er sogar mit fünf oder sechs neuen Songs.«

Sie saßen alle zusammen und gingen die Ideen durch. Wieder und wieder. Hier eine Korrektur, da ein neues Solo, ein paar neue Lyrics oder ein neues Arrangement. »Statt ins Studio zu gehen und eine Platte aufzunehmen, gingen wir ins Studio und nahmen Proben auf«, sagte Max Weinberg 2011. Sie spielten live, machten eine Menge Krach und versuchten im Studio möglichst nahe an das heranzukommen, was sie auf der Bühne ablieferten.

Aus den Tiefen seines unerschöpflichen Reservoirs zauberte Springsteen dabei auch ein paar Akkorde und ein Riff, die auf dem 64er Four-Seasons-Hit »Dawn (Go Away)« basierten. Springsteen fand den Song, der sich daraus entwickelte, etwas zu poppig. Van Zandt und Landau hingegen hielten ihn für einen Hit – einen Hit, für den es langsam auch Zeit wurde. »Fire« hatte

Springsteen an Robert Gordon abgetreten; die Pointer Sisters hatten es mit dem Song Anfang 79 auf Platz 2 geschafft. Ein Jahr zuvor war Patti Smith mit »Be-cause The Night« auf Platz 13 gelandet. Und schon 1977 hatte Manfred Mann's Earth Band mit »Blinded By The Light« sogar einen Nummer-eins-Erfolg.

»Das war unser fünftes Album. Wir mussten nichts mehr beweisen. Man kann sich durchaus einen Hit erlauben, wenn es der richtige ist. Und hier schien alles zu stimmen.« Die Rede ist von »Hungry Heart«, dem wohl fröhlichsten Lied, das je über einen Mann geschrieben wurde, der seine Familie verlässt.

Trotz potenziellem Hit und enormer Songauswahl gingen die Aufnahmen weiter. Dabei wurde es immer schwieriger, den Überblick über die zahllosen Bänder zu behalten. Einige Songs, die kurz nach *Darkness* geschrieben wurden, scheinen thematisch noch an dieses Album anzuknüpfen: »The River«, »Hungry Heart«, »Point Blank«, »The Ties That Bind« und »Stolen Car«. Immer wieder werden Figuren mit Niederlagen konfrontiert, um zu sehen, wie sie damit umgehen. Die Protagonisten von »The River« fügen sich mehr oder weniger in ihr Schicksal. Der Erzähler von »Hungry Heart« folgt seinem rastlosen Herzen, wo immer es ihn hinführen mag. Und in »Point Blank« geht es um die »little white lies«, mit denen wir uns selbst belügen, um unsere Enttäuschung zu lindern. Dabei führt in »Stolen Car« die Enttäuschung darüber, dass sich vieles, was man sich wünschte, nie erfüllte, zu einer unbe-dachten Tat: Der Protagonist stiehlt ein Auto und fährt damit umher, in der Hoffnung, erwischt zu werden.

In »Independence Day« verarbeitet Springsteen wieder einmal die Beziehung zu seinem Vater. Von dem harten Schicksal, das diesen ereilt, distanziert er sich

Gegenüber: Verschnaufpause. Porträt von Frank Stefanko, 1978. Stefanko hat sowohl für *Darkness On The Edge Of Town* als auch für *The River* die Coveraufnahmen gemacht.

Nächste Seite: Auf dem Dach der Power Station Studios, März 1980.

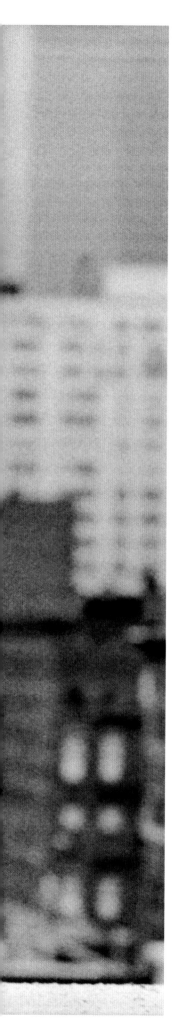

»MICH INTERESSIERTE, WAS ES HEISST, ERWACHSEN ZU SEIN. ICH SELBST FÜHRTE KEIN SOLCHES LEBEN, ICH BETRACHTETE ES VON AUSSEN UND HATTE GROSSEN RESPEKT DAVOR.«

Bruce Springsteen, 2011

einerseits, übernimmt andererseits aber auch eine gewisse Verantwortung dafür, so als wäre durch seine Geburt dem Vater alle Hoffnung genommen worden. »I swear I never meant to take those things away«, heißt es am Ende.

Die Band arbeitete bis weit ins Jahr 1980 hinein. Dabei spielten sie auch ein paar unbeschwertere, fetzigere Songs ein wie »Out In The Street«, »Crush On You«, »Cadillac Ranch«, »I'm A Rocker«, »Ramrod« und »You Can Look (But You Better Not Touch)«. Zu guter Letzt sah Springsteen aufgrund der schieren Masse an geeigneten Songs gar keinen anderen Weg, als mindestens ein Doppelalbum herauszubringen.

Als *The River* endlich im Oktober 1980 erschien, wurde es sofort ein voller Erfolg. Noch vor Weihnachten waren anderthalb Millionen Exemplare verkauft und »Hungry Heart« kletterte bis auf Platz 5 der Singlecharts. Van Zandt und Landau hatten Recht behalten.

The River war mit seinen 20 Tracks natürlich ein komplexeres Werk als die beiden sehr kompakt erzählten Vorgänger. »Ich versuchte, zu akzeptieren, dass das Leben im Grunde paradox ist«, sagte Springsteen. »Let there be sunlight, let there be rain«, übertönt er in »Sherry Darling« eine feiernde Partymeute.

Springsteen kehrte zurück in die Gesellschaft der Menschen und ließ die Einsamkeit, die auf *Darkness* dominiert hatte, hinter sich. Der Erzähler von »The Ties That Bind« glaubt nicht eine Sekunde lang an das Machogeschwätz, mit dem das Singleleben verherrlicht wird. Ähnlich sieht es wohl auch der Protagonist aus »Two Hearts«. »Once I spent my time playing tough guy scenes«, heißt es dort, was vermuten lässt, dass es damit nun vorbei ist. In »Jackson Cage« wird der beklemmende Alltagstrott in der als Käfig empfundenen

Kleinstadt thematisiert und und die Frage gestellt, wie man damit klarkommen kann: »Are you tough enough to play the game they play?« Oder wirst du dich von ihnen fertigmachen lassen? »The Price You Pay« geht das Thema, sich in gewisse Zwänge fügen zu müssen, etwas anders an: Kannst du die Entscheidungen treffen, die du treffen musst, und bist du mit dir trotzdem so im Reinen, dass du nachts ruhig schlafen kannst?

Wir haben es mit den üblichen Handlungsorten zu tun: Autos, Highways und Kleinstädte, in denen es viele plan- und ziellose junge Männer und eine Menge junger Frauen gibt. Aber auch im wirklichen Leben ändern sich die Schauplätze selten. Die Menschen werden lediglich älter. Dadurch, dass die Protagonistin in beiden Songs Mary heißt, besteht eine Verbindung zwischen »The River« und »Thunder Road«. Der desillusionierten Frau, die in »I Wanna Marry You« den Kinderwagen schiebt, kann der Mann, der in sie verliebt ist, zwar nicht versprechen, dass all ihre Wünsche noch in Erfüllung gehen, »but maybe, darlin', I could help them along«.

Die Erzähler von »Fade Away« und »Drive All Night« sind verloren und einsam, ihre Beziehungen sind in die Brüche gegangen. »When I lost you, honey, sometimes I think I lost my guts too«, singt Springsteen in »Drive All Night«.

Den Abschluss des Albums bildet »Wreck On The Highway«. Der Protagonist des Songs fährt zufällig an einer Unfallstelle vorüber, wo er mitansehen muss, wie das Unfallopfer stirbt. Die Szene, mit der das Album ausklingt, zeigt uns den Protagonisten, wie er nachts wach im Bett liegt, seine schlafende Partnerin betrachtet und sich vorstellt, wie irgendwo anders einer Frau die schreckliche Todesnachricht überbracht wird.

»ICH DENKE NICHT: ›WENN ICH HEUTE NICHT GUT SPIELE, NICHT SO WILD, ICH WAR JA GESTERN GANZ GUT.‹ DAS IST EGAL. ALLES WAS ZÄHLT, IST WAS HEUTE PASSIERT.«

Bruce Springsteen, 1981

»Uns ist nur eine begrenzte Zeit gegeben, zusammenzukommen, die Dinge zu tun, die wir tun müssen und die wir tun möchten, die Menschen zu lieben, die wir lieben wollen, zu erziehen und ihnen Orientierung zu bieten, und unsere Arbeit zu tun«, sagte Springsteen 2011. »Für mich war das so etwas wie eine kleine, stille Meditation darüber, wie ich mein Leben zu jener Zeit betrachtete; die Uhr fing an zu ticken.«

Schon in den ersten Kritiken zu *The River* wurde Springsteen nicht mehr nur mit anderen Rockstars, sondern auch mit angesehenen Künstlern wie John Steinbeck und Francis Ford Coppola verglichen. Ihm wurde zugestanden, etwas zu sagen zu haben.

Am 5. November, einen Tag, nachdem Ronald Reagan die Präsidentschaftswahl gewonnen hatte, gab Springsteen ein Konzert in Tempe, Arizona, bei dem er sein bis dato unverblümtestes politisches State-

ment abgab. »Ich weiß nicht, was ihr von dem haltet, was gestern Nacht passiert ist, aber ich finde es ziemlich beunruhigend. Ihr seid jung, für eine ganze Menge Menschen wird es darauf ankommen, dass ihr euch zu Wort meldet.« Dann zählte er »Badlands« ein.

Einen Monat später wurde John Lennon erschossen. Springsteen und die Band traten am nächsten Abend in Philadelphia auf. »Wir müssen vieles ertragen, das eigentlich gar nicht zu ertragen ist«, sagte Springsteen auf der Bühne. Als Letztes spielten sie »Twist And Shout«, den allerersten Song, den Springsteen zu spielen gelernt hatte. »Ich habe noch nie gesehen, dass sich ein Mensch so verausgabt wie Springsteen gestern in Philly«, schrieb Fred Schruers in seiner *Rolling Stone*-Titelstory im Februar 1981.

Da sie ihr Set für die »No Nukes«-Auftritte auf 90 Minuten hatten kürzen müssen und damit sehr erfolgreich waren, dachte Van Zandt, dieses Format könne man für die nachfolgende Tour beibehalten. »Stattdessen packten wir einfach noch weitere 90 Minuten auf die Show drauf, die wir ohnehin schon ablieferten«, erklärte er Dave Marsh später. Springsteen rechtfertige das so: Irgendjemand im Publikum könnte ihre Show zum allerersten Mal sehen, daher musste sie einfach überwältigend sein. Und zwar jeden Abend, während der gesamten Tour. »Was morgen ist oder gestern war, zählt nicht«, erklärte er Dave DiMartino.

Zum ersten Mal seit ihrer kurzen Stippvisite 1975 kam die Band wieder nach Europa. Und nun eroberte Springsteen die alte Welt im Sturm. In Europa erfuhr er, dass es noch eine ganz andere als seine gewohnte Sichtweise auf Amerika und die Amerikaner gab, und dass selbst zwischen diesen beiden feine Unterschiede gemacht wurden, was Springsteens Selbstwahrnehmung nachhaltig beeinflusste – wodurch sich wiederum das Bild, das andere von ihm hatten, wandelte. Manch einer hatte das Gefühl, dass Springsteen mehr sein konnte als nur ein Rockstar, dass er, wie der *New York Times*-Redakteur John Rockwell schrieb, »durch das, was seine Musik zum Ausdruck bringt, die ganze Nation aus ihrem Dornröschenschlaf erwecken kann«.

Wenige Tage zuvor war in der *New West* ein Artikel von Greil Marcus erschienen, in dem es zunächst um Elvis, Bob Dylan und den Vietnamkrieg ging. Im weiteren Verlauf griff Markus das Thema Springsteen und die Präsidentschaftswahl von Ronald Reagan auf und stellte die Vermutung an, dass Springsteens nächstes Album von dieser Wahl beeinflusst sein werde. »Die Songs werden das Ereignis höchstwahrscheinlich nicht direkt kommentieren«, schrieb Marcus, »sie werden es vielmehr in Springsteens erzählerischer Weise reflektieren und dabei Stimmungen festhalten und Geschichten, die wir uns heute noch gar nicht vorstellen können.«

Oben: Porträtaufnahme von Frank Stefanko, 1978.

Gegenüber, oben: »Out in the street, I just feel all right ...«

Gegenüber, Mitte: Zurück von der Tour, wieder zu Hause.

Gegenüber, unten: Fankontakt während der *River*-Tour, 1980.

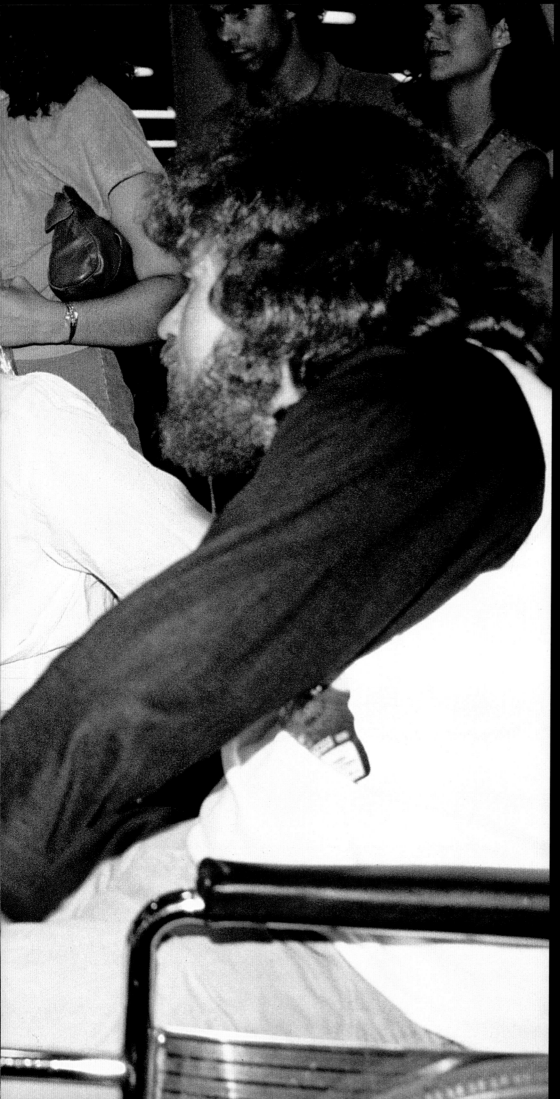

SPRINGSTEENS SOZIALES ENGAGEMENT

»Hallo. Hört mal. Hört mal eine Sekunde zu«, sagt Springsteen, während er versucht, sein Publikum zu beruhigen, das wie so oft gerade wieder einmal völlig durchdreht. »Wir sind heute Abend hier, um die Männer und Frauen [zu ehren], die im Vietnamkrieg gekämpft haben.«

Das Konzert in der Los Angeles Memorial Sports Arena am 20. August 1981 war etwas ganz Besonderes. Ein paar Jahre zuvor hatte Springsteen während eines Wüstentrips im Südwesten der USA Ron Kovics Buch *Geboren am 4. Juli* gelesen. Wenige Tage später hatte er den Autor zufällig in Los Angeles kennengelernt und ist dann über ihn in Kontakt gekommen mit Bobby Muller, dem Vorsitzenden der Vietnam Veterans of America.

Als Springsteen hörte, dass die Organisation finanzielle Unterstützung benötigte, erklärte er den ersten seiner sechs geplanten L. A.-Gigs kurzerhand zu einem Benefizkonzert. Anders als bei den »No Nukes«-Events stellte er hier nicht einfach nur anderen seine Band für einen guten Zweck zur Verfügung oder gab ein kurzes politisches Statement ab (wie bei dem Konzert in Arizona über Reagans Präsidentschaftswahl). Diesmal stellte er sich voll und ganz in den Dienst einer gemeinnützigen Sache, mit allen Konsequenzen, die das für einen so berühmten Mann wie ihn hatte.

Springsteen stellte Muller dem Publikum in einer Rede vor, die keinen Zweifel daran ließ, für wie wichtig er dessen Engagement hielt. Den Einsatz für die von der Regierung links liegen gelassenen Vietnamveteranen, um die sich keiner kümmert, nachdem sie ihre Gesundheit dem Land geopfert haben, verglich er mit der Entscheidung, jemandem, der in einer dunklen Gasse niedergeschlagen wird, zu helfen oder ihn einfach dort liegen zu lassen.

»Vietnam hat dieses Land zu einer dunklen Gasse gemacht. Und solange wir nicht durch die Seitengassen gehen und den Männern und Frauen dort in die Augen blicken, ebenso wie den Dingen, die dort geschehen sind, werden wir nie nach Hause kommen«, sagte Springsteen.

Zudem spielte er ein sehr bewegendes Set, wie entsprechende Bootlegs dokumentieren. Bis heute setzt sich Springsteen immer wieder für soziale Zwecke und örtliche Initiativen wie Tafeln ein.

Treffen mit Vietnamveteranen, 1981.

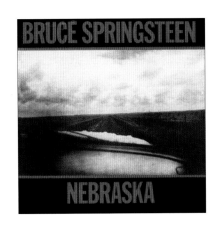

NEBRASKA

1982

»ICH WOLLTE, DASS DIE MUSIK WIE EIN TAGTRAUM KLINGT UND DAS ALBUM EINEN WIE POESIE BERÜHRT. ICH WOLLTE EINE GRUNDSTIMMUNG VON SCHICKSALSHAFTER BESTIMMUNG HERAUFBESCHWÖREN.«

BRUCE SPRINGSTEEN, 1998

1982

3. Januar: Springsteen nimmt die meisten *Nebraska*-Songs mit einem Vierspurkassettenrekorder bei sich zu Hause in Colts Neck auf.

Januar – Mai: Erste Aufnahmesessions zu *Born in the U. S. A.* in New York in den Power Station Studios und der Hit Factory.

12. Juni: Springsteen spielt zusammen mit Jackson Browne bei einer Friedenskundgebung im New Yorker Central Park.

Juni: Steve Van Zandt beginnt, sein Engagement in der E Street Band einzuschränken, nennt sich nun Little Steven und stellt mit den Disciples of Soul seine eigene Band zusammen.

10. August: Bei der Hochzeitsparty seines alten Freundes Southside Johnny (John Lyon) tritt Springsteen zusammen mit der Band des Bräutigams, den Asbury Jukes, auf.

20. September: Veröffentlichung von *Nebraska* (US 3, UK 3).

Oktober: Er schenkte »Pink Cadillac« Bette Midler, mochte ihre Aufnahme dann aber nicht und gestattete nicht, sie zu veröffentlichen.

31. Dezember: Noch ein Auftritt auf einer Hochzeitsfeier, diesmal von Van Zandt; die Zeremonie leitet Reverend Richard Penniman (aka Little Richard), und Percy Sledge singt »When A Man Loves A Woman«, als das Brautpaar vor den Altar tritt.

Vorherige Seite und rechts: Aus David Kennedys Covershooting für *Nebraska*, ein Album, mit dem Springsteen die dunklen Winkel der Erinnerung an seine Kindheit erkundet.

Oben: Mit dem kargen, akustischen Sound überraschte Springsteen Fans und Kritiker.

Anfang 1982 fuhr Springsteen von seinem Haus in Colts Neck, in dem er damals zur Miete lebte, nach New York City. Im Gepäck hatte er eine Musikkassette, wie man sie überall kaufen konnte, und ein paar handgeschriebene Anmerkungen für Jon Landau. Auf die Kassette hatte Springsteen mithilfe eines Vierspurrekorders 15 Songs aufgenommen – und zwar allein bei sich zu Hause. Abgemischt hatte er die Nummern zusammen mit seinem Gitarrentechniker auf einem ganz gewöhnlichen Kassettenrekorder.

»Ich habe eine Menge Ideen, aber noch keine genaue Vorstellung davon, was am Ende dabei rauskommen soll«, schrieb Springsteen in seinen Anmerkungen. »Gut möglich, dass dir diese Songs nicht auf Anhieb gefallen«, warnte er Landau. In seinem Brief ging er auf jeden einzelnen Song ein; er erklärte jeweils, was ihn inspiriert hatte, und erläuterte Details zu den einzelnen Aufnahmen. »Johnny 99«, eine Nummer über einen Arbeitslosen, der einen Nachtportier erschießt und den Richter bittet, ihn zum Tode zu verurteilen, bezeichnete er als »auf gewisse Weise komisch«.

Landau hatte Springsteen das Skript zu einem Film geschickt, an dem der Regisseur und Drehbuchautor Paul Schrader gerade arbeitete – der Arbeitstitel lautete: *Born In The U.S.A.* »Ich hatte noch keine Gelegenheit, es zu lesen«, schrieb Springsteen, »aber den Titel habe ich mir schon mal für eine kleine Nummer ausgeliehen.«

Er versicherte Landau, dass »Reason To Believe« nichts mit dem gleichnamigen Tim-Hardin-Song von 1965 zu tun habe. »Open All Night« sei »sehr schwer zu spielen« und »State Trooper« »ziemlich schräg«.

Über »Losin' Kind« schrieb Springsteen: »Ich finde irgendwie kein besseres Ende«, was überrascht, weil der Song ziemlich gut ausklingt. Der mit »Johnny 99« thematisch eng verwandte Song beginnt damit, dass ein Mann eine Frau vor einer Bar kennenlernt. Sie gehen tanzen, betrinken sich, suchen sich ein Zimmer, gehen wieder hinaus und überfallen eine Raststätte, in der der Erzähler »too hard« auf einen Mann einprügelt. Das Paar flüchtet und rast mit dem Auto durch die Nacht, bis der Erzähler den Wagen vor einen Telegrafenmast setzt. Er klettert aus dem Wrack heraus und blickt direkt in den Lauf einer Pistole, die ein Polizist auf ihn richtet. Der sagt nichts weiter als: »Son, you're lucky to be alive.« Woraufhin der Erzähler antwortet: »I'll think that one over, if you don't mind.«

Springsteen kam als Weltstar von der *River*-Tour zurück, und anders als in den Jahren zuvor schlug sich das diesmal auch auf seinem Konto nieder. Er konnte tun, was er wollte, und hingehen, wo immer es ihm gefiel. Er nutzte diese Freiheit, um nach Freehold zurückzukehren und sich mit seinen Kindheitserinnerungen auseinanderzusetzen. »Ich bin immer wieder

an den Häusern vorbeigefahren, in denen ich früher gewohnt habe«, sagte er 1990 auf der Bühne. »Manchmal sogar spät in der Nacht.«

In der Dunkelheit holten ihn die Geister ein, vor denen er geflohen war, seit Elvis ihm einen Weg heraus gezeigt hatte – mit Geld ließen sie sich nicht vertreiben. Auf der Bühne konnte er so lange spielen, bis sie zu erschöpft waren, um ihn heimzusuchen, doch jetzt, in der Ruhephase nach dem harten Leben auf Tour, war er ihnen ausgeliefert.

Er kehrte zu seinen frühesten Erinnerungen zurück, jener Ahnung von Scheitern und Verlust, die das Leben im Haus an der Randolph Street bestimmt hatte. All die Dämonen, die seinen Vater in den einsamen Nächten am Küchentisch geplagt hatten, begannen nun, auch ihn zu verfolgen. Das Album, das später den Titel *Nebraska* erhielt, jenes Album, das auf der Kassette war, die Springsteen mit nach New York nahm, war das Resultat der Beschäftigung mit den Schatten seiner Vergangenheit, die bis in die Gegenwart hineinreichten.

Der erste Track, den Springsteen einspielte, als er am 3. Januar 1982 mit den Aufnahmen begann, war der spätere Titelsong des Albums. In seinen Anmerkungen für Landau hieß er noch »Starkweather (Nebraska)«. Inspiriert dazu hatte ihn der Kinofilm *Badlands* von

Oben: Caril Ann Fugate und Charles Starkweather hatten mit ihrer Mordserie eine Blutspur quer durch Nebraska und Wyoming gezogen und damit Springsteen zum Titeltrack des Albums inspiriert.

Gegenüber: Songs wie »Johnny 99« und »Open All Night« hatten etwas von dem 50er-Jahre Rockabilly-Geist eingefangen. Es gelang Frank Stefanko genau dies in seiner 1982 hergestellten Fotoserie einzufangen.

Terrence Malick, den er eines Abends gesehen hatte. Der Film erzählt die Geschichte des amerikanischen Serienmörders Charles Starkweather und seiner Freundin Caril Ann Fugate, die im Januar 1958 auf dem Weg zwischen Lincoln, Nebraska, und Wyoming zehn Menschen (und zwei Hunde) töteten. Starkweather war 20, als er ein Jahr später hingerichtet wurde. Die Geschichte beschäftigte Springsteen so sehr, dass er sogar Kontakt zu der Journalistin Ninette Beaver aufnahm, die ein Buch über Fugate geschrieben hatte.

»Man kann bis ins Kleinste jedes Detail recherchieren, aber solange es einem nicht gelingt, selbst einen Bezug zu einer Geschichte herzustellen, wird sie immer blass bleiben«, sagte Springsteen 2005 während seines Auftritts bei *VH1 Storytellers*. »Man muss herausfinden, was man mit einer Figur gemeinsam hat, ganz gleich, wer sie ist oder was sie getan hat.«

Zusätzlich zog Springsteen noch eine weitere Quelle hinzu. Fünf Jahre vor Starkweathers Mordserie hatte die aus den Südstaaten stammende Schriftstellerin Flannery O'Connor die Kurzgeschichte »A Good Man Is Hard To Find« veröffentlicht. Hierin kreuzt eine Familie nur deshalb den Weg des entflohenen Häftlings – der Starkweather in O'Connors Geschichte –, der zusammen mit seinen Komplizen die gesamte Familie auslöscht, weil sich die Großmutter falsch erinnert hat und ihre Leute auf eine falsche Route führte.

Der Großteil des Dialogs spielt sich zwischen der Großmutter und dem »The Misfit« genannten Serienmörder ab, während alle anderen Familienmitglieder nach und nach in einen Wald geführt und erschossen werden. Auf die Frage, warum er im Gefängnis gelandet war, antwortet »The Misfit«: »Rechts war eine Wand, links war eine Wand. Oben war die Decke und unten der Boden. Ich hab vergessen, was ich getan hab, Lady.« Am Ende sind nur noch er und sie übrig.

»Jeder weiß, wie es ist, wenn ein Urteil über einen gefällt wird«, sagte Springsteen. Auf die ein oder andere Weise stimmt das. Und so stellte er zwei Mikrofone auf, setzte sich mit einer zwölfsaitigen Gitarre und einer Mundharmonika in einen Schaukelstuhl und erzählte eine andere Geschichte. »Sie trägt sich nach den Gewalttaten zu«, sagte Springsteen. »Und man hat das Gefühl, als sei er bereits tot. Es kommt sogar ein Witz darin vor.« Nämlich als Starkweather darum bittet, Fugate solle auf seinem Schoß sitzen, während das Urteil mittels des elektrischen Stuhls vollstreckt wird. In der letzten Zeile des Songs findet man den Bezug, den Springsteen zu seiner eigenen Geschichte fand: »They wanted to know why I did what I did. Well, sir, I guess there's just a meanness in this world.«

»ICH HABE EINE SOZIALE GRUNDEINSTELLUNG, MIR GEHT ES UM DIE MENSCHEN. ICH GLAUBE, DASS ICH MICH DURCH DAS SCHREIBEN VON SONGS AM BESTEN EINBRINGEN KANN.«

Bruce Springsteen, 1984

Der nüchterne, sachliche Ton des Titeltracks herrscht auch in den meisten anderen Songs vor, die Springsteen in seinem Schlafzimmer aufnahm. »Johnny 99« und »Atlantic City« beziehen sich beide auf aktuelle Themen, die aus den Nachrichten bekannt waren. 1980 wurde das Ford-Werk in Mahwah, New Jersey, dichtgemacht, was letztlich der Auslöser dafür ist, dass der Ralph aus »Johnny 99« besoffen und mordend durch die Nacht schlingert und am Ende vor Richter Mean John Brown steht. Im März 1981 wurde ein Gangster namens Philip Testa in seinem Haus in Philadelphia in die Luft gejagt. Sein Spitzname war »The Chicken Man«. Mit eben jenem Ereignis beginnt auch »Atlantic City«. »Well, they blew up the Chicken Man in Philly last night«, singt Springsteen. Die Protagonisten beider Stücke haben »debts no honest man can pay«. Ralph wird zum Mörder, und der Erzähler von »Atlantic City« steht auch kurz davor, zum Verbrecher zu werden.

In »Mansion On A Hill«, dessen Titel nicht zufällig an den Hank-Williams-Hit von 1948, »A Mansion On The Hill«, erinnert, blickt ein Kind voller Sehnsucht zu einer Villa rüber, die all das repräsentiert, worauf es – vermutlich sein Leben lang – verzichten muss. In »Used Cars« beobach-

Links: Der aus Philadelphia stammende Gangster Philip »The Chicken Man« Testa, der in »Atlantic City« namentlich erwähnt wird.

Gegenüber: Porträtaufnahme von David Kennedy, 1982. Ein ähnliches Foto wurde für die Innenseite des Aufklappcovers verwendet.

tet ein Kind, wie seine Mutter mit ihrem Ehering spielt, während der Gebrauchtwagenhändler auf die Hände seines Vaters starrt. Hände, die zweifellos rau und schwielig sind von einer Arbeit, mit der man niemals so viel Geld verdienen kann, um sich einen Neuwagen leisten zu können.

Der Erzähler von »State Trooper« sagt zwar, er habe ein reines Gewissen, allerdings – das Gefühl vermittelt zumindest die dumpfe, monotone Musik – auch böse Absichten. Wenn er sagt: »Hey, somebody out there, listen to my last prayer«, klingt das, als versuche er, noch mit irgendjemandem Kontakt aufzunehmen, der ihn retten könnte. Wie er ist auch der Protagonist von »Open All Night« des Nachts auf der Straße unterwegs, doch geht es hier mal nicht um ein Verbrechen. Auf dem Weg zu der Frau, die er liebt, brettert er mit seinem Wagen durch die Nacht. Er weiß genau, wer seine letzten Gebete hören soll, nämlich »Mr. Deejay«, und dass ihn der Rock'n'Roll erlösen wird. Das ist einer der seltenen Momente auf dem Album, in denen Erlösung zumindest möglich scheint.

In »Highway Patrolman« geht es um zwei Brüder, von denen der eine Polizist ist und der andere gesucht wird, weil er jemanden zusammengeschlagen hat. Aber sie sind nun einmal Brüder, und so bricht der Polizist die Verfolgungsjagd vorzeitig ab. »My Father's House« ist wieder ein Song über die Beziehung zu seinem Vater. Er beginnt mit einem Traum und nimmt uns mit auf eine von Springsteens Reisen durch Freehold, auf der sich eine Pforte zu seiner Vergangenheit öffnet.

»Reason To Believe« macht sich fast schon lustig über Menschen, die daran glauben, dass das Leben einen tieferen Sinn habe. Ein

Kind wird getauft, ein alter Mann stirbt und wir fragen uns: »What does it mean?« Ein Bräutigam, der vor dem Altar sitzengelassen wurde, beobachtet, wie der Fluss an ihm vorüberfließt, so wie er es immer getan hat, ohne dass ihn die Ereignisse am Ufer bekümmern.

Steve Van Zandt erzählte 2011, er habe Springsteen, als er die Kassette zum ersten Mal hörte, gesagt: »Sorry, aber das ist gar kein Demo. Du hast gerade dein nächstes Album fertiggestellt.« Dennoch ging Springsteen mit der E Street Band ins Studio, um für die akustischen Songs auf der Kassette nun noch komplette Bandarrangements auszuarbeiten und aufzunehmen. In einigen wenigen Fällen hat das wirklich funktioniert, in den meisten nicht. Die zehn Songs, die schließlich auf *Nebraska* landeten, klangen, als stammten sie aus einer anderen Zeit.

Das lag zum Teil an den unzeitgemäßen technischen Bedingungen, unter denen sie entstanden waren, und an dem geringen Sachverstand. Weder Springsteen noch sein Techniker Mike Batlan waren mit dem Teac Tascam 144 wirklich vertraut. Und der alte Kassettenrekorder, mit dem sie die fertigen Songs abmischten, hatte die Zeiten, in denen er reibungslos funktionierte, längst hinter sich. »Daher rührt diese eigentümlich düstere Atmosphäre«, erklärte Springsteens Tontechniker Chuck Plotkin 2011. »Die Aufnahmen waren alle zu niedrig ausgesteuert und überdies lief das Band einen Tick zu langsam.«

Neben in Serie mordenden Psychopathen und großer Südstaatenliteratur entdeckte Springsteen damals auch sein Interesse für Harry Smiths *Anthology of American Folk*

Gegenüber: Springsteen beschwor die Geister der Vergangenheit herauf bei seinen nächtlichen Fahrten durch Freehold, wo in seinem Elternhaus sein Vater stundenlang in der dunklen Küche am Tisch saß, eine nach der anderen rauchte und vor sich hin brütete.

Links: Zwei der wichtigsten musikalischen Einflüsse, die *Nebraska* geprägt haben – der Blues von John Lee Hooker (links) und die Protestsongs von Woody Guthrie (rechts).

Music von 1952. »Johnny 99« ist eine Reminiszenz an eines der Lieder aus dieser Sammlung – »99 Year Blues« von Julius Daniels –, die auch eine wichtige Rolle für das Folk-Revival der 60er-Jahre spielte, das eine entscheidende Voraussetzung für Bob Dylans Erfolg war. In *Songs* erwähnt Springsteen unter anderem die Bluesmusiker John Lee Hooker und Robert Johnson, deren »Platten sich im Dunklen so gut anhörten«.

Zudem interessierte sich Springsteen auch für eine weitere Inspirationsquelle von Dylan: Woody Guthrie. Guthries Songs zeichneten sich durch eine klare Sprache aus – es waren eindringliche, politische Lieder. Für Springsteen war der amerikanische Folksänger auch einer von denen, die versuchten, die von Hank Williams gestellte Frage nach dem Loch im Eimer zu beantworten. Allerdings wollte Springsteen kein zweiter Woody Guthrie werden. »Dafür mochte ich Elvis und Songs wie ›Pink Cadillac‹ einfach viel zu sehr«, sagte er 2012 in Austin. Mit *Nebraska* hatte er sich aber zumindest ein bisschen auf Woody Guthries Spuren begeben. Das Album, das am 20. September 1982 erschien, passte so gar nicht zu dem, was damals angesagt und erfolgreich war. Von dem Rockstar, der mit *The River* Millionen neuer Fans gewonnen hatte, hatten die allermeisten etwas ganz anderes erwartet.

Es gab keine Tour, nur ein einfaches Schwarz-Weiß-Video zu »Atlantic City«, das für den noch jungen Musiksender MTV gedreht wurde. Springsteen war darin gar nicht selbst zu sehen. »Eine inspirierende Absage an das knallharte Rock'n'Roll-Geschäft, in dem jedes Album größer und besser sein muss als das letzte«, schrieb der *Rolling Stone*. Auf *Nebraska*, für das keine aufwendige High-End-Produktion und kein teures Studio erforderlich war, fällt alles ein paar Nummern kleiner aus. Der karge, reduzierte Sound korrespondiert dabei mit der Enge und Kargheit des Lebens, von dem diese Songs handeln: Wände zu beiden Seiten, oben die Decke, unten der Boden. Springsteen klingt, als erzähle er uns seinen ganz persönlichen Albtraum – einen amerikanischen Albtraum.

»Über die politischen Implikationen habe ich überhaupt nicht nachgedacht«, sagte er 1990, »bis ich einen Artikel las, in dem es darum ging.«

Was immer er beabsichtigt haben mochte, das Album wurde jedenfalls als klare Stellungnahme zur Lage der Nation unter der Reagan-Administration aufgefasst. Bei seiner Antrittsrede im Januar 81 stellte Reagan seine Vision für das Land vor, das er jetzt regierte. In seinem Amerika lebten alle Menschen einträchtig zusammen, es war das beste Land von allen, fast perfekt, wenn da nicht die hohen

Steuern wären, insbesondere die, die den Reichen auferlegt wurden. Wenn man diese Steuern senken würde, würde ein wahrer Geldsegen auf alle herabregnen, die ganze Nation wäre glücklich und zufrieden. Das war »ein mythisches, verheißungsvolles Bild … und die Menschen wollten gerne daran glauben«, sagte Springsteen dem *Rolling Stone* 1984.

Angesichts der schwierigen wirtschaftlichen Lage sah die Realität 1982 allerdings gänzlich anders aus: Immer mehr Fabriken wurden stillgelegt, immer mehr Geschäfte schlossen, und immer mehr Menschen wurden arbeitslos.

Ken Tucker schrieb im *Philadelphia Inquirer:* »Neben Springsteens neuen Songs klingen alle anderen Top-Ten-Nummern kümmerlich und unambitioniert. *Nebraska* lädt nicht zum Tanzen ein oder dazu, einfach mal abzuschalten und sich mitreißen zu lassen, es ist Musik, mit der man sich auseinandersetzen muss. Man kann ihre Aussagen nur akzeptieren oder ablehnen.«

Dass eine derart anspruchsvolle, den Hörer fordernde Platte wie *Nebraska* auf Platz 3 der *Billboard*-Charts landete, war so nicht zu erwarten. Bis heute ist ihr Stellenwert in der Geschichte der Popmusik unbestritten. *Nebraska* ist ein Meilenstein der modernen Americana und des Alternative Country und wird auch von vielen Kollegen geschätzt. 1986 sagte Steve Earle, durch den Erfolg seines Debütalbums *Guitar Town* damals gerade selbst ein neuer Stern am Alternative-Country-Himmel, auf der Bühne des Bottom Line, bevor er seine Coverversion von »State Trooper« zu spielen begann: »Der nächste Song stammt von einem ziemlich guten Hillbilly-Sänger aus New Jersey.«

Nachdem *Nebraska* erschienen war, setzte sich Springsteen in seinen Wagen und fuhr los. Auch dieser Trip führte ihn, wie schon so mancher zuvor, nach Kalifornien, wo er inzwischen ein bescheidenes Haus besaß, in dem er ein kleines Heimstudio eingerichtet hatte. Er blieb einige Zeit dort und arbeitete an seiner Musik. Außerdem ging er zu einem Psychiater, um mit ihm über sein emotionales Trümmerfeld zu sprechen, das er der ganzen Welt mit seinem Album vor Augen

geführt hatte. Er erzählte ihm von all den nächtlichen Ausflügen in seine Vergangenheit. Warum nur zog es ihn immer wieder nach Freehold?

»Irgendetwas ist schiefgelaufen, und Sie gehen immer wieder dorthin zurück, um herauszufinden, ob Sie es wiedergutmachen können«, zitierte Springsteen seinen Psychiater aus der Erinnerung. »Ich saß da und sagte: ›Ja, das ist genau das, was ich tue.‹ Und er entgegnete: ›Aber das können Sie nicht.‹«

BORN IN THE U.S.A.

1984

»DIE NATIONALFLAGGE IST EIN MIT STARKEN EMOTIONEN AUFGELADENES SYMBOL. WENN MAN SIE BENUTZT, KANN MAN NICHT WIRKLICH ABSCHÄTZEN, WAS MAN DAMIT AUSLÖST.«

BRUCE SPRINGSTEEN, 1984

1983

Januar – Februar: Soloaufnahmesessions für *Born In The U. S. A.* im Heimstudio in Springsteens Haus in Los Angeles.

April – Juni: Fortsetzung der *Born In The U. S. A.*-Sessions mit der kompletten Band in der Hit Factory.

September: Die Endphase der *Born In The U. S. A.*-Sessions beginnt.

1984

Februar: Die *Born In The U. S. A.*-Sessions werden mit der Aufnahme von »Dancing In The Dark« abgeschlossen.

Februar: Offizielle Bekanntgabe, dass Steve Van Zandt die E Street Band verlässt.

Mai: Neu in die Band kommen Nils Lofgren, der Van Zandts Platz einnimmt, sowie die Backgroundsängerin Patti Scialfa.

4. Juni: Veröffentlichung von *Born In The U. S. A.* (US 1, UK 1).

29. Juni: Auftaktkonzert der *Born In The U. S. A.*-Tour in der St. Paul Civic Center Arena, Minnesota.

30. Juni: »Dancing In The Dark« / »Pink Cadillac« schafft es bis auf Platz 2 in den *Billboard*-Singlecharts – damit ist dies bis heute Springsteens höchstplatzierteste Single in den USA. Als Maxisingle ist sie die meistverkaufteste des Jahres.

13. September: George Wills Artikel »A Yankee Doodle Springsteen« erscheint in der *Washington Post*.

19. September: Bei einer Wahlkampfveranstaltung in New Jersey erwähnt Präsident Reagan Springsteen, den er politisch für sich zu vereinnahmen sucht.

22. September: Springsteen reagiert auf Reagans Vereinnahmungsversuch beim Konzert in der Civic Arena in Pittsburgh.

Oktober: Er lernt Julianne Phillips beim Tourstopp in L. A. kennen.

1985

27. Januar: Der erste Teil der durch Amerika führenden *Born In The U. S. A.*-Tour endet im Carrier Dome, Syracuse, New York.

28. Januar: Springsteen nimmt für die Benefizsingle von USA for Africa, »We Are The World«, seinen Gesangsbeitrag auf.

26. Februar: Er erhält für »Dancing In The Dark« in der Kategorie Best Male Rock Vocal Performance seinen ersten Grammy.

23. März: Mit dem Auftritt im Sydney Entertainment Centre beginnt der australische Teil der *Born In The U. S. A.*-Tour.

10. April: Der japanische Abschnitt der Tour beginnt mit dem ersten von insgesamt fünf Konzerten im Yoyogi National Gymnasium in Tokio.

23. April: Abschlusskonzert der Japan-Tournee in der Osaka-Jō Hall in Osaka.

13. Mai: Springsteen heiratet Julianne Phillips in Phillips Heimatstadt, Lake Oswego, Oregon. Clarence Clemons und Steve Van Zandt sind seine Trauzeugen.

1. Juni: Das erste Konzert des europäischen Teils der *Born In The U. S. A.*-Tour in Slane Castle in Irland ist ein Open-Air, zu dem knapp 100 000 Besucher kommen – Springsteens bis dato größtes Konzert.

7. Juli: Abschlusskonzert der Europa-Tournee im Roundhay Park in Leeds, England.

Juli: Springsteen singt mit auf Little Stevens Anti-Apartheid-Song »Sun City« und tritt auch in dem Videoclip auf.

5. August: Auftakt zum letzten Abschnitt der *Born In The U. S. A.*-Tour im RFK Stadium in Washington, D. C.

2. Oktober: 15 Monate, nachdem sie begann, endet die *Born In The U. S. A.*-Tour mit einem Konzert im Los Angeles Memorial Coliseum.

Dezember: *Born In The U. S. A.* ist das meistverkaufte Album des Jahres 1985.

1986

Februar: Springsteen beteiligt sich an den Aufnahmen für die Benefizsingle »We've Got The Love« der Jersey Artists for Mankind.

13. Oktober: Springsteen tritt beim ersten von Neil Young initiierten, jährlich stattfindenden Bridge School Benefizkonzert auf.

10. November: Mit dem 5-LP-Boxset *Live/1975–85* (US 1, UK 4) wird Springsteens lang ersehntes erstes offizielles Livealbum veröffentlicht.

Vorherige Seite: Mit Bandana – Porträt von Aaron Rapoport für den *Rolling Stone*, 1984.

Rechts: Der sich verausgabende Sänger und Gitarrenarbeiter während der *Born In The U. S. A.*-Tour.

Gegenüber: Springsteen testete immer persönlich, dass der Sound auf allen Plätzen gut war, wie hier während der Japan-Tournee. Furitsu Taiikukan, Kioto, 19. April 1985.

I m Frühjahr 82 hatten Springsteen und die E Street Band in den New Yorker Power Station Studios versucht, die in Springsteens Schlafzimmer in Colts Neck aufgenommenen Songs in Bandarrangements einzuspielen. In den meisten Fällen scheiterte dieser Versuch. Eine Ausnahme bildete die Nummer, der Springsteen den Titel des Paul-Schrader-Drehbuchs gegeben hatte. Auf Springsteens Demoband hat »Born In The U.S.A.« etwas Albtraumhaftes. Springsteens Stimme schallt zu uns herüber wie ein Echo aus jenen dunklen Gassen, von denen er beim Benefizkonzert für die Vietnamveteranen gesprochen hatte. Er singt über zerplatzte Träume, über Versprechen, die nicht eingehalten wurden, und einen gebrochenen Menschen, der im südostasiatischen Dschungel alles für sein Land gegeben und nichts dafür zurückbekommen hat, der als an Leib und Seele Kriegsversehrter sich selbst überlassen bleibt: »Nowhere to run, ain't nowhere to go.« Dass ihn sein Land, für das er sich geopfert hat, die USA, in denen er geboren wurde, nun völlig im Stich lassen, stellt einen ungeheuren Verrat dar, einen enormen Vertrauensbruch.

Im Studio griff Roy Bittan den Riff mit seinem neuen Synthesizer auf, Max Weinberg ließ es gewaltig krachen und der Rest der Band fiel mit ein, während Springsteen die ganze Wut und Verzweiflung, die der von seinem Land vergessene Veteran empfindet, herausbrüllt. Ein paar Minuten später, als alle dachten, es wäre an der Zeit, den Song ausklingen zu lassen, signalisierte Springsteen Weinberg, weiterzumachen, zählte erneut den Takt ein, und alle legten noch einmal richtig los. Als »martialisch und sehr straight« charakterisierte Springsteen die Nummer in *Songs*. »Born in the U.S.A.« ließ sich vom Sound her mit nichts von dem vergleichen, was sie bisher gemacht hatten.

In den nächsten drei Wochen hatten sie einen Lauf und nahmen noch etwa ein Dutzend weitere Songs auf. Zusammen mit ein paar Nummern, die sie zu einem früheren Zeitpunkt aufgenommen hatten – darunter Songs für Gary U.S. Bonds und Donna Summer –, hatten sie jetzt mehr als genug geeignetes Material für ihr nächstes Album. Auch wenn das erste »nächste Album« *Nebraska* wurde, so schien es zunächst wirklich so auszusehen, dass sie sich mit dem darauf folgenden Album erheblich leichter tun würden als mit allen vorherigen. Aber natürlich kam wieder einmal alles anders. Nachdem bereits Ende 82 im *Rolling Stone* zu lesen war, Springsteen sei dabei, »sein nächstes Album mit der E Street Band fertigzustellen«, zitierte das Musikmagazin im März 84 den wieder mal sehr entnervten Van Zandt, der auf Nachfrage sagte, das Album würde noch ›irgendwann in diesem Jahrzehnt‹ erscheinen.

Springsteen schrieb seine Songs schnell, und da die Band sie in der Regel live einspielte, war eine Nummer normalerweise nach nur wenigen Takes im Kas-

ten. Das Problem war, dass niemand Springsteen davon abhalten konnte, immer mehr Songs zu schreiben. Denn so lange ihm immer noch neue Songideen im Kopf herumschwirrten, war er sich nicht sicher, ob das bereits vorhandene Material gut genug war, um etwas absolut Stimmiges abzuliefern. Nach dem unverhofften Erfolg von *Nebraska* und der großen künstlerischen Anerkennung fühlte er sich verpflichtet, ein weiteres, ebenso überzeugendes Album zu machen – und offenbar glaubte er, noch nicht so weit zu sein.

Anfang 84 hatte er mit der Band zwischen 60 und 80 Songs eingespielt, aus denen ausgewählt werden musste. Mittlerweile war er selbstbewusst genug, um die Gegebenheiten und die an ihn gestellten Erwartungen ein Stück weit zu akzeptieren, sodass er diese in sein Kalkül bei der Songauswahl miteinbezog. »Ich musste sagen, wir nehmen diesen Song, weil er zweifellos beim Publikum ankommen wird, dafür verzichten wir auf jenen, bei dem ich mir nicht ganz sicher bin, wie er angenommen wird«, erklärte er.

Coproduzent Chuck Plotkin schlug vor, das Album mit »Born In The U.S.A.« beginnen und mit »My Hometown« ausklingen zu lassen. »My Hometown« schildert in knappen Szenen den Verfall einer Kleinstadt aus der Perspektive eines kleinen Jungen, der zum Mann heranwächst und am Ende selbst einen Sohn hat. Angesichts der »whitewashed windows« und

»EIN SONGWRITER MÖCHTE UNBEDINGT VERSTANDEN WERDEN. ES IST INTERESSANT UND NICHT EINFACH ZU ERKLÄREN, WIE SICH FORM UND INHALT GEGENSEITIG BEDINGEN.«

Bruce Springsteen, 1998

der »vacant stores«, der zunehmend unsicheren Arbeitsplätze und der Gewissheit, dass sich daran so schnell nichts ändern wird, denkt der Vater ernsthaft darüber nach, seine Heimatstadt zu verlassen.

Doch die wichtigste Geschichte erzählt der Titelsong, findet Springsteen. »Über die restlichen Nummern auf dem Album war ich mir nie ganz schlüssig«, schrieb er in *Songs*. Acht der zwölf Tracks, die schließlich für *Born In The U. S. A.* ausgewählt wurden, stammen aus den allerersten Aufnahmesessions von 1982. »Cover Me« hatte Springsteen zunächst für Donna Summer geschrieben, dann jedoch für zu gut befunden, um es wegzugeben. Stattdessen hatte er der gefeierten Discoqueen »Protection« überlassen und bei der Aufnahme des Songs sogar selbst Gitarre gespielt.

»Downbound Train« und »Working On The Highway« stammen von den *Nebraska*-Sessions. »Downbound Train« erzählt von einem Mann, der erst seinen Job, dann seine Frau und zuletzt sich selbst verliert. Das ursprünglich »Child Bride« betitelte »Working On The Highway« wurde musikalisch stark überarbeitet. Inhaltlich tilgte Springsteen die meisten Hinweise auf das zarte Alter der Braut und machte aus der Nummer einen Rockabilly-Song.

Das noch aus der *Darkness*-Phase stammende »Darlington County« spielt wieder einmal in einem Auto

auf dem Highway, doch statt mit einer Frau ist der Erzähler diesmal mit einem Freund unterwegs. Beide Männer sind auf der Suche nach Frauen, Spaß und schnellem Geld. Einen von ihnen, Wayne, sieht man am Ende nur noch im Rückspiegel des Wagens, »handcuffed to the bumper of a state trooper's Ford«.

»Glory Days« thematisiert in einer frühen Fassung die Enttäuschung eines Familienvaters, der seinen Job verloren hat und danach seinen Platz in der Welt nicht mehr findet: »Glory days gone bad, glory days he never had.« In der Albumversion schöpft der Erzähler aus der Erinnerung an längst vergangene Erfolgserlebnisse – und mithilfe einiger Drinks – ein bisschen Mut und Zuversicht, ohne die bittere Realität zu verklären: »Time slips away and leaves you with nothing, mister, but boring stories of glory days.«

Bei »I'm On Fire« erzeugt Bittan mit seinem Synthesizer eine sehnsuchtsvolle Atmosphäre, Springsteen singt entsprechend leidenschaftlich, ja geradezu schmachtend. Dagegen zeigt »I'm Goin' Down« was passiert, wenn die Leidenschaft und die Liebe sich allmählich verflüchtigen.

Hätte Springsteen das Album früher veröffentlicht, wäre »Bobby Jean«, das erst nach Van Zandts Austritt aus der Band entstand, vielleicht nie geschrieben worden. Van Zandt war die sich ewig hinziehenden Ses-

Oben: Die E Street Band mit ihren neuen Mitgliedern Patti Scialfa (Vierte von links) und Nils Lofgren (Dritter von rechts), der Steve Van Zandt ersetzte.

Gegenüber: Obwohl er sich lange dagegen gesträubt hatte, in großen Hallen oder gar Stadien zu spielen, wurde Springsteen der klassische Stadionrocker.

»ICH HATTE SCHON IMMER EIN GROSSES FAIBLE FÜR SINNFREIE, SICH WIEDERHOLENDE ABLÄUFE. UND WAS KÖNNTE SINNLOSER SEIN, ALS IRGENDWAS SCHWERES HOCHZUHEBEN UND WIEDER ABZULEGEN?«

Bruce Springsteen, 2011

sions endgültig leid. Als er gegenüber dem *Rolling Stone* seinen »Irgendwann in diesem Jahrzehnt«-Kommentar abgab, arbeitete er bereits an seinem zweiten Album mit den Disciples of Soul. Der europäische Teil der *River*-Tour war für alle in der Band äußerst lehrreich gewesen, insbesondere jedoch für Van Zandt. Ihm war klar geworden, dass er außerhalb der USA nicht nur als Gitarrist einer Rockband wahrgenommen wurde, sondern eben auch als Amerikaner, und dass er als solcher auf gewisse Weise mitverantwortlich war für das, was die Regierung seines Landes tat. Damit blickte er weit über den Tellerrand des Rock'n'Roll hinaus. Und das schlug sich auch in seinen ersten beiden Soloalben nieder, die er mit den Disciples of Soul aufnahm: *Men Without Women* und *Voice of America*.

Nachdem Steve Van Zandt die E Street Band verlassen hatte, holte Springsteen für ihn den Gitarristen Nils Lofgren (der ihn schon zu Steel-Mill-Zeiten bei einem von Bill Graham ausgerichteten Talentwettbewerb beeindruckt hatte). Außerdem nahm

er nun Patti Scialfa als Backgroundsängerin in die Band auf, die ja bereits 1971 bei ihm vorgesungen hatte, seinerzeit aber für zu jung befunden worden war.

Auch wenn Springsteen bisher nichts dergleichen bestätigte, gehen viele davon aus, dass »Bobby Jean« von dem Bruch zwischen Van Zandt und Springsteen handelt, von ihrer Freundschaft, die sie verband, »since we were sixteen«. Thematisch eng verwandt damit ist das etwas schnellere »No Surrender«.

Als Springsteen Anfang 84 letzte Hand an das Album legte, erklärte ihm Landau, dass noch eine Nummer fehlen würde, die sich dazu eigne, als erste Single ausgekoppelt zu werden. Springsteen, der in den letzten Monaten Hunderte von Songs geschrieben hatte, war zunächst sehr verärgert, doch dann machte er sich wieder an die Arbeit. Wer ein Protestlied wie eine Hymne klingen lassen konnte, konnte seinen Frust und seine Erschöpfung auch in einen eingängigen Popsong packen.

»Dancing In The Dark« beschreibt den typischen Tagesablauf eines Rockstars: Er steht abends auf und geht morgens zu Bett. Schon wenn er aufsteht, hat er »nothing to say«, und wenn er nach Hause kommt, geht er »to bed feeling the same way«. »Man, I'm just tired and bored with myself«, singt Springsteen, und wie unwohl er sich in seiner Haut wirklich fühlt, wird in der nächsten Strophe deutlich, wenn er in den Spiegel blickt und ihm bewusst wird, dass er das alles gerne ändern würde. Ein ganzes Jahrzehnt lang hatte Springsteen nur ein einziges Ziel verfolgt: seine künstlerischen Ideen umzusetzen und Rockstar zu werden. Und das Einzige, was immer noch fehlte, war der eine, alles überragende Song, der Riesenhit. »There's a joke here somewhere and it's on me«, wird ihm da plötzlich klar.

Als die Band Anfang 84 erneut ins Studio ging, um den fehlenden Hit einzuspielen, verließen sie sich wieder auf Bittan und seinen Synthesizer. Weinberg ging an das Stück zunächst wie an einen geradlinigen Rocksong à la »Born In The U.S.A.« heran. »Ich weiß noch, wie Landau nach ein paar Takes zu mir kam«, erinnert er sich, »und meinte: ›Spiel's doch mal wie diesen Michael-Jackson-Song.‹« Gemeint war »Beat It« von *Thriller*, das ein Jahr zuvor ein Nummer-eins-Hit für Jackson gewesen war. Und es funktionierte. Sie hatten ihre Single im Kasten, womit das kommerziellste Album, das Springsteen je gemacht hatte, endlich fertig war.

Das im Juni 84 veröffentlichte *Born In The U.S.A.* war eindeutig darauf ausgelegt, die breite Masse anzusprechen. Der Erfolgsproduzent Bob Clearmountain, der schon mit David Bowie und den Rolling Stones gearbeitet hatte, hatte zuvor bereits während der *River*-Sessions Dutzende von Songs abgemischt, wobei jedoch keiner davon veröffentlicht worden war. Mit einer Ausnahme: »Hungry Heart«, Springsteens bis dahin größter Hit. *Born In The U.S.A.* hatte er nun komplett abgemischt.

Für die Coveraufnahme arbeitete Springsteen mit der Starfotografin Annie Leibovitz zusammen. Sie lichtete ihn vor der amerikanischen Flagge ab, in der seinerzeit klassischen Rockstarkluft: weißes T-Shirt und Bluejeans, dazu noch eine rote Baseballkappe, die lässig in Springsteens rechter Gesäßtasche steckte. Diese Kappe samt knackigem Jeanshintern ist der Blickfang des Fotos, das Springsteen auswählte.

Nachdem er DJ Arthur Bakers Remix von Cyndi Laupers Hit »Girls Just Want To Have Fun« gehört hatte und davon beeindruckt war, was man mit so einer Nummer alles anstellen kann, bat Springsteen den Remix-Spezialisten, sich »Dancing In The Dark«, »Cover Me« und sogar »Born In The U.S.A.« vorzunehmen. »Man muss auch schon mal was anderes machen und was Neues ausprobieren«, sagte er im

Gespräch mit Chet Flippo vom *Musician*. »Ich dachte, dass es vielen gefallen könnte, und dass es diejenigen, die damit nichts anfangen konnten, schon verkraften würden. Meine Fans sind nicht so zimperlich, die halten so was schon aus.«

Und dann gab es da ja auch noch MTV, diesen neuen Musiksender, der zehn Monate nach der Veröffentlichung von *The River* auf Sendung gegangen war. Er hatte sich rasend schnell etabliert und nicht nur das ganze Business entscheidend verändert, sondern die ganze Gegenwartskultur maßgeblich beeinflusst, sodass man ihn unmöglich ignorieren konnte. Nach einem ersten, verunglückten Versuch, ein Studiovideo zu »Dancing In The Dark« zu drehen, wurde der *Scarface*-Regisseur Brian De Palma mit der Produktion eines mitreißenden Liveclips beauftragt.

Die Aufnahmen wurden in St. Paul, Minnesota, am ersten Abend der *Born In The U.S.A.*-Tour gemacht. In Bluejeans und weißem Hemd mit aufgerollten Ärmeln, um das Ergebnis seiner Bemühungen im Fitnessstudio zur Geltung zu bringen, lief Springsteen strahlend über die Bühne und scannte die vorderen Reihen ab auf der Suche nach dem Funken, der das Feuer entzünden und dem Leben einen Sinn geben könnte, wie es in »Dancing In The Dark« heißt. Dabei fällt sein Blick auf die damals noch völlig unbekannte Schauspielerin Courteney Cox. Springsteen holt sie auf die Bühne und tanzt mit ihr, bis das Lied ausklingt. Für Cox war dies der Beginn einer erfolgreichen Karriere.

Der Clip ist ziemlich schmalzig. Eine auf Hochglanz polierte Version dessen, wozu es bei unzähligen früheren Auftritten von Springsteen immer wieder

Links: Mag der Clip zu »Dancing In The Dark« auch ein bisschen kitschig gewesen sein, so trug er doch einiges dazu bei, dass es der Song bis auf Platz 2 schaffte, was bis heute Springsteens Höchstplazierung in den amerikanischen Singlecharts ist.

Gegenüber: Giants Stadium, New Jersey, August 1985.

Nächste Seite: Springsteen wird von 70 000 Backgroundsängern im Londoner Wembley-Stadion unterstützt, Juli 1985.

mal gekommen war. Nur dass er die Frauen, die auf die Bühne geklettert waren, nicht dazu aufgefordert hatte. Dennoch wurde das Video natürlich ein Riesenerfolg. Er konnte nichts falsch machen: Alles, was Springsteen 1984 anpackte, schlug ein wie eine Bombe.

Den ganzen Juli über stand *Born In The U.S.A.* auf Platz 1 der Albumcharts, nachdem es *Sports* von Huey Lewis and the News nach nur einer Woche von der Spitzenposition verdrängt hatte. Prince verwies *Born In The U.S.A.* mit *Purple Rain* schließlich auf die Plätze. Die einzigen anderen Alben, die es in diesem Jahr an die Spitze der US-Albumcharts schafften, waren Michael Jacksons *Thriller* und der *Footloose*-Soundtrack.

»Dancing In The Dark« erreichte Platz 2 der Singlecharts und wurde der erste von sieben aufeinanderfolgenden Top-Ten-Hits für Springsteen. Doch nicht nur die Plattenverkäufe erreichten bisher unbekannte Dimensionen, auch die Tour stellte alles Bisherige in den Schatten. Fast überall, wo er mit der Band Station machte, gab er mehrere Konzerte in Folge: So spielte er beispielsweise an zehn Abenden hintereinander in der Brendan Byrne Arena in East Rutherford, New Jersey, sechsmal im Spectrum in Philadelphia und siebenmal in Folge in der Memorial Sports Arena in Los Angeles.

Zu dieser Zeit wurde Springsteen von einem Phänomen der Musik- zu einem der Boulevardpresse. Die Redakteure des *People*-Magazins rissen sich ebenso um ihn wie die Produzenten der TV-Sendung *Entertainment Tonight*. Neben Prince, Michael Jackson, Van Halen und Madonna war Springsteen einer der großen Stars, die 1984 für ihre Karriere entscheidende Erfolgsalben herausbrachten. Was ihn von den anderen unterschied, war, dass er in diesem Wahljahr politisch zwischen die Fronten geriet.

Angefangen hat die ganze Verwicklung im September, als der konservative Journalist George Will in seiner landesweit publizierten Kolumne Springsteen als typisch amerikanischen Selfmademan darstellte, der nach konservativem Verständnis eine der Stützen der amerikanischen Gesellschaft ist. »Er ist kein Jammerlappen«, schrieb Will, »all seine Verweise auf Werksschließungen und andere Probleme werden überstrahlt vom tief empfundenen Stolz: ›Born In The U.S.A.‹«

Tief empfundener Stolz? Nun ja, Will war nicht der Erste, der diesem gravierenden Missverständnis aufsaß. Und auch nicht der Prominenteste. Während einer Wahlkampfrede in New Jersey versuchte eine Woche später auch der amtierende US-Präsident Ronald Reagan, Springsteen für sich zu vereinnahmen: »Die Zukunft Amerikas [...] ruht auf der hoffnungsvollen Botschaft in den Liedern eines Mannes, den so viele junge Amerikaner schätzen, den Liedern des aus New Jersey stammenden Bruce Springsteen.«

Springsteen war sich der Wirkung ikonografischer Darstellungen durchaus bewusst – man denke an das

Born To Run-Cover. Doch die Emotionen, die die Abbildung der amerikanischen Nationalflagge hervorrief, ließen sich nur schwer kontrollieren. Es bestand die Gefahr, dass manche Menschen nur reflexhaft reagierten, ihre Fäuste gen Himmel reckten, und ihnen die gar nicht mal so subtilen Zwischentöne der erzählten Handlung entgingen. Die Version von »Born In The U. S. A.«, die Springsteen schließlich für das Album auswählte, war, so schrieb er in *Songs*, die »kraftstrotzendste Variante« – die Hymne, die missverstandene.

Für den Videoclip zum Song wurden wieder Filmaufnahmen eines Liveauftritts verwendet. Springsteen, in Leder und Jeans, ungekämmt und mit Dreitagebart, bot eine kraftvolle Performance. Zwischen den einzelnen Konzertsequenzen sind immer wieder Impressionen aus Amerika zu sehen: Jahrmärkte, Fabriken, Autos, Soldaten und weiße Grabsteine in Reih und Glied. Zweifellos profitierte Springsteen von dem durch die Reagan-Regierung wiederbelebten Patriotismus. Was ihn jedoch von den Konservativen unterschied, war sein Standpunkt. Für Reagan ergab sich Amerikas Führungsanspruch in der Welt aus seiner Größe, seiner Stärke und seinen Idealen, das waren für ihn unbestreitbare Tatsachen. Springsteen hingegen glaubte, dass das Land das Potenzial habe, wahre Größe zu erlangen und seinen eigenen Idealen gerecht zu werden, doch dass bis dahin noch viel getan werden müsse.

Politisch vereinnahmen lassen wollte sich Springsteen um keinen Preis, vor allem nicht von Reagan, aber auch nicht von der Opposition. Als Reagans Gegenkandidat Walter Mondale versuchte, aus dem zurückgewiesenen Vereinnahmungsversuch seines Kontrahenten Kapital zu schlagen, holte auch er sich eine Abfuhr.

Obschon Springsteen Mondale fraglos näher stand als Reagan, waren seine politischen Interessen stets eher persönlicher als parteipolitischer Natur. Als »humanpolitisch« bezeichnete er seine Einstellung im Gespräch mit Chet Flippo. Auf der *Born In The U. S. A.*-Tour machte er immer wieder Werbung für jeweils vor Ort tätige Hilfsorganisationen wie Tafeln und andere gemeinnützige Einrichtungen, die Betroffene direkt unterstützen und praktische Hilfe leisten.

Springsteen verzichtete auf die astronomische Summe, die Chrysler ihm anbot, um seine Songs für Werbezwecke nutzen zu dürfen. Er lehnte auch einen Sponsorenvertrag für seine Tour ab. Es gelang ihm, volksnah zu sein, ohne sich anzubiedern. Und dabei riss seine Hitserie einfach nicht ab. »Born In The U. S. A.« schaffte es bis auf Platz 9, nachdem »Cover Me« auf Platz 7 gelandet war. Das Anfang 85 veröffentlichte »I'm On Fire« kletterte auf Platz 6 der Charts. Das Video zeigte Springsteen bei seinen ersten Gehversuchen als Schauspieler: Er mimte einen Automechaniker. »Glory Days« kletterte sogar bis auf Platz 5.

»JAMES BROWN STELLTE MICH EINES ABENDS ALS MR. BORN IN THE U.S.A. VOR. DAS WAR EINER DER HÖHEPUNKTE MEINES LEBENS.«

Bruce Springsteen, 2011

Mitten in dem ganzen Trubel heiratete Springsteen während einer Tourpause im Mai 85 die Schauspielerin Julianne Phillips. Die Hochzeit, die nach Bekanntwerden der Pläne schon Wochen vor der Feier das rege Interesse der internationalen Medien geweckt hatte, fand unter weitgehendem Ausschluss der Öffentlichkeit in Phillips' Heimatstadt Lake Oswego, Oregon, statt. Es war kaum verwunderlich, dass einige des omnipräsenten Bruce Springsteen allmählich überdrüssig wurden.

Als Springsteen 1985 nach Europa kam, war davon allerdings nichts zu spüren: Er füllte die größten Stadien und Open-Air-Gelände, vom Eröffnungskonzert im irischen Slane Castle bis hin zu den drei ausverkauften Konzerten im Londoner Wembley-Stadion. Als die Band wieder zurück in ihrer Heimat war, hätte man sie angesichts ihres Tourplans auch für eine amerikanische Footballmannschaft halten können: Den ganzen Sommer über reisten sie von Stadion zu Stadion.

Born In The U. S. A. hielt sich sage und schreibe 48 Wochen ununterbrochen in den Top Ten, und obschon das Album 1984 veröffentlicht worden war, wurde es in den USA zur bestverkauften Platte des Jahres 1985, nachdem es seinerzeit über zehn Millionen Käufer gefunden hatte. Springsteen hatte alles erreicht, was er je erreichen wollte. Der Rock'n'Roll hatte ihn inspiriert, jetzt inspirierte er den Rock'n'Roll. Am 2. Oktober 1985 endete die Tour mit dem letzten von vier Konzerten im Los Angeles Memorial Coliseum, wo im Jahr zuvor die Olympischen Sommerspiele stattgefunden hatten. Springsteen spielte zum Schluss eine Coverversion des John-Fogerty-Songs »Rockin' All Over The World«, die nahtlos in »Glory Days« überging. Ganz zum Schluss stieg die Band die Treppen zum olympischen Feuer hinauf. Keine Frage: Das waren wirklich Glory Days.

Vor Sternenbanner. *Born In The U. S. A.* wurde vielleicht auch, weil es von manchen als patriotische Hymnenplatte missverstanden wurde, ein so gigantischer Erfolg.

DAS LIVEALBUM

Gegen Ende der *Born In The U. S. A.*-Tour war Springsteen mit 36 Jahren der größte Rockstar der Welt, ein Sexidol und eine Ikone, die zugleich eine ungeheuer erfolgreiche Marke war. Nachdem er sich ein ganzes Jahrzehnt lang ausschließlich der Musik gewidmet hatte, war er nun verheiratet und führte immer mehr das Leben eines Erwachsenen. »Ich hatte den Eindruck, das Ende des ersten Teils meiner Reise erreicht zu haben«, sagte er 1992 im Gespräch mit dem *Rolling Stone*. Ein guter Moment also, zurückzuschauen und das Erreichte zu dokumentieren.

Das kurz vor Weihnachten 1986 veröffentlichte LP-Boxset *Bruce Springsteen & The E Street Band Live/1975–85* war das Livealbum, auf das die Fans seit Jahren gewartet hatten. Größtenteils zumindest. Trotz der 40 Songs auf insgesamt fünf Platten, die ebenso Mitschnitte von Clubkonzerten wie von Stadionshows enthielten, wies das Album große Lücken auf. Gerade einmal fünf Songs von Springsteens ersten beiden Alben schafften es in die Sammlung. Auf wichtige epische Nummern wie »Incident On 57th Street« und »For You« mussten die Hörer verzichten – bis sie als Single- oder Maxi-B-Seiten nachgereicht wurden. Andere überlange Liveversionen von Songs wie »Backstreets«, die zu den Highlights von Springsteens Konzerten zählten, wurden gekürzt. Das Hauptaugenmerk der Sammlung lag ohnehin auf *Born In The U. S. A.* Ganze acht Songs der Hitplatte waren auf dem Livealbum vertreten, dazu eine Coverversion von Edwin Starrs »War«, die Springsteen 1985 regelmäßig live gespielt hatte. Sie wurde auch als erste Single ausgekoppelt und kletterte bis auf Platz 8 der *Billboard*-Singlecharts – für Springsteen der achte Top-Ten-Hit in Folge. Erst die zweite Single, »Fire«, die es knapp in die Top 50 schaffte, beendete diese Serie.

Live/1975–85 sorgte für lange Schlangen vor den Plattengeschäften, immenses Medieninteresse und ungeheure Umsätze. Das Boxset stieg sofort auf Platz 1 der Albumcharts ein und hat sich seit seiner Veröffentlichung dreizehn Millionen Mal verkauft (wobei jeder Tonträger eines Sets als eine verkaufte Einheit gezählt wird).

Spectrum, Philadelphia,
September 1984.

TUNNEL OF LOVE

1987

»*BORN IN THE U.S.A.* WAR FÜR VIELE IHRE ERSTE SPRINGSTEEN-PLATTE. SIE EMPFANDEN *TUNNEL* ALS KÜNSTLERISCHE NEUAUSRICHTUNG. ÄLTEREN FANS WAR KLAR, DASS ER DAMIT AN SEINE FRÜHEREN ALBEN ANKNÜPFTE.«

ROY BITTAN, 2011

1987

Januar – Mai: Hauptaufnahmephase für *Tunnel Of Love* im Thrill Hill East Studio, Springsteens Heimstudio in New Jersey.

21. Januar: Springsteen hält die Laudatio auf Roy Orbison bei dessen feierlicher Aufnahme in die Rock and Roll Hall of Fame.

6. Februar: Kinopremiere von Paul Schraders Film *Light Of Day – Im Lichte des Tages*, für den Springsteen den von den beiden Hauptdarstellern Joan Jett und Michael J. Fox gesungenen Titelsong schrieb.

Mai – August: *Tunnel Of Love* wird in den A&M Studios in Los Angeles fertiggestellt.

10. Juli: Im Alter von 67 Jahren stirbt der A&R-Manager John Hammond, der Springsteen 15 Jahre zuvor zu Columbia holte.

16. September: Die E Street Band spielt bei Danny Federicis Hochzeitsfeier in Janesville, Wisconsin.

30. September: Aufzeichnung des TV-Specials *Roy Orbison And Friends: A Black And White Night* im Cocoanut Grove Club im Ambassador Hotel in Los Angeles. Neben Springsteen wirkten u. a. Elvis Costello, Tom Waits und k. d. lang mit.

9. Oktober: Veröffentlichung von *Tunnel Of Love* (US 1, UK 1).

22. Oktober: Springsteen singt Dylans »Forever Young« beim Gedenkgottesdienst für Hammond in der St. Peter's Church in New York.

7. Dezember: Auftritt beim Tribut-Konzert zu Ehren des verstorbenen Singer-Songwriters Harry Chapin in der New Yorker Carnegie Hall.

1988

20. Januar: Springsteen hält die Laudatio auf Bob Dylan anlässlich dessen Aufnahme in die Rock and Roll Hall of Fame.

25. Februar: Auftaktkonzert zur »Tunnel Of Love Express«-Tour im Centrum in Worcester, Massachusetts.

2. März: Springsteen gewinnt for »Tunnel Of Love« den Grammy in der Kategorie Best Male Rock Vocal Performance.

23. Mai: Abschlusskonzert des amerikanischen Teils der Tour im Madison Square Garden, New York City.

11. Juni: Auftaktkonzert zum europäischen Teil der Tour im Stadio Comunale in Turin.

15. Juni: Paparazzi fotografieren Springsteen und Patti Scialfa auf dem Balkon von Springsteens Hotelzimmer in Rom.

17. Juni: Offizielle Bekanntgabe, dass sich Springsteen und Julianne Phillips getrennt haben.

19. Juli: Historisches Konzert hinter dem Eisernen Vorhang auf der Radrennbahn Weißensee in Ostberlin.

3. August: Abschlusskonzert der »Tunnel Of Love Express«-Tour im Stadion Camp Nou in Barcelona.

2. September: Erste Station der »Human Rights Now!«-Tour im Londoner Wembley-Stadion.

15. Oktober: Abschlusskonzert der »Human Rights Now!«-Tour im River Plate Stadium in Buenos Aires.

Vorherige Seite: Porträt von Neal Preston, 1988.

Rechts: »Tunnel Of Love Express«- Tour, 1988.

Die Dezemberausgabe des *Esquire* zierte 1988 eine Illustration von Springsteen mit Heiligenschein. »Saint Boss!«, lautete die Schlagzeile, die Subheadline: »Has Fame Crucified Bruce Springsteen?« Diese Frage nach dem Leiden des Rockstars am Ruhm hatte John Lombardi gestellt, der in seinem Artikel »The Sanctification of Bruce Springsteen and the Rise of Mass Hip« kein gutes Haar an »Mr. Born in the U.S.A.« ließ. In Lombardis Augen war Springsteen eine Kunstfigur, ein massenkompatibler Rebell ohne Ecken und Kanten, in den Himmel gehoben von intellektuellen Musikjournalisten, die in ihm »den perfekten Punk« sahen, »einen Typen von der Straße mit ungebändigter Energie, vor dem man aber keine Angst haben musste, dass er jemanden verprügelte«.

»Seinem vor der Glotze aufgewachsenem Publikum ist jede Form von Tiefgang fremd«, schrieb Lombardi. »Emotionen werden nicht mehr wirklich empfunden, sondern nur noch vorgegaukelt.« Und noch etwas fiel dem Journalisten auf: Dieses degenerierte Publikum ließ sich häufiger zu kollektiven »Bruuuuuce«-Rufen hinreißen – und das behagte ihm noch weniger als alles andere. Springsteen war eine verlässliche, marktkonforme Größe. »1988 besteht die Aufgabe des Rock'n'Roll darin, den ganzen Wahnsinn bewusst zu machen«, schrieb Lombardi.

Mit ein paar Jahren Abstand zu seinem Megaerfolg hätte Springsteen Lombardi in einigen Punkten vielleicht sogar beigepflichtet. »Da schafft man unbewusst so eine Kultfigur, und dann hat man sie die ganze Zeit am Hals«, sagte er 1992 im Gespräch mit James Henke vom *Rolling Stone* und bemerkte, dass er in New Jersey zu einer Art Weihnachtsmann vom Nordpol geworden sei. »Es ist, als sei man bloß ein Hirngespinst, dass in der Vorstellung anderer lebt«, sagte er. »Und das verlangte natürlich nach einer Klarstellung.«

Irgendjemand musste auf dieses ganze Rockikonending mal mit dem Vorschlaghammer drauf schlagen, dieses Konstrukt dekonstruieren, diese Kunstfigur von ihrem Denkmalsockel stoßen, ihr den Heiligenschein vom Kopf reißen. Lombardi tat genau das im journalistischen Bereich. Doch Springsteen war ihm längst zuvorgekommen, und er hatte es fraglos besser gemacht, angefangen bei den ersten Tönen von *Tunnel Of Love*.

»Ain't Got You« verrät mehr über das, was Springsteen 1987 besaß, als darüber, was ihm fehlte. »Fortunes of Heaven«? Die hatte er. »Houses 'cross the country end to end«? Die auch. Darin gab es sicher auch eine Menge »priceless art«. Dazu eine diamantbesetzte Armbanduhr, pfundweise Kaviar und ein sündhaft teures ausländisches Auto. Die Frauen fuh-

Oben: Die unvermeidbare Gegenreaktion: John Lombardis Anti-Hagiografie im *Esquire,* Dezember 1988.

Unten: »You better be good for goodness sake« – Verwandlung vom Saint Boss zum Santa Claus.

ren scharenweise auf ihn ab »and everybody wants to be my friend«. Sing weiter, Weihnachtsmann.

Steve Van Zandt konnte den Song nicht ausstehen und warnte Springsteen, dass er ihn unmöglich veröffentlichen könne. »Er sagte: ›Klar kann ich das. Weil es die Wahrheit ist‹«, erzählte Van Zandt 2011. »Ich sagte: ›Ja und? Die Wahrheit hat in der Kunst nicht unbedingt das letzte Wort. Ich habe sogar ein gutes Beispiel dafür, dass Wahrheit mit Kunst rein gar nichts zu tun hat. Du bist der überzeugendste Repräsentant der Arbeiterklasse seit Woody Guthrie. Das ist dein Job.‹«

Auf seiner Solotour 2005 bezeichnete Springsteen »Ain't Got You« als Antwort auf eine Frage, die bis heute gestellt wird: »Wie fühlt es sich an, der Boss zu sein?« Man kann den Song tatsächlich als Antwort darauf verstehen, dann ist er sogar witzig. Aber im Oktober 87, als *Tunnel Of Love*, der Nachfolger des Megasellers *Born In The U.S.A.* herauskam, war »Ain't Got You« auch ein ernst gemeintes Statement: Bruce Springsteen hatte jetzt einen anderen Job. Zwangsläufig. »Ich fühlte mich verpflichtet, meinen Fans und mir was anderes zu bieten«, sagte er 2011.

Springsteen hätte erneut alles ganz groß aufziehen können, doch er entschied sich dagegen. Er nahm die Songs für *Tunnel Of Love* größtenteils alleine in seinem Heimstudio in Rumson, New Jersey, auf. Nationalflagge, Jeans, T-Shirt und Lederjacke verbannte er bis auf Weiteres in die Mottenkiste. Auf dem Cover seines neuen Albums zeigte er sich solide, fast schon adrett in seinem schwarzen Anzug und weißen Hemd mit Cowboy-Krawatte. Dieses Outfit ähnelte ziemlich genau dem, das er kurz zuvor in dem TV-Special *Roy Orbison And Friends: A Black And White Night* getragen hatte. Bei der im Cocoanut Grove Club des Ambassador Hotels in Los Angeles aufgezeichneten Show standen neben Orbison und Springsteen Elvis' ehemalige TCB Band, Tom Waits, Elvis Costello, k. d. lang, Jackson Browne, Bonnie Raitt und T Bone Burnett auf der Bühne. Bei Songs wie »Pretty Woman« und »Ooby Dooby« warf sich Springsteen im instrumentalen Soloteil mit dem Gitarristen James Burton wunderbar die Bälle zu und strahlte fast die ganze Zeit, als sei er der glücklichste Mensch der Welt. Vielleicht war er das sogar an diesem Abend.

Mit seinem zurückgegelten Haar und dem gebügelten Anzug wirkte Springsteen gereift, um nicht zu sagen richtig erwachsen. »Die Grundpfeiler von [*Tunnel Of Love*] waren die Themen Identität und Liebe«, sagte Springsteen 2005 in der VH1-Sendung *Story-*

tellers. »Wer bin ich? Wo will ich hin? Wo gehöre ich hin? Wo werde ich enden?«

Und wer würde ihn auf seiner Reise begleiten? Die Beziehungen, die Springsteen am wichtigsten waren – die zu seiner Band und zu seiner Frau – standen seinerzeit auf dem Prüfstand. Er machte damals in besonderem Maße die Erfahrung, »dass Beziehungen eine zwiespältige Angelegenheit sind. Wenngleich mich dieses Thema unbewusst schon immer umgetrieben hat«, sagte er 2011.

Auf dem Album spiegelt sich dieser Konflikt in den Figuren wider. Sie sind nicht so einsam wie ihre nahen Verwandten auf *Nebraska*, aber auch nicht so unbeschwert und ausgelassen wie ihre Party feiernden Freunde auf *Born In The U.S.A.* Die Songs auf *Tunnel* haben etwas von Seufzern, die das Schweigen durchbrechen, das zwischen zwei Menschen herrschen kann. Sie handeln von Stärken und Schwächen – die oft gleichzeitig ans Licht kommen.

Besonders deutlich wird der innere Konflikt in »Cautious Man«, der Geschichte von Billy Horton, dem »man of the road«. Wie schon zu »Thunder Road« hatte ihn auch zu dieser Nummer ein Robert-Mitchum-Film inspiriert – diesmal »Die Nacht des Jägers«. Hortons Fingerknöchel sind tätowiert, genau wie

Für einen Moment der glücklichste Mensch der Welt. Springsteen teilt sich das Mikro mit seinem Idol Roy Orbison während der Aufzeichnung der TV-Show *A Black And White Night* am 30. September 1987.

die des Protagonisten im Film, doch statt »Love« und »Hate« steht auf seinen »Love« und »Fear«. Seine übliche Selbstkontrolle und Zurückhaltung gibt er auf, als er eine Frau kennenlernt, in die er sich Hals über Kopf verliebt. Eines Nachts erwacht er aus einem Albtraum. Er ruft seine Frau und stellt fest, dass sie direkt neben ihm liegt, gleichzeitig aber »a thousand miles away« ist. Er steht auf, läuft ein Stück die Straße hinunter und stellt fest, dass das alles ist, was ihm geblieben ist. Er kehrt zurück ins Schlafzimmer, das vom Mondlicht erfüllt wird mit der »beauty of God's fallen light«.

»Wenn ich je versucht habe, mir mittels eines Songs über mich selbst ein Stück weit Klarheit zu verschaffen, dann wohl am ehesten mit diesem«, sagte Springsteen. Die innere Zerrissenheit, die in »Cautious Man« angedeutet wird, ist in »One Step Up« noch deutlicher herausgestellt. Der zentrale Konflikt wird direkt angesprochen: »It's the same thing night on night, who's wrong, baby, who's right?« Türen werden zugeschlagen, jeder fühlt sich im Recht, keiner gibt nach, und über allem liegen Selbstzweifel und Enttäuschung. Der Erzähler fährt einfach los, nur weg, kommt aber nur bis zur nächsten Bar, wo er gleich mit einer Frau zu flirten beginnt. Sie scheint nicht verheiratet zu sein, »and me, well honey, I'm pretending«.

In »Brilliant Disguise«, der ersten Singleauskopplung des Albums, wird ein ähnlicher Seitensprung angedeutet. Beide Figuren, die »loving woman« und der »faithful man«, machen einander etwas vor. Das geht gut, so lange keiner versucht, hinter diese Fassade zu blicken. In »Two Faces« geht es ums selbe Thema, diesmal allerdings ausschließlich aus der Perspektive des Erzählers, der sich als liebender Jekyll und Hyde entpuppt. Manchmal fühlt er sich »sunny and wild«, doch dann ziehen plötzlich »dark clouds« am Himmel auf.

In »Tougher Than The Rest« und »All That Heaven Will Allow« singt Springsteen über den potenziellen Lohn der Liebe. »All you gotta say is yes« heißt es im ersten Song, »rain and storm and dark skies, well now they don't mean a thing«, erklärt Springsteen in Letzterem. Dafür muss man allerdings erst mal jemanden finden, der einen liebt. Jemanden »who wants to wear your ring«.

Janey, die Protagonistin in »Spare Parts« bemüht sich, die Kraft aufzubringen, ihr Baby alleine aufzuziehen, nachdem sich der Kindsvater aus dem Staub gemacht hat. Sie wägt alles ab, verpfändet schließlich ihren Verlobungsring und stellt sich ihrer Verantwortung.

In »Walk Like A Man« geht es wieder einmal um die Beziehung zwischen Vater und Sohn, wobei der Song versöhnlicher ist als alle vorherigen. Acht Monate vor der Veröffentlichung von *Tunnel Of Love* feierten seine Eltern ihren 40. Hochzeitstag, und auch wenn sein Vater vieles falsch gemacht haben mochte, in »Walk Like A Man« zollt ihm Springsteen Respekt dafür, dass er all die Jahre lang an seiner Ehe gearbeitet hat. »When You're Alone« zeigt was passiert, wenn man das nicht tut, wenn selbst die Liebe nicht ausreicht …

All das Auf und Ab in der Liebe ähnelt einer Achterbahnfahrt, das zumindest suggeriert der Titelsong. »It ought to be easy, ought to be simple enough«, singt Springsteen in »Tunnel Of Love«. »But the house is haunted«, fügt er hinzu. Mit dem dem Spuk muss man leben. Im zugehörigen Videoclip, in dem viele typische Attraktionen der Vergnügungsparks entlang der Jersey Shore gezeigt werden, verspricht ein Schild: »This Is Not A Dark Ride«. Aber das stimmt nicht. Es ist eine Fahrt ins Ungewisse.

Links: Bei der »Tunnel Of Love Express«-Tour wurde die Bläsergruppe in der Bühnenmitte platziert und Max Weinbergs Schlagzeug am Rand. Zu dieser Zeit spielte die E Street Band als Ganze eine immer geringere Rolle.

Gegenüber: Springsteen im »One Step Up«-Videoclip.

Nächste Seite: »When you're alone you ain't nothing but alone.«

Als letzten Track des Albums wählte Springsteen
das etwas positivere »Valentine's Day«, dessen Protagonist nichts lieber möchte, als mit seinem »big lazy
car« nach Hause zu fahren. So sehr der Song zu den
anderen Nummern auf der Platte passt – wieder einmal wacht der Erzähler mitten in der Nacht angster-
füllt auf –, so sehr setzt er auch einen hoffnungsfrohen
Schlusspunkt hinter eine leise, aber herausfordernde
Platte. »Eine Sammlung unruhiger und beunruhigen-
der Songs, die einen schonungslosen Blick auf die
Gefahren werfen, die mit der Hingabe an einen anderen Menschen einhergehen«, schrieb Steve Pond im
Rolling Stone.

»Das Schöne an der Platte ist, dass sie zeigt, dass
man sich in einer Ehe nicht immer gut fühlen muss,
und sie funktioniert trotzdem«, sagte Springsteen. Die
Frage war allerdings, ob auch seine Ehe funktionierte.

Die Tour, die am 25. Februar 1988 in Worcester, Massachusetts, begann, unterschied sich stark von allen
vorangegangenen. »Nach 85 wusste ich einfach nicht
mehr, was ich mit der Band anfangen sollte«, sagte
Springsteen 2011. »Ich hatte den Eindruck, dass wir
alles erreicht hatten und dass es jetzt nur noch bergab
gehen konnte.« Springsteen änderte die Bühnenauf-
stellung grundlegend: Max Weinberg platzierte er
mit seinem Drumset hinten links, Patti Scialfa wies er
den Platz zu seiner Rechten an, wo immer Clarence
Clemons gestanden hatte, der nun links von ihm Stellung bezog. Doch es blieb nicht nur bei der Änderung
der Bühnenpositionen, denn Springsteen stellte der
E Street Band auch noch eine Bläsergruppe zur Seite.

Auf den Tourplakaten hieß es jetzt »Bruce Springsteen's Tunnel Of Love Express *Featuring* The E Street
Band«, eine Neuerung, die – auch wenn sie nur gering-

fügig war –, eine Gewichtsverschiebung und merkliche Distanz zum Ausdruck brachte zwischen dem Sänger und der Band, die ihn so viele Jahre lang treu begleitet hatte. Überdies gab es nun statt des üblichen ungezwungenen Konzertbeginns eine inszenierte Eröffnungsnummer, bei der ein Fahrkartenschalter eine wichtige Rolle spielte. »Das Ganze hatte was von einem Broadwaystück«, sagte Garry Tallent.

Springsteen hatte bewusst seine größten Hits von der Tour-Setlist gestrichen. Stattdessen nahm er die neuen Songs und B-Seiten-Tracks wie »Roulette«, die zum Thema passten, ins Programm auf. Inspiriert durch Gino Washingtons »Gino Is A Coward« aus dem Jahr 1964 schrieb er zudem »I'm A Coward (When It Comes To Love)«, das er jeden Abend spielte. Thematisch ging es bei der Tour ja vor allem um die Beziehung zwischen Mann und Frau, sodass Patti Scialfa bei den Konzerten unweigerlich stärker ins Zentrum des Bühnengeschehens rückte – und zwangsläufig auch für Springsteen immer wichtiger wurde. Nicht nur als Bühnenpartnerin.

Im Juni schossen Paparazzi Fotos von Springsteen und Scialfa, die auf dem Balkon von Springsteens Hotelzimmer in einer Vertrautheit zu sehen waren, die sich für den offiziell noch immer mit Julianne Phillips verheirateten Rockstar eigentlich nicht geziemte. Was niemand wusste war, dass die beiden sich längst getrennt hatten. Aufgrund der Enthüllungsfotos blieb Jon Landau als seinem Manager nichts anderes übrig, als die Trennung am 17. Juni offiziell bekanntzugeben. Manch einer mag angesichts dieser Nachricht vielleicht wirklich aufrichtig schockiert gewesen sein. Man mochte Springsteen für alle möglichen Tugenden bewundert und verehrt haben, doch in seinen Songs hatte die innere Zerrissenheit schon immer eine große Rolle gespielt. Im wahren Leben geht es oft genug drunter und drüber, und eine Beziehung zu führen, ist für jeden eine große Herausforderung, auch für ein moralisches Vorbild wie Springsteen. Die Leute, die ihn zu einem solchen machten, hatten seine Platte doch gehört – oder etwa nicht?

Einen Monat später gab Springsteen ein Konzert in der DDR, auf dem Gelände der Radrennbahn im Ostberliner Stadtteil Weißensee, zu dem Schätzungen zufolge bis zu 300 000 Menschen gekommen sein sollen. Springsteen eröffnete das Konzert mit »Badlands«, und zum allerersten Mal auf der Tour spielte er »The Promised Land«. Damit

war im Grunde alles gesagt über seine Abneigung gegen die kommunistische Diktatur, die die DDR-Bürger hinter der von ihr errichteten Mauer einsperrte und ihnen viele Freiheiten verwehrte. Selbstverständlich haben auch die ostdeutschen Funktionäre versucht, ihn vor ihren politischen Karren zu spannen. Springsteen ließ auch sie abblitzen, doch nicht nur das. Er hielt eine kurze Ansprache, die ihm sein Fahrer auf deutsch übersetzt hatte. Und so sagte Springsteen, dass er nicht gekommen sei, um für irgendeine Regierung zu spielen. Eigentlich hatte er fortfahren wollen, dass er die Hoffnung hege, »dass eines Tages alle Mauern fallen werden«. Auf Bitten seines westdeutschen Konzertveranstalters ersetzte er das unmissverständliche Wort »Mauern« durch den weniger kompromittierenden Begriff »Barrieren«. Was er ganz konkret damit meinte, hat dennoch jeder verstanden, zumal er anschließend Dylans »Chimes Of Freedom« anstimmte.

Anderthalb Jahre später war die Mauer fast schon Geschichte …

»ALLMÄHLICH LERNTE ICH DAMIT UMZUGEHEN, DASS MEINE PUBERTÄREN VORSTELLUNGEN VON ROMANTISCHER LIEBE NUR BEDINGT WAS MIT IHREM WAHREN WESEN ZU TUN HATTEN.«

Bruce Springsteen, 2011

Gegenüber: Mit Patti Scialfa während des historischen DDR-Konzerts in (Ost-)Berlin-Weißensee am 19. Juli 1988.

Links: Mit seiner Frau, Julianne Phillips, und seiner zukünftigen Frau, Patti Scialfa, bei den Rock and Roll Hall of Fame Awards am 20. Januar 1988.

Nächste Seite: Jawaharlal Nehru Stadium, Neu-Delhi, 30. September 1988.

HUMAN RIGHTS NOW!

Die von Amnesty International organisierte »Human Rights Now!«-Tour startete am 2. September 1988 im Londoner Wembley-Stadion. Wenn Springsteen schon nicht wusste, welchen Weg er mit der Band nach 85 in künstlerischer Hinsicht einschlagen sollte, so ermöglichte diese Tour mit ihren 20 Konzertterminen ihm zumindest, an Orten und in Ländern zu spielen, wo sie vorher noch nie gewesen waren.

Die Tour, deren Erlös Amnesty zugute kam und an der neben Springsteen auch Sting, Peter Gabriel, Tracy Chapman und Youssou N'Dour teilnahmen, führte sie unter anderem nach Südamerika, Afrika, Indien und Griechenland. Es war eine rundum positive Erfahrung: Die Umgebung war neu und aufregend, die Atmosphäre kollegial, und allen Beteiligten lag dieselbe Sache am Herzen. Für die E Street Band waren die einzelnen Sets überdies kürzer als je zuvor.

»Mir persönlich hat diese Tour von allen am besten gefallen«, sagte Clarence Clemons Anfang 2011. »Als wir nach Afrika kamen, war das gesamte Publikum schwarz. Es war das erste Mal, dass ich mehr als nur einen Schwarzen auf einem von Bruce' Konzerten sah.

Kurz vor Tourstart im August brachte Springsteen die Live-EP *Chimes of Freedom* heraus. Neben einer Coverversion des gleichnamigen Dylan-Titels waren darauf »Tougher Than The Rest« und »Be True« zu hören, sowie eine Akustikversion von »Born To Run«, wie Springsteen sie während der »Tunnel Of Love Express«-Tour häufig gespielt hatte.

»Wenn wir in eure Stadt kommen«, sagte Springsteen während des Intros zum Titelstück, »kommt vorbei, unterstützt uns, setzt euch für Menschenrechte für alle ein und lasst die Freiheit erschallen.«

HUMAN TOUCH & LUCKY TOWN

1992

»MIR HAT ES UNGEHEUREN SPASS
GEMACHT, MIT DIESEN MUSIKERN ZU
ARBEITEN. SIE SIND FANTASTISCH UND
HABEN MICH SEHR INSPIRIERT.«

BRUCE SPRINGSTEEN, 2011

1989

1. März: Bruce Springsteen und Julianne Phillips sind rechtskäftig geschieden.

23. September: Die E Street Band spielt auf der Party zu Springsteens 40. Geburtstag; ihren nächsten gemeinsamen Auftritt wird es erst 1995 geben.

18. Oktober: Springsteen löst die E Street Band auf.

November: Es beginnen die Aufnahmen zu *Human Touch*, die im Lauf des Jahres 1990 in verschiedenen Studios in Los Angeles fortgesetzt werden.

1990

12. Februar: Springsteen tritt als Mitglied einer All-Star-Band, zu der unter anderen Sting, Paul Simon, Bruce Hornsby, Don Henley und Herbie Hancock gehören, bei einer Benefizveranstaltung zugunsten der Umweltschutzorganistaion Rainforest Alliance auf.

14. April: Bei der Hochzeitsfeier seines Produzenten und Toningenieurs Chuck Plotkin in Santa Monica singt Springsteen im Duett mit Tom Waits.

24. Juli: Geburt von Evan James Springsteen, dem ersten Kind von Bruce Springsteen und Patti Scialfa.

16./17. November: Springsteen spielt ein Solo-Akustikset bei zwei Benefizkonzerten für die gemeinnützige Anwaltskanzlei Christic Institute, die im Shrine Auditorium in L.A. stattfinden.

1991

März: Abschluss der Aufnahmesessions zu *Human Touch*.

8. Juni: Springsteen und Scialfa heiraten bei sich zu Hause in Los Angeles.

Juli: Die Aufnahmen zu *Lucky Town* beginnen im Thrill Hill West Studio (Springsteens Heimstudio in Los Angeles) und werden in den nahegelegenen A&M Studios fortgeführt.

30. Dezember: Geburt von Jessica Rae Springsteen, dem zweiten Kind von Bruce Springsteen und Patti Scialfa.

1992

Januar: Abschluss der Aufnahmesessions zu *Lucky Town*.

31. März: Veröffentlichung von *Human Touch* (US 2, UK 1) und *Lucky Town* (US 3, UK 2).

Vorherige Seite: Backstage in der Brendan Byrne Arena, East Rutherford, New Jersey, 28. Juli 1992.

Rechts: »Ein Haufen Bandleader nimmt sich selbst zurück und verhunzt die Songs der anderen«, witzelte Bruce Hornsby über das, was die All-Star-Band beim Benefizkonzert für die Rainforest Alliance am 12. Februar 1990 dem Publikum bot.

Der nächste Song stammt von einer Platte, die viele für meine schwächste halten«, sagte Springsteen 2005 während eines Konzerts. »Immer, wenn ich durch Musikmagazine blättere und auf eine Übersicht meiner Alben stoße, eingeteilt in Kategorien wie ›Top‹ und ›Flop‹, ist diese Platte unter den Letztgenannten. So ganz wird man ihr damit vielleicht nicht gerecht.« Er kicherte und spielte »I Wish I Were Blind«.

Die Rede war von *Human Touch*.

1989 war Springsteen ausgebrannt, nachdem er zwei Jahrzehnte lang mehr oder weniger ununterbrochen durchgearbeitet hatte. Er hatte immer gespielt, bis er selbst völlig erschöpft war – und alle anderen auch. Und er tat das, weil es für ihn die einzige Möglichkeit war, mit seiner inneren Zerrissenheit umzugehen. »Ich konnte nicht aufhören, bis ich platt war«, erklärte er James Henke vom *Rolling Stone* 1992. »Und zwar völlig platt.« Mitte der 80er schaltete er einen Gang zurück. Und er heiratete. Doch statt Frieden in der häuslichen Geborgenheit zu finden, was er sich vom Eheleben vielleicht erhofft hatte, verirrte er sich in den dunklen Gängen eines ihm völlig neuen Labyrinths, das er auf *Tunnel Of Love* besingt. Und so ging er wieder auf Tour. Und im Anschluss noch einmal bis Herbst 88 für Amnesty International. »Irgendwann konnte ich einfach nicht mehr«, gestand er Henke.

Zwei Jahre später steht Springsteen auf der Bühne des Shrine Auditorium in Los Angeles und gibt das erste von zwei Konzerten im Rahmen einer Benefizveranstaltung für die gemeinnützige Anwaltskanzlei Christic Institute, die sich für Bürgerrechte und soziale Gerechtigkeit einsetzt. »Das klingt jetzt vielleicht ein bisschen komisch, aber es ist eine Weile her, dass ich das zum letzten Mal gemacht habe«, erklärt er dem Publikum zu Beginn der Show. »Haltet euch also bitte zurück, falls es euch jucken sollte, mitzuklatschen. Das bringt mich nur durcheinander.«

Beide Konzerte, bei denen Springsteen schlichte akustische Versionen seiner Lieblingssongs spielte, eröffnete er mit »Brilliant Disguise«. Zum Schluss spielte er Coverversionen von Dylans »Highway 61 Revisited« und Ry Cooders »Across The Borderline«, wobei er Unterstützung von Jackson Browne und Bonnie Raitt erhielt. Kurz vor diesem Finale spannte Springsteen einen beeindruckenden erzählerischen Bogen über insgesamt drei Nummern: »Thunder Road«, »My Hometown« und »Real World«. Letzterer war einer von sechs neuen Songs, die der Musiker im Verlauf der beiden Konzerte vorstellte.

»Real World« ist eine Abrechnung. »Year gone by feels like one long day«, singt Springsteen, und seine Stimme klingt dabei ebenso gequält wie entschlossen. »But I'm alive and I'm feelin' all right.« Dazu musste er viele Hindernisse überwinden: einen »roadside car-

»EIN TEIL VON UNS MAG SICH NACH EINER VOLLKOMMENEN MORALISCHEN WELT SEHNEN, ABER EINE SOLCHE WELT GIBT ES NICHT. DIE WIRKLICHKEIT SIEHT VÖLLIG ANDERS AUS.«

Bruce Springsteen, 1992

nival«, der nur aus Schmerz und Selbstmitleid bestand, den Schrein, der um sein Herz errichtet wurde, gezimmert aus »fool's gold, memory and tears cried«. Es galt, sich von der Illusion reinen Glücks zu verabschieden. Was am Ende bleibt, sind ein Mann, eine Frau und »the hope we're bringing into the real world«.

Nachdem die ausgedehnten Tourneen endlich vorbei waren, zogen Springsteen und Scialfa gemeinsam Ende 88 in Springsteens Haus in New Jersey. Dort fühlten sie sich aber nicht wohl, weshalb sie kurze Zeit später nach New York umzogen, wo es aber auch nicht besser war. Schließlich flüchteten sie nach Los Angeles. Die Sonne und die relative Anonymität, in der man in Hollywood leben konnte, halfen Springsteen, wieder aus dem Loch herauszukommen, in das er seit dem Ende der Amnesty-Tour gefallen war. Er ging zu einem Psychiater (»I wanna find some answers, I wanna ask for some help«, singt er in »Real World«) und steckte ebenso viel Energie in seine Therapiesitzungen, wie er einst dafür verwendet hatte, Gitarrespielen zu lernen und sich eine Karriere und eine Band aufzubauen. Jetzt ging es darum, sich ein Leben aufzubauen.

Im März 89 wurde Springsteen rechtskräftig geschieden. Im Sommer desselben Jahres sah man ihn in verschiedenen Bars in New Jersey, wo er immer wieder mal an einer Jamsession teilnahm. Am 23. September feierte er im McLoone's Rum Runner in Sea Bright, New Jersey, seinen 40. Geburtstag. Zusammen mit der E Street Band (inklusive Van Zandt) spielte er zu diesem Anlass fast nur Rock'n'Roll-Klassiker. Zuletzt

Bonnie Raitt und Jackson Browne unterstützen Springsteen im Zugabenteil beim Benefizkonzert für das Christic Institute im Shrine Auditorium in Los Angeles am 16. und 17. November 1990.

stimmten sie – passend zum Anlass – noch »Glory Days« an. Rund einen Monat später setzte sich Springsteen, fest entschlossen, nicht schon wieder die Vergangenheit aufleben zu lassen, ans Telefon, um allen Bandmitgliedern zu erklären, dass er vorhabe, ohne sie weiterzumachen.

»Ich habe das nie als das endgültige Aus für die Band betrachtet«, sagte Springsteen 2011. Die einzelnen Bandmitglieder reagierten unterschiedlich auf die Nachricht. Viele waren verletzt, aber für einige kam die Entscheidung auch nicht völlig unerwartet. Schon gegen Ende der *Born In The U. S. A.*-Tour war ihnen aufgefallen, dass Springsteen eine gewisse Distanz zur Band aufgebaut hatte. Auch an der Art und Weise, wie *Tunnel Of Love* entstanden und die nachfolgende Tour abgelaufen war, konnte man erkennen, dass Springsteen etwas grundlegend verändern wollte. Clarence Clemons tourte gerade mit Ringo Starr durch Japan, als er den Anruf erhielt. Starr, der Ähnliches schon mit den Beatles durchgemacht hatte, gelang es, ihn zu beruhigen. Roy Bittan hatte diese Entwicklung schon relativ früh kommen sehen und so seinerseits bereits eigene Wege eingeschlagen; auch er war nach L.A. gezogen. Übrigens wohnte er nicht weit entfernt von Springsteen, der das kleine Häuschen, das er Anfang der 80er-Jahre gekauft hatte, inzwischen gegen eine 14-Millionen-Dollar-Villa getauscht hatte.

Einen Monat nachdem er die Band aufgelöst hatte (und etwa um die Zeit, als Scialfa erfuhr, dass sie schwanger war), rief Springsteen Bittan an und lud ihn zum Essen ein. Nach dem Essen zeigte Bittan seinem ehemaligen Boss das Studio, das er sich in seiner Garage eingerichtet hatte, und spielte ihm ein paar der Stücke vor, an denen er in letzter Zeit gearbeitet hatte. Unter diesen Nummern war auch ein ganz typischer E-Street-Band-Song mit dem Titel »Roll Of The Dice«. Als Springsteen die Band aufgelöst hatte, war ihm noch nicht klar gewesen, wie es für ihn weitergehen sollte. »Ich hatte keinerlei Pläne«, sagte er. Und ohne Pläne ließen sich nur schwer Songs schreiben. Er nahm eine Kassette mit den Aufnahmen von Bittans Songs mit nach Hause und schrieb die Nacht über passende Texte dazu. Am nächsten Morgen rief Springsteen Bittan in aller Frühe an und erklärte ihm aufgeregt, dass sie nun einen Hit in petto hätten. Inspiriert von Bittans Musik machte sich Springsteen wieder an die Arbeit. Zunächst spielten die beiden Musiker ein paar Sachen alleine ein, dann holten sie andere Kollegen wie den Toto-Drummer Jeff Porcaro und den Bassisten und späteren *American Idol*-Juror Randy Jackson mit ins Boot. David Sancious spielte auf einigen Songs

Hammondorgel, und Sam Moore von Sam & Dave kam vorbei, um ein paar Gesangstracks aufzunehmen.

Die Arbeitsabläufe und -umstände waren in vielerlei Hinsicht neu. Die meisten Musiker waren neu, Los Angeles als Arbeitsort war neu, nur eines blieb, wie es immer war: Die Monate vergingen, und es häuften sich mehr und mehr Songs an. Springsteen hatte diesmal allerdings gute Gründe, es mit einem neuen Album nicht zu überstürzen. Im Juli 1990 wurde sein Sohn James geboren. Und im Juni 91 heiratete er Patti Scialfa. Die Familie ging im Moment vor.

Im Dezember 91 kam mit Töchterchen Jessica Rae der zweite Sprössling der Familie Springsteen zur Welt. Das Familienoberhaupt war mittlerweile 42 Jahre alt und hatte seit vier Jahren keine neue Platte mehr herausgebracht. Doch die gute Nachricht für alle Springsteen-Fans war, dass er bereits ein neues Album komplett fertig hatte. Und nicht nur das – ein zweites stand kurz vor der Vollendung.

Als *Human Touch*, das für ihn »ein hartes Stück Arbeit gewesen war«, endlich im Kasten war, legte Springsteen es zunächst zur Seite, um noch einmal darüber nachzudenken. In der Zwischenzeit

---

»FÜR MICH WAR DAS EINE HERAUSFORDERUNG, WEIL ICH BISHER ALLE FREIHEITEN HATTE. GRUNDLEGENDES, WIE DASS MAN VON UNTERWEGS MAL ANRUFT UND SICH MELDET, WAR MIR FREMD.«

Bruce Springsteen über sein Familienleben, 2011

Links: Nachdem Springsteen die E Street Band aufgelöst hatte, begann er mit neuen Musikern zusammenzuarbeiten, unter anderem mit dem Toto-Drummer Jeff Porcaro.

Gegenüber: Papa Bruce und Mama Patti mit ihrem Erstgeborenen Evan James Springsteen, der im Juli 1990 zur Welt kam.

Nächste Seite: Christic Institute Benefizkonzert, November 1990.

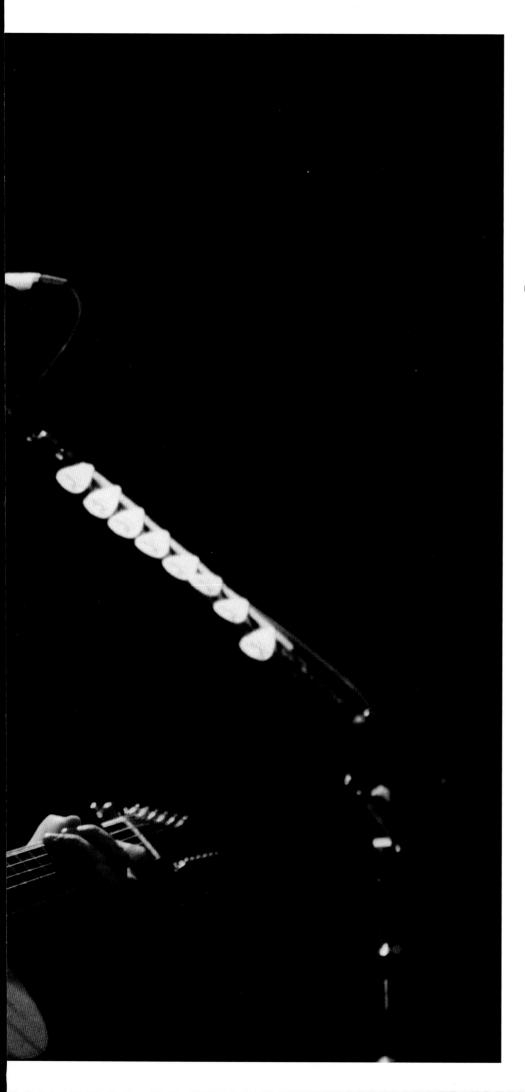

»HEUTE IST MIR KLAR, DASS DIE BEIDEN WICHTIGSTEN TAGE MEINES LEBENS DER WAREN, ALS ICH ZUM ERSTEN MAL EINE GITARRE IN DIE HAND NAHM, UND DER, AN DEM ICH LERNTE, SIE AUCH MAL WIEDER IN DIE ECKE ZU STELLEN.«

Bruce Springsteen, 1992

schrieb er in nur wenigen Wochen ein zweites Album: *Lucky Town*. Wenn Guns N' Roses, wie mit *Use Your Illusion I* und *II* im Jahr zuvor geschehen, zwei Alben gleichzeitig veröffentlichen konnten, warum dann nicht auch Bruce Springsteen? Verbieten konnte es ihm jedenfalls niemand. Und so kamen am 31. März 1992 gleich zwei neue Alben von ihm heraus.

Im Fokus von *Human Touch* steht ein Mann mittleren Alters, der versucht, sich seinem Alter gemäß zu verhalten und zu akzeptieren, dass sich nicht alles im Leben vollständig erklären und kontrollieren lässt. »Irgendwann wird einem das klar, und trotzdem muss man für sich Entscheidungen treffen und versuchen, das Beste daraus zu machen«, erklärte Springsteen Bill Flanagan 1992.

Man nimmt die dunklen Seiten des Lebens wahr; in »Real World« ist das der »black river of doubt«, in »Soul Driver« der »black sky pourin' snakes, frogs and a love in vain«. Wie der Erzähler von »With Every Wish« ist man zu Recht stolz auf all die gefährlichen Klippen, die man schon umschifft hat, zugleich weiß man jedoch, dass »on the far banks there's always another forest where a man can get lost.« Was nicht infrage kommt, ist den Schwanz einziehen. Das Leben ist ein Glücksspiel wie in »Roll Of The Dice«. Dabei gibt es immer auch Verlierer wie in »I Wish I Were Blind« und »Gloria's Eyes«, spielen muss es trotzdem jeder. »So you've been broken and you've been hurt, show me somebody who ain't«, heißt es in »Human Touch«.

»Man's Job« und »Real Man« stellen den muskelbepackten Helden von *Born In The U.S.A.* als unverbesserlichen Romantiker dar. »All Or Nothin' At All« – er muss sich entschieden. »Cross My Heart«, das auf einem Song von Sonny Boy Williamson basiert, bekennt sich auf ganz ähnliche Weise zu Beziehungen.

»57 Channels (And Nothin' On)« zeigt, dass selbst für viel Geld nicht alles zu haben ist. Sogar bei den Menschen mit einem »bourgeois house in the Hollywood Hills« läuft nur Schrott im Fernsehen. In »The Long Goodbye« macht man sich auf den Weg nach Westen (»Well, I went to leave twenty years ago, since then I guess I been packin' kinda slow«) mit reichlich Optimismus (»kiss me baby and we're gonna fly«). »Pony Boy«, der letzte Track, basiert auf einem alten Traditional, das Springsteen als Junge seine Großmutter singen hörte und das er nun selbst für seinen noch ungeborenen Sohn sang.

Einer der Gründe dafür, dass *Human Touch* über die Jahre nicht sonderlich viele Fans gewonnen hat, ist der, dass es nicht besonders human klingt. Der Sound ist sehr klinisch, extrem glattpoliert, was besonders im Vergleich mit den Livedarbietungen von »Real World« und »Soul Driver« bei den Konzerten für das Christic Institute auffällt. Klingen diese Nummern auf der Bühne noch ungeschliffen und eindringlich, so fehlen den

Albumversionen jegliche Ecken und Kanten. Als Van Zandt die Aufnahmen hörte, empfahl er Springsteen, die Songs mit der E Street Band neu einzuspielen. »Wahrscheinlich hatte er Recht«, gab der später zu. Allerdings war das das Letzte, was er damals tun wollte.

Ein weiteres großes Problem von *Human Touch* war schlicht und einfach *Lucky Town*. Auf diesem Album begegnen wir einem Springsteen, der all seine Sorgen hinter sich gelassen hat und wieder guten Mutes ist. Er hat die harten Kämpfe durchgestanden, sich im wahrsten Sinne des Wortes an dem ersten Album abgearbeitet. Die Luft in »Lucky Town« wurde durch einen »good hard rain« gereinigt. Springsteen hatte »dirt on my hands, but I'm building me a new home«. Es ist genau dieser Dreck an seinen Fingern, der Straßenstaub, der dieser Platte eine gewisse erdige Textur verleiht.

Im Refrain von »Better Days« gelangt der Erzähler zu der Erkenntnis, dass »it's a sad funny ending when you find yourself pretending, a rich man in a poor man's shirt«. Diese plötzliche Selbsterkenntnis beflügelt ihn und verleiht ihm Kraft, einen neuen Anfang zu wagen. Zu der dafür erforderlichen Selbstvergebung kommt es im Verlauf der Hochzeitsszene in »Book Of Dreams«.

In »Local Hero« erzählt Springsteen, wie er eines Tages durch seinen alten Heimatort fuhr und in einem Schaufenster ein zum Verkauf angebotenes Samtbild mit seinem Konterfei darauf entdeckte. In »Leap Of Faith«, in dem es darum geht, was es bedeutet, in einer festen Beziehung zu leben, findet sich die etwas blasphemische Zeile »You were the Red Sea, I was Moses«. »If I Should Fall Behind« ist eine stille Bitte um Geduld und Verständnis und vielleicht Springsteens gelungenster Hochzeitssong.

Bei den Rock and Roll Hall of Fame Awards im Januar 1989 sang Springsteen zu Ehren des im Vormonat verstorbenen Roy Orbison dessen Song »Crying«.

154

Den einen »clear moment of love and truth«, nach dem er in »Real World« suchte, erlebte Springsteen bei der Geburt seines Sohnes. »You shot through my anger and rage«, singt er in »Living Proof«, »to show me my prison was just an open cage.«

Doch es ist nicht alles eitel Sonnenschein. In »Souls Of The Departed« werden Bilder der Gewalt im Nahen Osten und auf den Straßen von L.A. dem Bild eines Vaters gegenübergestellt, der seinen Sohn in den Schlaf wiegt. Doch auch das ist keine Idylle, denn er erinnert uns daran, im Land von »King Dollar« zu leben und zu arbeiten, »where you get paid and your silence passes as honor«. Der Vater ist nicht unschuldiger als die Figuren aus »The Big Muddy«, denen es schwerfällt, ihrer moralischen Pflicht nachzukommen. Titel und Refrain sind übrigens Peter Seegers Anti-Vietnamkrieg-Song »Waist Deep In The Big Muddy« entlehnt.

Lucky Town klingt aber alles andere als düster aus. Dem Erzähler von »My Beautiful Reward« wachsen Flügel, mit denen er »high over gray fields« fliegt.

»Human Touch und Lucky Town sind zu einem Zeitpunkt entstanden, zu dem ich den Dingen ihren Lauf lassen, etwas verändern, Neues ausprobieren, Fehler machen – einfach leben musste, um zu finden, was ich brauchte«, schrieb Springsteen in Songs.

Human Touch kletterte bis auf Platz 2 der Albumcharts, Lucky Town auf Platz 3. Als Henkes Artikel im August 1992 veröffentlicht wurde, waren von beiden Alben jeweils über 1,5 Millionen Exemplare verkauft worden. Auf diese Zahlen konnte man durchaus stolz sein, vor allem, wenn man sie addierte. Doch für viele war keineswegs alles in bester Ordnung: Springsteen hatte sich von der E Street Band getrennt und war mit neuen Musikern auf Tour gegangen. Außerdem lebte er jetzt in Los Angeles. Damit hatte er eine Menge Journalisten und nicht wenige eingeschworene Fans gegen sich aufgebracht. In Gegenden, wo er schon immer viele Anhänger hatte, verkauften sich die Tickets für seine Konzerte so gut wie bisher, anderswo hingegen nicht. Wo er sonst an mehreren Abenden in Folge aufgetreten war, stand jetzt oft nur ein einziges Konzert auf dem Programm. Von außen betrachtet sah es so aus, als ginge es mit Springsteens Karriere allmählich bergab. Tatsächlich hatte er sich jedoch nur in vielerlei Hinsicht einer Frischzellenkur unterzogen. »Rückblickend betrachtet war es für ihn eine wichtige Übergangszeit«, sagte Bittan. Diese Erfahrung war essenziell. Springsteen hatte herausfinden müssen, was er sonst noch alles machen konnte. Und er hatte festgestellt, dass er alles tun konnte, was er wollte.

Oben: »You can look, but you better not touch.« Warten vor einem Dessousgeschäft auf dem Hollywood Walk of Fame, 1992.

Gegenüber: Welttournee, 1992.

UND DER GEWINNER IST …

Und dann gewann Bruce Springsteen auch noch einen Oscar – und den Respekt vieler Homosexueller, die ihn fortan als einen ihrer Helden betrachteten. Angefangen hatte alles mit einem Anruf von Jonathan Demme. Der Hollywood-Regisseur arbeitete gerade an einem Film namens *Philadelphia*, in dem es darum geht, dass ein junger Anwalt seinen Job in einer Kanzlei verliert, nachdem er sich mit Aids infiziert hat, woraufhin er gegen seinen ehemaligen Arbeitgeber wegen der diskriminierenden Entlassung vor Gericht zieht. Tom Hanks hatte die Hauptrolle übernommen, und Demme hoffte, dass Springsteen einen Song für den Film schreiben würde.

Springsteen war gerne dazu bereit. An einen Freund denkend, der kurz zuvor an Krebs gestorben war, schrieb er »Streets Of Philadelphia«.

»Sie haben eine ganz bestimmte Form der Isolation eingefangen, die viele homosexuelle Aids-Patienten genau so erleben«, sagte Judy Wieder vom *Advocate* 1996 in einem Interview. »Im Grunde genommen ist alles, was sie sich wünschen, akzeptiert und nicht allein gelassen zu werden«, antwortete Springsteen.

Der Film kam Ende 1993 in die Kinos, und neben Springsteen und Hanks war auch Neil Young, der ebenfalls einen Song zu *Philadelphia* begeisteuert hatte, für einen Oscar nominiert. Hanks gewann den Preis in der Kategorie »Bester Hauptdarsteller«, während Springsteen Young in der Kategorie »Bester Filmsong« ausstach.

Zwei Jahre später wurde Springsteen erneut für den besten Filmsong nominiert, diesmal für »Dead Man Walking«, den er für den gleichnamigen Film geschrieben hatte. Der Text hält die Gedanken eines zum Tode Verurteilten fest, der nicht um Vergebung bitten will, weil seine Sünden alles sind, was ihm geblieben ist.

Als Wieder ihn fragte, ob er glaube, den Oscar ein zweites Mal gewinnen zu können, antwortet Springsteen: »Wenn man mit einem Disney-Streifen konkurrieren muss, hat man keine Chance.« Er sollte Recht behalten. Der Oscar für den besten Filmsong ging 1996 an eine Nummer aus dem Film *Pocahontas*.

Großes Bild: Aus dem »Streets Of Philadelphia«-Videoclip, 1993.

Kleines Bild: Feiern mit den Oscar-Gewinner-Kollegen Tom Hanks und Steven Spielberg am 21. März 1994. Elton John (links) gewann ein Jahr später den Oscar für den Song zu *The Lion King*.

THE GHOST OF TOM JOAD

1995

»ES IST EINE GROSSE GESCHICHTE. SIE HANDELT DAVON, WAS AUS DIESEM LAND WERDEN WIRD: EIN GROSSER, MULTIKULTURELLER ORT.«

BRUCE SPRINGSTEEN, 1996

1992

6. Mai: Erster Auftritt mit der neuen Band bei einem Sonderkonzert für Mitarbeiter der Plattenfirma im New Yorker Bottom Line.

9. Mai: Springsteen ist zum ersten Mal zu Gast bei *Saturday Night Live*.

15. Juni: Auftaktkonzert zur Welttournee 1992 in der Globe Arena in Stockholm.

13. Juli: Abschlusskonzert des europäischen Teils der Tour in der Londoner Wembley Arena.

23. Juli: Die US-Tour beginnt mit elf Konzerten in der Brendan Byrne Arena, East Rutherford, New Jersey.

22. September: Aufzeichnung des *MTV Plugged*-Auftritts in den Warner Hollywood Studios, Los Angeles.

15. Dezember: Veröffentlichung des VHS-Videos *In Concert/MTV Plugged*.

17. Dezember: Abschlusskonzert der Welttournee 1992 in der Rupp Arena, Lexington, Kentucky.

1993

13. Januar: Springsteen hält die Laudatio für Creedence Clearwater Revival anlässlich deren Aufnahme in die Rock and Roll Hall of Fame.

31. März: Auftaktkonzert zur Welttournee 1993 im SECC in Glasgow.

12. April: Veröffentlichung des Albums *In Concert/MTV Plugged* (US 189, UK 4).

20. Mai: Beim Konzert in der RDS Arena in Dublin haben Joe Ely und Jerry Lee Lewis einen Gastauftritt.

1. Juni: Abschlusskonzert der Welttournee 1993 im Valle Hovin Stadion in Oslo.

24. Juni: Springsteen tritt beim Concert to Fight Hunger auf, Brendan Byrne Arena, East Rutherford, New Jersey.

25. Juni: Springsteen ist zum ersten Mal zu Gast in David Lettermans Talkshow *Late Night*.

Herbst: Springsteen nimmt Material für ein neues Album auf, das bis heute nicht veröffentlicht wurde.

23. Dezember: Kinopremiere von Jonathan Demmes Film *Philadelphia*, für den Springsteen den Titelsong »Streets Of Philadelphia« schrieb.

1994

5. Januar: Geburt des dritten Kindes Samuel Ryan Springsteen.

22. Januar: Springsteen gewinnt mit »Streets Of Philadelphia« den Golden Globe in der Kategorie »Best Original Song«.

21. März: Springsteen gewinnt mit »Streets Of Philadelphia« auch noch den Oscar in der Kategorie »Best Original Song«.

März: Springsteen nimmt noch mehr Songs für sein ominöses unveröffentlichtes Album auf.

September – Oktober: Hauptaufnahmephase des Albums *American Babylon* von Joe Grushecky and the Houserockers, das Springsteen produziert.

Oktober – Dezember: Letzte Aufnahmesessions für sein unveröffentlichtes Album.

1995

Januar: Springsteen nimmt mit der E Street Band neue Songs für das *Greatest Hits*-Album auf.

27. Februar: Veröffentlichung von *Greatest Hits* (US 1, UK 1).

1. März: Springsteen gewinnt mit »Streets Of Philadelphia« Grammys in den Kategorien »Song of the Year«, »Best Male Rock Vocal Performance«, »Best Rock Song« und »Best Song Written Specifically for a Motion Picture or TV«.

März: Beginn der Aufnahmen für *The Ghost Of Tom Joad* im Thrill Hill West Studio.

2. September: Springsteen und die E Street Band spielen als Backingband von Chuck Berry und Jerry Lee Lewis beim Rock and Roll Hall of Fame Concert im Cleveland Municipal Stadium.

September: Letzte Aufnahmesessions für *The Ghost Of Tom Joad*.

17. – 24. Oktober: Springsteen begleitet als Leadgitarrist Joe Grushecky and the Houserockers auf einer Minitour.

19. November: Springsteen nimmt am Tributkonzert zu Ehren Frank Sinatras anlässlich seines 80. Geburtstags im Shrine Auditorium, Los Angeles, teil.

21. November: Veröffentlichung von *The Ghost Of Tom Joad* (US 11, UK 16).

22. November: Auftaktkonzert zur Solo-Akustik-Tour im Count Basie Theater, Red Bank, New Jersey.

29. Dezember: Kinopremiere von Tim Robbins Film *Dead Man Walking*, für den Springsteen den gleichnamigen Titelsong schrieb.

1996

28. Januar: Abschlusskonzert des ersten US-Teils der Solo-Akustik-Tour im Fox Theater, Atlanta.

12. Februar: Auftaktkonzert zum europäischen Teil der Tour in der Alten Oper in Frankfurt.

13. Februar: »Dead Man Walkin« wird in der Kategorie »Best Original Song« für den Oscar nominiert (letztlich gewinnt »Colors Of The Wind« aus dem Film *Pocahontas*).

20. Februar: In Italien eröffnet Springsteen das renommierte Sanremo-Festival.

8. Mai: Abschlusskonzert des europäischen Teils der Tour im Palacio de Congresos y Exposiciones in Madrid.

16. September: Auftaktkonzert zum zweiten US-Teil der Solo-Akustik-Tour im Benedum Center, Pittsburgh.

26. Oktober: Springsteen wird mit dem John Steinbeck Award ausgezeichnet, mit dem jährlich Schriftsteller, Künstler, Wissenschaftler oder Aktivisten ausgezeichnet werden, die sich in besonderer Weise mit Steinbeck auseinandersetzen.

8. November: Nach dem Umzug mit seiner Familie von Los Angeles zurück nach New Jersey Anfang des Jahres unterstützt Springsteen die St. Rose of Lima School mit einem Benefizkonzert in seiner ehemaligen Schule in Freehold.

14. Dezember: Abschlusskonzert des zweiten US-Teils der Solo-Akustik-Tour im Ovens Auditorium, Charlotte, North Carolina.

1997

27. Januar: Auftakt zur Japan- und Australien-Tour im Rahmen seiner Solo-Akustik-Tour im Kokusai Forum Hall, Tokio.

17. Februar: Abschlusskonzert der Japan- und Australien-Tour im Palais Theatre in Melbourne.

26. Februar: Springsteen gewinnt einen Grammy für *The Ghost of Tom Joad* in der Kategorie »Best Contemporary Folk Album«.

5. Mai: Springsteen wird mit dem Polar Music Prize ausgezeichnet, den ihm der schwedische König Carl XVI. Gustaf im Grand Hotel in Stockholm persönlich verleiht.

6. Mai: Auftakt zur letzten Touretappe im Austria Center in Wien.

26. Mai: Nach 127 Konzerten innerhalb von 18 Monaten endet die Solo-Akustik-Tour mit einem Auftritt im Palais des Congrès in Paris.

2. November: Die erste »Seeger Session« im Thrill Hill East Studio.

1998

4. April: Springsteen singt »The Ghost Of Tom Joad« bei einer Veranstaltung zu Ehren der Theaterdirektorin Elaine Steinbeck (John Steinbecks Witwe) im Bay Street Theater, Sag Harbor, New York.

26. April: Doug Springsteen stirbt im Alter von 73 Jahren.

10. November: Veröffentlichung des Boxsets *Tracks* (US 27, UK 50).

5. Dezember: Ausstrahlung der BBC-TV-Dokumentation *Bruce Springsteen: A Secret History*.

1999

15. März: Springsteen wird im ersten Jahr, in dem er die Aufnahmevoraussetzungen erfüllt, in die Rock and Roll Hall of Fame aufgenommen.

9. April: Auftakt zur Reunion-Tour im Palau Sant Jordi, Barcelona.

13. April: Veröffentlichung von *18 Tracks* (US 64, UK 23).

9. Juni: Aufnahme in die Songwriters Hall of Fame.

27. Juni: Abschlusskonzert des europäischen Teils der Reunion-Tour im Valle Hovin Stadion in Oslo.

15. Juli: Auftakt zum ersten US-Teil der Reunion-Tour mit 15 Konzerten in der Continental Airlines Arena, East Rutherford, New Jersey.

4. September: Der neuseeländische Astronom I. P. Griffin entdeckt den Kleinplaneten 23990 und nennt ihn offiziell Springsteen.

29. November: Der erste amerikanische Abschnitt der Tour endet mit einem Konzert im Target Center, Minneapolis, Minnesota.

2000

28. Februar: Auftaktkonzert zum zweiten US-Teil der Reunion-Tour im Bryce Jordan Center, Penn State University, Pennsylvania.

28. März: Kinopremiere von *High Fidelity,* worin sich Springsteen in einer kurzen Traumsequenz selbst spielt – sein erster Filmauftritt.

4. Juni: Als Springsteen in der Philips Arena in Atlanta erstmals »American Skin (41 Shots)« spielt, ruft das heftige Reaktionen hervor.

1. Juli: Die Reunion-Tour endet mit zehn Konzerten im New Yorker Madison Square Garden.

Vorherige Seite: Porträtaufnahme von Neal Preston, 1995.

Rechts: Auszeit im Thrill Hill West Studio, Springsteens Heimstudio in Beverly Hills, wo *The Ghost of Tom Joad* aufgenommen wurde.

Während Springsteen mit seinen – nicht selten abschätzig – als die »andere Band« bezeichneten Musikern durch Europa tourte, erschien am 3. April 1993 in der *Los Angeles Times* der Artikel »Children of the Border«. Sebastian Rotella berichtete darin über Jugendliche, die in der größten öffentlichen Grünanlage von San Diego hausen, dem Balboa Park, in dem sich neben dem Zoo eine Reihe kultureller Einrichtungen und Museen befindet. Die Kids kampierten dort unter einer Brücke, schnüffelten Lösemittel, handelten mit Drogen und verkauften sich an Männer in großen, teuren Limousinen. Die verzweifelten, unterernährten und drogenabhängigen Teenager trugen Namen wie Squirrel oder Little Dracula. Gefragt, ob sie keine Angst hätten, sich mit Aids zu infizieren, antwortete einer von ihnen: »Natürlich. Aber das Geld ist wichtiger.« Rotella nannte die Jugendlichen »Nomaden an der Grenze zweier Kulturen«.

Der Vorteil von Los Angeles war, dass Springsteen hier relativ unbehelligt leben konnte. Die riesige Stadt ist dicht bevölkert und es wimmelt in ihr nur so von Prominenten und solchen, die es werden wollen oder zu sein glauben. Wenn es ihm trotzdem einmal zu viel wurde, konnte er dem Rummel von hier aus leicht entfliehen. Er fuhr dann zum Joshua Tree National Park, in den Angeles National Forest, rauf in die San Gabriel Mountains oder noch weiter bis in die Mojave-Wüste und zu den spärlich besiedelten Landstrichen in Arizona, New Mexico, Colorado und Nevada.

Auf einem seiner Trips lernte Springsteen in einem alten Motel in irgendeinem Kaff einen Mexikaner kennen, dessen Bruder bei einem Unfall ums Leben gekommen war, nachdem er sich einer Motorradgang im San Fernando Valley angeschlossen hatte. Man konnte hier viele solcher Geschichten hören. Auf der Straße begegnete Springsteen Gruppen mexikanischer Wanderarbeiter, und in der Zeitung las er über die Border Boys und die mexikanischen Drogenkartelle.

Die Hoffnung auf ein besseres Leben hatte die Menschen in Amerika seit Generationen nach Westen getrieben – nicht zuletzt auch Springsteens Eltern und später sogar ihn selbst. Jetzt waren es vor allem Männer, Frauen und Kinder aus Mexiko, die gen Norden aufbrachen und dabei große Gefahren in Kauf nahmen und all die Schwierigkeiten, die sie in der Fremde erwarteten. »Es war kein großes Geheimnis, dass sich in Kalifornien als Erstes zeigte, wohin sich dieses Land entwickeln würde«, sagte Springsteen 2012.

Nach der großen Nabelschau des vergangenen Jahrzehnts war es für Springsteen wieder an der Zeit, über den eigenen Tellerrand hinaus-

»JOHN HAMMOND WÜRDE JETZT LACHEN, DENN ER HAT MIR IMMER GESAGT: ›DU SOLLTEST MAL EIN REINES GITARRENALBUM MACHEN.‹«

Bruce Springsteen, 1996

zublicken. Was er dabei wahrnahm und was sein Interesse weckte, erinnerte ihn an *Darkness On The Edge Of Town* und an eine seiner damaligen Inspirationsquellen: John Fords Verfilmung des John-Steinbeck-Romans *Die Früchte des Zorns*, in dem es um den beschwerlichen Weg nach Westen in den 1930ern geht. Der Unterschied zu heute? »Ihre Haut war dunkler und sie sprachen eine andere Sprache, aber diese Menschen litten unter denselben unerträglichen Lebensumständen«, schrieb Springsteen in *Songs*.

Springsteen hatte Steinbecks Protagonisten mit seinem unbestechlichen Gerechtigkeitssinn vor Augen, als er »The Ghost Of Tom Joad« schrieb. Der Roman erzählt die leidvolle Geschichte der Familie Joad, die wie so viele andere durch Dürre und Staubstürme ihre Existenz verloren hat und aus der Dust Bowl über die Route 66 von Oklahoma nach Kalifornien zieht. Springsteen sieht die Parallelen zu den mexikanischen Flüchtlingen von heute, die in Autos, unter Überführungen oder Brücken »on a pillow of solid rock« übernachten. Der Song endet mit Springsteens Version der fast jesushaften Worte, die Henry Fonda alias Tom Joad gegen Ende des Films sagt: »Wherever somebody's strugglin' to be free, look in their eyes, Mom, you'll see me.«

»Wir haben eine kollektive Verantwortung. Das ist gemeint mit der Zeile ›Where it's headed everybody knows‹«, sagte Springsteen 1996 in einem Interview mit David Corn. »It« war in diesem Fall wieder einmal ein Highway, er war »alive tonight«,

DARRYL F. ZANUCK'S PRODUCTION OF
BY *John Steinbeck*
THE GRAPES OF WRATH

HENRY FONDA · JANE DARWELL · JOHN CARRADINE · CHARLEY GRAPEWIN
DORRIS BOWDON · RUSSELL SIMPSON · O. Z. WHITEHEAD · JOHN QUALEN · EDDIE QUILLAN · ZEFFIE TILBURY
DIRECTED BY JOHN FORD
A 20th CENTURY-FOX PICTURE

Gegenüber: So wie schon bei den Christic Institute Benefizkonzerten fünf Jahre zuvor ließ Springsteen auch jetzt seine Telecaster im Gitarrenkoffer.

Links: Springsteens Songwriting war schon seit *Darkness on the Edge of Town* von *Die Früchte des Zorns* inspiriert, doch für sein neues Album war die Vorlage bis hin zum Titel in bisher ungekannter Weise prägend.

Nächste Seite: Kurzes Intermezzo mit der E Street Band auf der Bühne, um einen Videoclip für »Murder Incorporated« im New Yorker Nachtclub Tramps aufzunehmen, 21. Februar 1995.

aber nur, weil auf ihm so viele verlorene Seelen unterwegs waren.

Seit Ende der letzten Tour Mitte 93 arbeitete Springsteen wieder in seinem Heimstudio in Los Angeles. Er nahm mit der »anderen Band« auf, aber auch solo, und er spielte fast ein komplettes Album mit pulsierenden Keyboardsounds und Drumloops ein. »Diese Platte wird irgendwann noch herauskommen«, sagte Jon Landau 2011. 1994 war wohl nicht der richtige Zeitpunkt dafür – und später auch nicht. Für dieses Album war »The Ghost Of Tom Joad« ohnehin nicht vorgesehen; dieser Song verlangte geradezu ein zweites *Nebraska*, ein Soloalbum. Dabei hatte Springsteen ihn ursprünglich für die E Street Band geschrieben.

Im Januar 95 trafen sich die E Streeter und Springsteen zu einem relativ kurzfristig angesetzten Studiotermin in der New Yorker Hit Factory. Zum ersten Mal seit den Aufnahmen zu *Born In The U.S.A.*, die ja mehr als zehn Jahre her waren, standen sie wieder gemeinsam im Studio. Knapp zwei Wochen lang tüftelten sie an ein paar neuen Songs für das lang erwartete *Greatest Hits*-Album. Man hatte sich wieder getroffen, aber von Wiedervereinigung konnte keine Rede sein. Springsteen war sich selbst nicht im Klaren, wie es weitergehen und was er von der erneuten Zusammenarbeit halten sollte. »I don't know how I feel tonight ... if I've lost or I've gained sight«, heißt es in dem seinerzeit geschriebenen Song »Blood Brothers«. Diese Nummer bietet allerdings eher eine Erklärung dafür, warum die Band so lange nicht zusammengespielt hatte (»we got our own roads to ride and chances we gotta take«), als dafür, wie es mit ihr weitergehen sollte. Das ließ auch Springsteens Anmerkung zu dem Song im Booklet zu *Greatest Hits*, das Ende Februar 95 herauskam, offen: »Es war toll, die Jungs mal wiederzusehen.«

Die Platte stieg direkt auf Platz 1 der Charts ein, was zu einem nicht geringen Teil sicher auch damit zu tun hatte, dass er wieder mit der E Street Band zusammengearbeitet hatte – was sich viele Fans sehnlichst gewünscht hatten. Auf »Secret Garden«, einem weiteren neuen Song – einer Ode an die Geheimnisse der Liebe –, ist Clemons' erstes Saxofonsolo seit *Born In The U.S.A.* zu hören. Bereits während der Sessions zu diesem Album wurde das rockige »Murder Incorporated« aufgenommen, das noch über zehn Jahre auf seine Erstveröffentlichung auf *Greatest Hits* warten musste. Den Abschluss der Platte bildet »This Hard Land«; auch dieser Track ist ein Überbleibsel aus der *Born In The U.S.A.*-Phase, das mit einer lebensbejahenden Durchhalteparole endet: »Stay hard, stay hungry, stay alive ... and meet me in a dream of this hard land.«

Zwei Wochen nach dem Verkaufsstart von *Greatest Hits* erschien in der *Los Angeles Times* erneut ein Artikel, der Springsteens Aufmerksamkeit erregte. Unter dem Titel »California's Illicit Farm Belt Export«

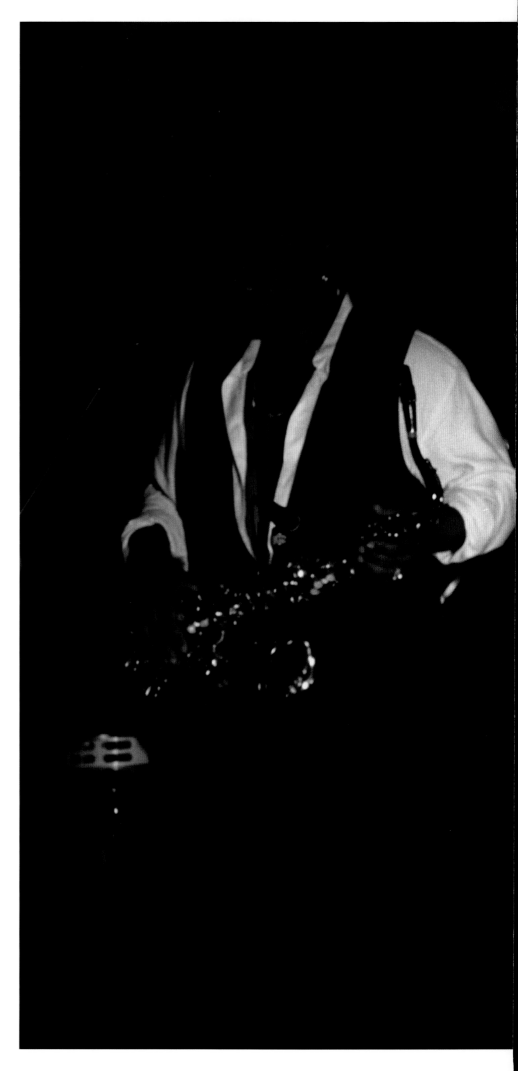

beleuchteten Mark Arax und Tom Gorman den zunehmenden Einfluss mexikanischer Drogenkartelle auf das Kalifornische Längstal. Die sogenannten »Sinaloa Cowboys« – benannt nach dem mexikanischen Staat, aus dem die meisten Dealer stammten – richteten hier Labore zur Herstellung von Methamphetamin ein, das ihnen zig Millionen Dollar einbrachte – und viele Menschen das Leben kostete. Diese Labore waren derart schwer aufzuspüren, dass die Behörden oft erst von ihrer Existenz erfuhren, wenn eines von ihnen in die Luft flog. Springsteen erinnerte sich an die Geschichte, die ihm der Mexikaner von seinem tödlich verunglückten Bruder erzählt hatte. Er verknüpfte sie mit Details aus dem Artikel – darüber wie die Jodwasserstoffsäure, die bei der Herstellung von Methamphetamin verwendet wird, die Haut verbrennt und die eingeatmeten Dämpfe dasselbe mit der Lunge tun – und machte daraus einen Song. Er handelt von zwei Brüdern, Miguel und Luis, die einen Job in einem Meth-Labor annehmen, denn »you could spend a year in the orchards or make half as much in one ten-hour shift«. Luis stirbt, als das Labor in die Luft fliegt, und Miguel begräbt ihn genau an der Stelle, wo er zusammen mit seinem Bruder zuvor 10 000 Dollar vergraben hatte.

Es bleibt dem Hörer überlassen, zu entscheiden, ob das ein angemessener Preis für den Tod des Bruders war. Davon, dass die Flüchtlinge nicht selten einen hohen Preis zahlen müssen, handelt auch der nächste Song. In »Balboa Park« erzählt Springsteen die Geschichte der Border Boys. Er gibt den Kids Namen wie Little Spider, X-man und Cochise. Sie schmuggeln Drogen, steigen zu irgendwelchen reichen Typen in deren dicke Autos und tun für Geld alles, was man von ihnen verlangt. Als eines Tages eine dieser Limousinen vor einer Kontrolle durch die amerikanische Grenzpolizei flieht, wird Spider überfahren.

»Ich wollte mich wieder auf die Dinge konzentrieren, über die ich schon so viel geschrieben hatte«, sagte Springsteen, »diesmal aber in einer anderen Form und vor einem anderen Hintergrund.« Die Jugendlichen aus dem Park, die mexikanischen Brüder, das waren die »Anderen«. Sie lebten am Rande der Gesellschaft, daher fiel es den meisten leicht, sie zu ignorieren. Auch wenn Springsteen inzwischen ein vermögender Oscar-Preisträger war, der mehrere Wohnsitze im ganzen Land hatte, konnte er sich mit den hispanischen Flüchtlingen identifizieren, weil er in ihnen sein eigenes Außenseiterdasein als Kind widergespiegelt fand. »Es sind Bilder aus der amerikanischen Hölle«, schrieb Mikal Gilmore 1997 in seinem Buch *Night Beat. A Shadow History of Rock & Roll*.

In »Straight Time« wird die Geschichte eines ehemaligen Häftlings erzählt, der seine Strafe abgesessen hat und versucht, sich nichts mehr zu Schulden kommen zu lassen. Er hat geheiratet, ist Vater geworden und könnte eigentlich stolz auf sich sein, wären da nicht die skeptischen Seitenblicke seiner Frau. »Seems you can't get any more than half free«, sagt er, geht in den Keller, trinkt ein Bier und sägt den Lauf einer Schrotflinte ab. Der Versuchung erliegt auch der Schuhverkäufer in »Highway 29«, der eigentlich nur einer Frau helfen wollte, Schuhe anzuprobieren, sich nach einem Banküberfall aber plötzlich mit ihr auf der Flucht befindet und in einem Autowrack stirbt.

Für das Leben der Armen und Unterpriveligierten interessierten sich auch der Journalist Dale Maharidge und der Fotograf Michael Williamson, die bereits in den 80ern für eine Reportage durch die USA gefahren waren und nach ihrer Reise an die Ränder der Gesellschaft das Buch *Journey to Nowhere. The Saga of the New Underclass* herausgebracht hatten, von dem auch Springsteen ein Exemplar besaß. Eines Nachts, als er nicht schlafen konnte, nahm er es zur Hand und las es in einem Rutsch durch. »Ich lag wach und dachte: ›Was wäre, wenn das, was ich einmal gelernt habe, plötzlich nichts mehr wert ist, wenn es nicht mehr gebraucht wird?‹«, schrieb er im Vorwort zu einer 1996 veröffentlichten Neuauflage des Buches. »Was würde ich tun, um für meine Familie zu sorgen. Was nicht?«

Maharidges und Williamsons Reportage inspirierte ihn zu zwei Songs: »Youngstown«, der seine in dem Vorwort for-

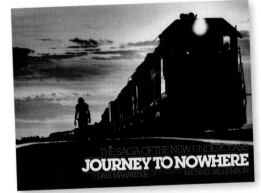

Oben: Auf der Solo-Akustik-Tour, Beacon Theater, New York City, 13. Dezember 1995.

Links: Dale Maharidges und Michael Williamsons Fotoreportagebuch *Journey to Nowhere* war eine der entscheidenden Quellen, auf die sich Bruce beim Schreiben der Songs für das Album stützte.

Gegenüber: Porträt von Neal Preston, 1995.

mulierten Fragen im Zusammenhang mit den Stahlwerksschließungen im Nordosten Ohios stellt, und »The New Timer«, der die Geschichte zweier Landstreicher erzählt, von denen einer neu im Geschäft ist, während der andere schon seit der Großen Depression auf der Straße lebt. Der Ältere, im Buch auch unter dem Namen »No Thumbs« bekannt, wird eines Abends umgebracht. »Nothin' taken nothin' stolen, somebody killin' just to kill.«

Die Erzähler von »The Line« und »Dry Lightning« sind beide auf der Suche nach jemandem. In »The Line« ist es ein ehemaliger Soldat aus der Nähe von San Diego, der für den Immigration and Naturalization Service an der amerikanisch-mexikanischen Grenze patrouilliert. Begleitet wird er von einem älteren mexikanischstämmigen Veteranen – »so the job it was different for him.« Die beiden fahren nach Tijuana, um auszugehen, »alongside the same people we'd sent back the day before«. Dort lernt der Erzähler Louisa kennen. Er hilft ihr und ihrem Bruder, über die Grenze zu kommen, womit die Verstrickung beginnt. Louisas Bruder hat Drogen dabei, und plötzlich steht ihnen der Partner des Erzählers gegenüber, der die Flüchtlinge und ihren Helfer eigentlich festnehmen müsste. Einen Augenblick lang sieht sich der Erzähler vor die Entscheidung gestellt, seinen Partner erschießen zu müssen, um mit Louisa zusammen sein zu können. Doch er muss sich nicht entscheiden, sein Partner lässt ihn ziehen. Louisa flüchtet indessen in die Nacht hinaus. Monate später kündigt der Erzähler den Job, um nach ihr zu suchen.

»Dry Lightning« erzählt von einer einsamen, schlaflosen Stunde bei Tagesanbruch, als »there's a low thunder rolling 'cross the mesquite plain«. »Wer hat nicht schon einmal des Nachts wach gelegen und über die Entscheidungen gegrübelt, die er am Tag zuvor getroffen hat?«, fragte Springsteen. »Oder auch im Jahr zuvor oder in seinem ganzen Leben?«

Auch in »Galveston Bay« geht es um eine Entscheidung. Der Song endet mit einem der wenigen positiven Momente des Albums. In irgendeinem Dorf in Texas gründet eine Gruppe Nationalisten den »Texas Klan«, »to burn the Vietnamese boats into the sea«. Als sie das Feuer legen, werden zwei Klanmitglieder getötet. Angeklagt wegen Mordes wird Le Bin Son. Das Gericht erkennt jedoch auf Notwehr und lässt den vietnamesischen Migranten frei. Statt sich immer mehr in die Spirale der Gewalt zu verstricken, steckt der Vietnamveteran Billy Sutter sein bereits gezücktes Messer, mit dem er Le Bin Son abstechen wollte, wieder ein und lässt den vermeintlichen Feind seiner Wege ziehen.

»Across The Border« ist eine Art Gebet eines Flüchtlings am Abend vor seiner Flucht. »I know love and fortune will be mine, somewhere across the border.« Das Album endet mit »My Best Was Never Good Enough«, einer Parodie auf die Art und Weise, wie

»DIE STIMME, DIE ICH IN DEN 90ERN GEFUNDEN HABE UND DIE FÜR MICH DIE UNMITTELBARSTE UND WICHTIGSTE WAR, IST IM GRUNDE MEINE FOLKSTIMME. «

Bruce Springsteen, 1996

»komplexe moralische Fragen von der Popkultur trivialisiert werden«, wie Springsteen in *Songs* schrieb.

The Ghost Of Tom Joad gewann einen Grammy in der Kategorie »Bestes zeitgenössisches Folkalbum«. Es schaffte es sogar bis auf Platz 11 der Charts, was sehr beachtlich war. Springsteen hatte die Möglichkeiten, die ihm offenstanden, ausgelotet, und herausgefunden, wie er all das tun konnte, was ihm Spaß machte, nämlich sowohl mit der Band zu spielen, als auch eine Platte mit der Musik zu machen, nach der ihm gerade der Sinn stand. Zudem ermöglichte ihm *Tom Joad*, was er schon seit *Nebraska* hatte tun wollen: auf Solotour zu gehen und wieder in kleinen Hallen zu spielen.

Nicht nur im Verlauf seiner Solotour wurde Springsteen immer wieder gefragt, warum er diese Geschichten schreibe. Eine Antwort gibt er in seinem Vorwort zu dem 2011 erschienenen Buch *Someplace Like America, Tales from the New Great Depression* von Maharidge und Williamson. Er schreibt, dass Themen wie Arbeitslosigkeit zu oft nur anhand nüchterner Statistiken abgehandelt würden. Doch was das wirklich bedeute, könne man nur verstehen, wenn man die Menschen hinter diesen Zahlen in ihrer »ganzen Menschlichkeit« zeige, wenn man eine Beziehung zu ihnen herstelle und so vielleicht sogar ein wenig Empathie für sie empfinden könne. Das wiederum könnte »mit ein wenig Optimismus« dazu führen, »dass wir uns als Nation und als Mitglieder der Gesellschaft wieder auf unsere Ideale und moralischen Werte besinnen«, schrieb Springsteen.

Beim Aufnehmen der Vokaltracks für The Ghost of Tom Joad.

TRACKS

Die im November 98 erschienene CD-Box *Tracks* zeigte laut Springsteen »einen alternativen Weg zu einigen der Ziele [auf], die ich anvisiert habe«. Die in der Aufklappinnenseite der CD-Longbox abgebildeten Motive – ein altes Jahrmarktkarussell, eine Radkappeninstallation, eine amerikanische Flagge, der Außenspiegel eines durch die Wüste fahrenden Autos – entsprachen den altbekannten Themen. Neu waren für viele die auf vier CDs verteilten 66 Songs aus Springsteens gesamter Karriere. Es waren weitgehend unbekannte Nummern und alternative Versionen, die aus unterschiedlichen Gründen nie auf einem Album gelandet waren – wobei dies ganz offensichtlich nichts mit ihrer Qualität zu tun hatte.

Nach der Veröffentlichung von *Tracks* kürte Steve Van Zandt die zweite dieser vier CDs, die zum größten Teil aus Material von den *River*-Sessions besteht, zu seinem Lieblingsalbum von Springsteen. »Thundercrack«, jahrelang der Höhepunkt vieler Liveshows, wurde auf *Tracks* nun endlich veröffentlicht. Es gibt reichlich Soul und R&B und Geschichten über gebrochene Herzen und gescheiterte Existenzen. Nach so vielen Songs über seinen Vater brachte Springsteen mit dem bei den Konzerten für das Christic Institute uraufgeführten »The Wish« zum ersten Mal ein Lied heraus, das er für seine Mutter geschrieben hatte.

Warum hatten es »Loose Ends« oder »Bring On The Night« nicht auf *The River* geschafft? Hätte man anstelle von »No Surrender« auch »Brothers Under The Bridge« nehmen können? Wie hätten sich die Dinge entwickelt, wenn statt »My Hometown« »Wages Of Sin« auf *Born In The U. S. A.* gelandet wäre? Und was wäre gewesen, wenn man Platz für 68 Songs gehabt hätte und »The Promise« und »The Fever« auch noch Aufnahme in die Sammlung gefunden hätten? (Die beiden Songs erschienen schließlich auf der 1999 veröffentlichten Single-CD-Edition *18 Tracks*.)

»Ich habe mir für meine Platten damals einen sehr engen Rahmen gesteckt«, erklärte Springsteen 1998 in der Talkshow von Charlie Rose. »Das gehörte zu meinem Schutzmechanismus ... Ich traf eine Menge drastischer Entscheidungen und sortierte viele Sachen einfach aus, die eigentlich ganz reizvoll waren. Ich bin froh, sie jetzt herausbringen zu können.«

Frank Stefanko, der dieses Porträt 1978 machte, sagte zu der Entstehung der Aufnahme: »Ich hab mir vorgestellt, wie es ist, Bruce zu sein, mit dieser Corvette durch die Straßen zu cruisen und sich Songs auszudenken.« Viele dieser tatsächlich so entstandenen Songs wurden zunächst verworfen, um dann auf *Tracks* doch noch zu ihrem Recht zu kommen.

DIE REUNION

1998 versuchte der Moderator Charlie Rose gegen Ende seines Interviews Springsteen irgendeine konkrete Aussage über eine mögliche künftige Zusammenarbeit mit der E Street Band zu entlocken. Aber da war nichts zu machen. Springsteen beantwortete ihm lediglich die Frage, was die E Street Band für ihn bedeute. »Neben meiner Familie«, sagte er, »sind die E Streeter die wichtigsten Menschen in meinem Leben.«

Vier Monate später, im März 1999, stand Springsteen anlässlich seiner Aufnahme in die Rock'n'Roll Hall of Fame wieder mit der Band auf die Bühne. Zu dieser Zeit probten sie bereits für eine neue Tour, die im April in Spanien starten sollte. Während eines Probekonzerts in der Convention Hall in Asbury Park sprach Springsteen von einer »neuen Begeisterung für unsere Band«.

Steve Van Zandt war wieder mit von der Partie, sodass die E Street Band jetzt drei Gitarristen aufbot. Dank *Tracks* gab es eine Menge neues Material, mit dem sie arbeiten konnten, und inspiriert durch die Zusammenarbeit mit der Band fand Springsteen auch wieder zu seiner Rockstimme zurück. »Land Of Hope And Dreams«, das er als Abschlussnummer für die Shows schrieb, wurde so eine Art Unternehmensleitbild. Gegen Ende der Tour hatte er noch weitere neue Songs ins Programm aufgenommen, wozu neben »Further On (Up The Road)« und einer Handvoll Nummern, die er mit Joe Grushecky, einem Freund aus Pittsburgh geschrieben hatte, vor allem »American Skin (41 Shots)« zählte.

In diesem Song thematisiert Springsteen die Tötung des 23-jährigen afrikanischen Einwanderers Amadou Diallo durch vier New Yorker Polizeibeamte, die insgesamt 41 Schüsse auf ihn abfeuerten. »American Skin« ist ein verzweifelter Versuch, der sich in Amerika immer weiter ausbreitenden Gewalt irgendeinen Sinn abzuringen. Das ebenso von Empathie wie von Wut getragene Lied enthält sich jeglicher Schuldzuweisung, was führende Polizeigewerkschaftler und eine Handvoll Offizieller allerdings nicht davon abhielt, ihre Empörung darüber, dass er den Vorfall noch einmal in die Schlagzeilen brachte, lautstark Luft zu machen und ihn teilweise übel anzufeinden. Springsteen stand wieder, wo er seit *Born In The U. S.A.* nicht mehr gewesen war: auf der politischen Bühne. Und dort tat er, was er immer getan hatte: Er ließ den Song für sich selbst sprechen, und spielte ihn auch bei den letzten zehn Konzerten der Reunion-Tour im New Yorker Madison Square Garden im Sommer 2000. Einen intensiven Eindruck dieser Konzerte vermitteln sowohl die Doppel-CD als auch die DVD mit dem Titel *Live in New York City*.

Gitarrenbreitseite: Flankiert von
Nils Lofgren und Steve Van Zandt
während des europäischen
Abschnitts der Reunion-Tour,
Palais Omnisports de Paris-Bercy,
2. Juni 1999.

THE RISING

2002

»DAS ALBUM SOLLTE VON EINER
GEWISSEN HOFFNUNG UND ZUVERSICHT
GETRAGEN SEIN, ZU DER MAN SELBST
ERST MAL FINDEN MUSS. ES SOLLTE KEINE
PLATTITÜDEN VERBREITEN WIE ›ALLES WIRD
GUT‹ ODER ›ES WIRD SCHON WIEDER‹.«

BRUCE SPRINGSTEEN, 2002

2001

27. März: Veröffentlichung des Doppel-Albums *Live In New York City* (US 5, UK 12) und der gleichnamigen DVD.

21. September: Springsteen wirkt beim Spendenmarathon *America: A Tribute to Heroes* mit.

2002

Januar – März: Hauptaufnahmesessions für *The Rising*.

30. Juli: Veröffentlichung von *The Rising* (US 1, UK 1).

7. August: Auftaktkonzert zur *Rising*-Tour in der Continental Airlines Arena, East Rutherford, New Jersey.

17. Dezember: Abschluss des ersten Teils der *Rising*-Tour im Conseco Fieldhouse, Indianapolis, Indiana.

2003

23. Februar: Springsteen gewinnt die Grammys für das beste Rockalbum (für *The Rising*) sowie für den besten Rocksong und die beste männliche Gesangsdarbietung (für »The Rising«).

28. Februar: Die *Rising*-Tour wird in Duluth, Georgia, mit der ersten von sieben US-Shows fortgesetzt, bevor es im März und April nach Australien, Neuseeland und Kanada geht.

6. Mai: Auftaktkonzert zur europäischen Etappe der Tour im Feyenoord-Stadion in Rotterdam.

28. Juni: Abschlusskonzert der europäischen Etappe der Tour im Stadio Giuseppe Meazza in Mailand.

15. Juli: Auftakt zur letzten Etappe der Tour mit sieben Konzerten im Giants Stadium, East Rutherford, New Jersey (wobei er im August noch einmal für weitere drei Konzerte hier auftrat).

4. Oktober: Abschluss der *Rising*-Tour im New Yorker Shea Stadium.

11. November: Veröffentlichung von *The Essential Bruce Springsteen* (US 14, UK 28).

18. November: Veröffentlichung der DVD *Live in Barcelona*.

2004

8. Februar: Springsteen und Warren Zevon gewinnen mit »Disorder In The House« den Grammy in der Kategorie »Best Rock Performance by a Duo or Group with Vocal«.

15. März: Springsteen hält die Laudatio auf Jackson Browne anlässlich dessen Aufnahme in die Rock and Roll Hall of Fame.

März – August: Hauptaufnahmesessions für *Devils & Dust* im Thrill Hill East, Thrill Hill West und Southern Tracks Studio.

1. – 13. Oktober: Springsteen und die E Street Band sind die Headliner der »Vote for Change«-Tour, die John Kerrys Präsidentschaftskandidatur unterstützt.

28. Oktober – 1. November: Springsteen tritt bei John Kerrys Wahlkundgebungen unter dem Motto »Fresh Start for America« auf.

Vorherige Seite: Portätaufnahme
von Mitch Jenkins, 2002.

Rechts: Sydney Cricket Ground,
22. März 2003.

Am 21. September 2001 zeigten viele Fernsehsender in Amerika und auf der ganzen Welt für einen Moment dasselbe Panorama des New Yorker Hafens, mit der Freiheitsstatue im Vordergrund und im Hintergrund die New Yorker Skyline mit der klaffenden Lücke. Dann schwenkte die Kamera auf eine von Hunderten Kerzen illuminierte Bühne. Auf ihr stand – mit Akustikgitarre und Mundharmonika – Bruce Springsteen, der den großen Spendenmarathon *America. A Tribute to Heroes* eröffnete. Im Hintergrund bildeten Patti Scialfa, Steve Van Zandt, Clarence Clemons und ein paar andere Sänger einen Chor. »Das ist ein Gebet für unsere gefallenen Brüder und Schwestern«, sagte Springsteen. Und dann begann er zu singen: »There's a blood red circle, on the cold dark ground. And the rain is falling down.«

»My City Of Ruins« war nicht für diesen Anlass geschrieben worden. Es war ein Song über und für Asbury Park. Jahrzehntelang war es mit der Stadt bergab gegangen, sie war heruntergekommen, viele Einwohner waren weggezogen. In »My City Of Ruins« vertreibt Hoffnung das Gefühl der Verlassenheit. »Come on, rise up« singt ein Gospelchor als Antwort auf die Frage »Tell me how do I begin again?«. Am Ende steht die Bitte an Gott, er möge Kraft, Glaube und Liebe schenken – das, worum es in Springsteens Songs immer geht, die Eckpfeiler seines Bekenntnisses, wenn man so möchte. Auf der New Yorker Bühne war »My City Of Ruins« viel mehr als ein Song über eine ums Überleben kämpfende Küstenstadt.

In den vergangenen zehn Tagen hatte Springsteen wie so viele Menschen in den USA und auf der ganzen Welt ein Wechselbad der Gefühle durchlebt. Da war zunächst der ungeheure Schock, als zwei Flugzeuge in die Türme des World Trade Center flogen, ein weiteres in das Pentagon in Washington gelenkt wurde und eine vierte Maschine auf einem Feld in Pennsylvania abstürzte. Springsteen fuhr zur Sea Bright Bridge, zu der es von seinem Zuhause nicht weit war und von der aus man normalerweise einen guten Blick auf die Twin Towers hatte. Jetzt klaffte an dieser Stelle ein Lücke.

Überall mussten die Menschen mit ihrem Schmerz und ihren Ängsten klarzukommen versuchen – und mit ihrer Wut. Sie suchten Trost bei ihren Familien und bei Freunden. Genau in dieser Atmosphäre, wenige Tage nach den Attentaten, soll ein Mann, der Springsteen erkannte, als er aus einer Parklücke heraussetzte, seine Seitenscheibe heruntergekurbelt und ihm zugerufen haben: »Hey, Mann, wir brauchen dich!«

Springsteen war nach New Jersey zurückgekehrt. Er lebte und arbeitete auf einer großen Farm in einem modernisierten, 300 Jahre alten Gutshaus, nicht weit entfernt von Freehold und Asbury Park. Er arbeitete inzwischen auch wieder mit der E Street Band zusam-

»ALLES, WAS ICH NACH [9/11] SCHRIEB, WURDE VON DIESEM EREIGNIS BEEINFLUSST. ICH HABE VERSUCHT, EINEN FIXPUNKT ZU FINDEN. ERSTAUNLICH IST, DASS SICH ALLES, WAS MAN FÜR ANDERE TUT, AUS DEM ENTWICKELT, WAS MAN FÜR SICH SELBST TUT, [UM MIT ETWAS KLARZUKOMMEN].

Bruce Springsteen, 2002

men. Er war wieder zu Hause, dort, wo alle seine Geschichten ihren Anfang nahmen.

»Wenn du morgens aufstehst, hast du selbst als der allergrößte Pessimist oder Zyniker schon einen Schritt in den nächsten Tag getan«, sagte Springsteen 2002 in der *Time*. Am 11. September 2001 taten Tausende von Menschen diesen Schritt und besiegelten damit ihr Schicksal. Sie standen auf, gingen zur Arbeit und kamen nie mehr zurück. Das war ein Moment, der alles veränderte. Und für genau solche Momente wurde Springsteen offenbar gebraucht. Als die *New York Times* in ihrer Serie »Portraits of Grief« die Opfer des 11. September vorstellte, stieß Springsteen immer wie-

der auch auf seinen Namen in den Zeilen über das, was den Verstorbenen im Leben wichtig gewesen war. Über Steven B. Lilianthal etwa war zu lesen: »Neben seiner Familie liebte er Golf, die Jets und Bruce Springsteen – nicht unbedingt in dieser Reihenfolge.« Wenn es ihm möglich war, rief Springsteen die Hinterbliebenen an, um ihnen Trost zu spenden und mehr über die Verstorbenen zu erfahren.

»Was bei diesem Album anders ist, ist, dass ich über etwas geschrieben habe, das jeder gesehen und miterlebt hat«, sagte Springsteen in einem *Time*-Interview. »Und einige Menschen haben das alles natürlich viel unmittelbarer erlebt.«

All diese Geschichten, in denen es immer wieder um Mut und Schmerz ging, inspirierten Springsteen zu genau dem Album, das er zu schreiben versucht hatte, seit er 2000 seine Tour mit der E Street Band beendet hatte. Zum ersten Mal seit Jon Landau geholfen hatte, *Born To Run* fertigzustellen, tauchte ein neues Gesicht im Kontrollraum auf. Brendan O'Brien, der schon mit Pearl Jam und Rage Against The Machine gearbeitet hatte, wurde als Produzent en-

gagiert. Die meisten Aufnahmen machten sie in den Southern Tracks Studios in Atlanta. Nie hatte irgendjemand davon gesprochen, dass Springsteen ein Album über den 11. September machen wollte. Erst als er den Titelsong vorstellte, der von einem Feuerwehrmann handelt, »wearin' the cross of my calling«, wurde O'Brien allmählich bewusst, woran sie arbeiteten.

»Into The Fire« erzählt die Geschichte des Feuerwehrmanns aus einer anderen Perspektive, die seiner Witwe, die ihm hinterherblickt, während er die Treppen hinaufläuft. »I need your kiss«, heißt es im Song, »but love and duty called you someplace higher.« Wie »My City Of Ruins« mündet auch dieses Lied in ein Gebet. Diesmal wird angedeutet, dass wir Kraft, Glaube, Hoffnung und Liebe in der Kraft, dem Glauben, der Hoffnung und der Liebe derer finden können, die ihr Leben für andere geopfert haben. Diese Ideale sind auch in anderen neuen Songs von zentraler Bedeutung. »Countin' On A Miracle«, das er im Jahr 2000 geschrieben hatte, stellt die Frage nach der Möglichkeit von Glaube, Hoffnung und Liebe ange-

Oben: Springsteen eröffnete den Spendenmarathon *America: A Tribute to Heroes* mit »My City Of Ruins«.

Links: Feuerwehrmänner versuchen sich einen Weg durch den Schutt des World Trade Center zu bahnen, 11. September 2001.

»DIE BAND SPIELT SO GUT, SO KRAFTVOLL UND ENGAGIERT, WIE EH UND JE. EIN ALBUM ZU MACHEN, DAS VON DIESEN WERTEN UND IDEALEN GETRAGEN WIRD, WAR EXTREM WICHTIG.«

Bruce Springsteen, 2003

sichts der harten Realität des Leben. Es gibt keine »Storybook Story«, keinen »Never-ending Song«, das vermeintliche Glück bis ans Ende ihrer Tage ist »forever come and gone«. Der einzige Zauber, der geblieben ist, ist der, der zwischen zwei Menschen bestehen kann – und selbst dem muss von göttlicher Seite oft noch nachgeholfen werden.

»You're Missing« ist eine bedrückende Bestandsaufnahme etlicher kleiner Details, die ein Leben ausmachen, Dinge, die einem niemals auffallen, bis sie alles sind, was einem geblieben ist: die Kleider im Schrank, die Kaffeetasse auf der Anrichte, die Fotos auf dem Nachttisch. Alles ist wie immer. »But you're missing«, sagt der Erzähler, der versucht, den Verlust des Ehepartners zu verkraften, die Kinder zu trösten und weiterzuleben. Natürlich bekam auch die Wut einen Platz auf dem Album. In »Empty Sky« finden sich Rachemotive (»I want an eye for an eye«), aber der Song gibt keine einfachen Antworten oder befeuert lautstarken Hurra-Patriotismus. Vielmehr mahnt Springsteen in »Lonesome Day«: »ask questions before you shoot«.

»Worlds Apart« handelt von zwei Menschen aus völlig unterschiedlichen Kulturkreisen, verzichtet aber bewusst auf eine Kategorisierung in gut und böse. »'Neath Allah's blessed rain we remain worlds apart«, heißt es in dem Song, und für den Fall, dass die Lyrics in ihrer Aussage nicht richtig verstanden würden, ver-

Abschlusskonzert der *Rising*-Tour, Shea Stadium, New York City, 4. Oktober 2003.

»DAS WAR EINER DIESER MOMENTE, IN DENEN SICH ALLES AUSZAHLTE: ALLES, WAS ICH HINEINGESTECKT HABE, AUCH DIE BEZIEHUNG, DIE ICH ZU MEINEM PUBLIKUM AUFGEBAUT HABE – DIE LEUTE WOLLTEN MICH UNBEDINGT SEHEN.«

Bruce Springsteen, 2002

deutlichte Springsteen seinen Standpunkt noch dadurch, dass er und die E Street Band bei dieser Nummer von dem pakistanischen Sänger Asif Ali Kahn und seiner Gruppe begleitet wurden.

In »Paradise« nehmen wir die Welt zunächst aus der Perspektive eines Selbstmordattentäters wahr, der sich die Gesichter der Menschen um sich herum genau ansieht. Dann wechselt der Schauplatz plötzlich hin zum Pentagon, wo »the Virginia hills have gone to brown« und wo sich die Hinterbliebenen nach einer vertrauten Berührung, einem vertrauten Geruch oder Geschmack sehnen. »Verlust empfinden wir in Bezug auf das, was uns fehlt«, sagte Springsteen in der *Time*. Das, woran man immerzu denken muss. Man kann in dieser Trauer leicht versinken, wie es auch in dem Song beinahe geschieht, bis der Erzähler im zweiten Teil plötzlich auftaucht, »above the waves«, und das Sonnenlicht auf seiner Haut spürt. Im Paradies gibt es nichts, es ist leer – Wärme findet er in der Welt der Lebenden.

In »Nothing Man« geht es um einen der vielen namenlosen Helden, die andere ein paar Schritte auf ihrem Weg begleitet haben und sich selbst mit Gewissensbissen quälen, weil sie überlebt haben. »Around here, everybody acts like nothing's changed.« Doch zu Hause kann er seinen Blick nicht von der Waffe abwenden, die auf seinem Nachttisch liegt. Hier, angesichts der Ungewissheit darüber, was die Zukunft bringt, läuft Springsteen zur Hochform auf.

In »Further On (Up The Road)«, das Springsteen schon mit den E Streetern auf der Reunion-Tour spielte, reichen ein konkretes Ziel (»a song to sing«) und ein »fever burnin' in my soul«, um gute und schlechte Zeiten zu überstehen. »Waitin' On A Sunny Day« ist eine wunderschöne Mitsingnummer über das Gefühl der Sinnlosigkeit, das oft mit einem erlittenen Verlust einhergeht. Es ist ein simpler Popsong, wie Springsteen den Zuhörern in der VH1-Sendung *Storytellers* erzählte, einer von der Sorte, die er normalerweise schreibt und dann verwirft, außer wenn »Mr. Landau reinkommt und sagt: ›Nein, den nicht‹«.

»Let's Be Friends (Skin To Skin)« und »The Fuse« sind Geschichten über die Liebe in Zeiten des Terrorismus, wenn es keinen Grund gibt, es nicht miteinander zu versuchen, weil niemand weiß, wann alles vorbei ist. »Let's Be Friends« klingt wie ein unbeschwerter Flirt an einem sonnigen Nachmittag, während in »The Fuse« ein kleines Techtelmechtel an einem schwülen Nachmittag einer »long black line in front of Holy Cross« gegenübergestellt wird.

Die E Street Band klingt auf dem Album so kraftvoll wie nie zuvor. »Wir wollten nicht kleckern«, sagte O'Brien. Und so wurde mit reichlich Overdubs gearbeitet. Erst auf »Mary's Place« konnten sie wieder die alte E Street Band sein, die Partyband, die es am Samstagabend so richtig krachen lässt. Springsteen klammert sich derweil an »all the faith I can see«. Wieder einmal versucht

Links und gegenüber: Um ihr erstes gemeinsames Album seit *Born in the U.S.A.* zu promoten, stellten sich Springsteen und die E Street Band am Tag der Veröffentlichung für eine von NBC live aus der Asbury Park Convention Hall übertragene Sondersendung der *Today Show* zur Verfügung.

er, seine Wunden und die seiner Hörerschaft mithilfe der Musik zu heilen. Und da er weiß, dass für das Gemüt nichts besser ist als die gute alte Soulmusik, bedient er sich für den Refrain bei Sam Cooks »Meet Me At Mary's Place« von 1964.

The Rising erschien am 30. Juli 2002 und war ein weltweit beachtetes Medienereignis, was auch noch einmal unterstrich, als was für eine Autorität Springsteens angesehen wurde. »Die meisten Popstars wirkten in der Zeit nach dem 11. September irrelevant«, schrieb Jon Pareles in der New York Times, »… nicht so Mr. Springsteen.« Die Time bezeichnete The Rising als »das erste substanzielle popkulturelle Werk, das sich mit den Ereignissen [des 11. September] auseinandersetzt«. Und A.O. Scott schrieb für das Online-Magazin Slate: »Falls irgendein amerikanischer Künstler in der Lage ist, angemessen und umfassend auf die Ereignisse dieses Tages zu reagieren, dann Springsteen.«

Seit Born To Run hatte er sich auf diese Aufgabe vorbereitet. Nicht alle Songs auf The Rising sind erst nach den Terroranschlägen geschrieben worden, doch das fertige Album trug als Ganzes der Lage und der Stimmung in den USA nach dem 11. September Rechnung, und Springsteen war vor der Größe dieser Herausforderung nicht zurückgeschreckt. Springsteen verzichtete auf Rührseligkeiten, die in anderen Reaktionen auf den 11. September mitschwingen, etwa in Alan Jacksons »Where Were You (When The World Stopped Turning)«. Genauso wenig findet man bei ihm eine Spur von kämpferischem Patriotismus wie in Toby Keiths »Courtesy Of The Red, White And Blue (The Angry American)«. »Das Geheimnis beim Songschreiben ist, zuerst einen ganz persönlichen Zugang zu finden. Danach kann man irgendwelche Stimmungslagen ausloten«, erklärte Springsteen im Interview mit Adam Sweeting für Uncut 2002.

Landau und Springsteen starteten für Rising die ambitionierteste PR-Kampagne in Springsteens Karriere. So stellte er bei David Letterman nicht nur seine neuen Songs vor, sondern ließ sich von dem Talkmaster sogar interviewen. Zusammen mit der E Street Band eröffnete Springsteen in diesem Jahr auch die MTV Video Music Awards mit »The Rising«, das er auf einer Bühne vor dem New Yorker Hayden Planetarium im strömenden Regen spielte.

Wieder einmal hatte er es auf das Cover der Time gebracht, diesmal unter der Headline »Reborn in the U.S.A.«. Und auch der Rolling Stone brachte ihn erneut auf die Titelseite, abgebildet in einer wild wuchernden Wiese vor seiner Farm. »Bruce Springsteen's American Gospel« lautete die Überschrift hier.

Der ABC-Nachrichtensprecher Ted Koppel besuchte Springsteen für einen Bericht seines TV-Magazin Nightline zu Hause auf seiner Farm und war zu Gast bei einer Probe der E Street Band. Den Redakteuren

der führenden Medien gewährte Springsteens Zutritt zu seinem Reich, wo sie bei einem lockeren Gespräch in gemütlicher Runde vor allem feststellten, wie zufrieden und entspannt er war.

Am Tag der Albumveröffentlichung sendete das NBC-Morgenmagazin Today live aus Asbury Park, wo Fans, Springsteen und die Band interviewt und einige Songs aus der Convention Hall übertragen wurden. Zum ersten Mal seit Born In The U.S.A. – seinem letzten Album mit der E Street Band – war Springsteen wieder omnipräsent. The Rising stieg auf Platz 1 in die Albumcharts ein und konnte die Spitzenposition drei Wochen lang behaupten. Springsteen und die Band gingen auch wieder auf Tour, zunächst in den USA, dann in Europa. Ausschnitte des Hallenkonzerts in Barcelona wurden zunächst auf CBS ausgestrahlt, später kam die ganze Show auf DVD heraus. Es war das allererste offizielle Konzertvideo von Springsteen, das einen kompletten Auftritt zeigte.

Im Sommer 2003 tourte Springsteen wieder durch Europa und die USA. Diesmal trat er nur in Stadien auf, wobei er unter anderem zehn ausverkaufte Konzerte im Giants Stadium in New Jersey gab. Inzwischen beschäftigte er sich auch wieder mit der Politik, die er auf The Rising bewusst ausgespart hatte. Nach dem Krieg in Afghanistan kam gleich der Krieg im Irak. »Ich glaube, die Regierung instrumentalisiert den 11. September zur Legitimation für alles Mögliche«, erklärte Springsteen Ken Tucker 2003 in einem Interview. Heutzutage sei eine gewisse Skepsis durchaus angebracht, sagte er im weiteren Verlauf des Gesprächs. Es ginge darum, seine eigenen Zweifel und Erkenntnisse kreativ zu verarbeiten. »Tommy Morello, der Gitarrist von Rage Against the Machine, sagte in einem Interview, Geschichte wird in Küchen, in Wohnzimmern, bei Nacht geschrieben«, fuhr Springsteen fort. »Von Menschen, die sich unterhalten und sich eigene Gedanken machen. Ich glaube, das stimmt. Jeder sollte sein Scherflein beitragen, so gut er kann.«

Oben: Im Feyenoord-Stadion in Rotterdam, 8. Mai 2003.

Gegenüber: »Let it rain, let it rain …« Partystimmung beim MTV Video Music Awards, auch wenn das Wetter nicht mitspielte. Hayden Planetarium, New York, 29. August 2002.

In seinem in der *New York Times* am 5. August 2004 veröffentlichten Gastkommentar formulierte Bruce Springsteen ein konkretes Ziel, nämlich »den derzeitigen politischen Kurs zu ändern und die jetzige Regierung im kommenden November abzuwählen«.

Es gab noch andere Prominente, die sich dem verschrieben hatten. Sinn und Zweck des Artikels war es, eine für den Oktober geplante Tour mit Bands und Musikern wie der Dave Matthews Band, Pearl Jam, R.E.M., Bonnie Raitt, Keb' Mo', Jackson Browne, John Fogerty und vielen mehr anzukündigen. Unter dem Motto »Vote For Change« schwärmten sie aus, um in einigen der für den Wahlausgang entscheidenden Swing States Wähler zur ihrer Meinung nach richtigen Wahlentscheidung zu motivieren. So fanden am 1. Oktober ganze fünf Shows in Pennsylvania statt. Springsteen war der Headliner der größten Veranstaltung in Philadelphia – seiner traditionellen Hochburg.

Der Krieg im Irak sowie Steuervergünstigungen für Reiche (darunter auch »gut betuchte Gitarristen«), die mit Kürzungen bei den für die Schwächsten im Lande extrem wichtigen Sozialprogrammen einhergingen, hatten Springsteen dazu veranlasst, sich in den Wahlkampf einzumischen und Farbe zu bekennen. Viele fragten sich, warum er sich nicht einfach raushielt, weiter Gitarre spielte und das Leben in seinem großen Haus genoss. »Das ist eine interessante Frage, die aus unerfindlichen Gründen anscheinend immer nur Musikern und Künstlern gestellt wird«, sagte Springsteen in der TV-Sendung *Nightline*. Lobbyisten nehmen jeden Tag Einfluss auf die Regierung, und kein Mensch nimmt daran Anstoß. »Künstler schreiben, singen und denken.«

Außerdem: Springsteen hätte es durchaus auch dabei belassen können, einfach nur zu spielen und zu singen, denn in seiner Musik kam ohnehin dasselbe zum Ausdruck wie in seinem Gastkommentar in der *New York Times*. Sein Weltbild, sein Menschenbild – das steckte alles in seinen Songs. Nach der Tour spielte er einige davon auf Wahlkampfkundgebungen des demokratischen Präsidentschaftskandidaten John Kerry, dem es trotz Springsteens Unterstützung nicht gelang, den amtierenden US-Präsidenten George W. Bush abzulösen.

Auftritt auf einer Wahlkundgebung des Präsidentschaftskandidaten der Demokraten, John Kerry, in der Ohio State University, Columbus, 28. Oktober 2004.

DEVILS & DUST

2005

»GANZ GLEICH ZU WELCHEM GOTT WIR UNS BEKENNEN, [DAS GÖTTLICHE IN UNS] MACHT DEN KERN UNSERES MENSCH-SEINS AUS. DOCH WENN WIR UNSER MITGEFÜHL AUFGEBEN, VERWIRKEN WIR JEGLICHES RECHT AUF DAS GÖTTLICHE, DESSEN WIR VIELLEICHT TEILHAFTIG WAREN.«

BRUCE SPRINGSTEEN, 2005

2005

13. Februar: Springsteen gewinnt für »Code Of Silence« den Grammy in der Kategorie »Best Solo Rock Vocal Performance«.

19. März: Die zweite Seeger-Session im Thrill Hill East Studio.

4. April: Aufnahme von Springsteens Auftritt in der VH1-Sendung *Storytellers* (die am 23. April ausgestrahlt wurde).

25. April: Veröffentlichung von *Devils & Dust* (US 1, UK 1) und Auftakt zur *Devils & Dust*-Tour im Fox Theater in Detroit.

20. Mai: Abschlusskonzert der ersten US-Etappe der Tour im Orpheum Theater in Boston.

24. Mai: Auftakt zur Europa-Tour im Point Theatre in Dublin.

29. Juni: Abschlusskonzert der Europa-Tour im Internationalen Congress Centrum Berlin.

13. Juli: Auftakt zur letzten Tour-Etappe im Corel Center in Ottawa.

6. September: Veröffentlichung der DVD *VH1 Storytellers*.

15. November: Veröffentlichung der CD/DVD-Box *Born to Run: 30th Anniversary Edition* (US 18, UK 63).

22. November: Abschlusskonzert der *Devils & Dust*-Tour in der Sovereign Bank Arena, Trenton, New Jersey.

Vorherige Seite: Porträtaufnahme von Danny Clinch, 2005.

Oben: Bei den Proben für die *Devils & Dust*-Tour, April 2005.

Rechts: Royal Albert Hall, London, 27. Mai 2005.

Die 48. Verleihung der Grammy Awards am 8. Februar 2006 im Staples Center in Los Angeles war erwartungsgemäß ein sehr glamouröses Event. Die Popszene feierte sich selbst, standesgemäß mit reichlich Flitter, Glitter und Pomp.

Eröffnet wurde die Show von der eigens für die Veranstaltung in 3D animierten virtuellen Comicband Gorillaz, die zunächst mit De La Soul und dann mit Madonna auftrat. Letztere war anfangs nur auf der Videoleinwand zu sehen, bevor sie – umschwirrt von einigen Tänzern – auch live auf der Bühne erschien und für die Sendezeit gerade noch vertretbaren Körpereinsatz zeigte. An einem Tribut-Medley zu Ehren von Sly and the Family Stone beteiligten sich unter anderem Joss Stone, Maroon 5, will.i.am von den Black Eyed Peas, John Legend sowie Steven Tyler und Joe Perry von Aerosmith. Last but not least betrat auch noch Sly Stone höchstselbst die Bühne. Nicht nur, dass er seit 1987 zum ersten Mal wieder vor Publikum auftrat, er tat das auch in einem so schreiend grellen Goldlaméanzug und mit einem so imposanten weißen Irokesenschnitt, dass er aussah wie ein Funk-Kakadu.

Linkin Park traten zusammen mit Jay-Z (in John-Lennon-T-Shirt) auf und wurden gegen Ende ihres Auftritts bei einer Interpretation des Beatles-Klassikers »Yesterday« vom leibhaftigen Paul McCartney unterstützt. Kanye West und Jamie Foxx performten »Gold Digger« unter Mitwirkung eines Spielmannszugs.

Unter diesen pompösen Showeinlagen wirkt die Darbietung von Springsteen geradezu radikal in ihrer Schlichtheit. Allein, in Jeans und schwarzem Sakko, nur mit einer Gitarre und einer Mundharmonika bewaffnet, stand er auf der spärlich beleuchteten Bühne.

»I got my finger on the trigger, but I don't know who to trust«, hebt er an. Sein ganzer Auftritt unterstreicht die Dringlichkeit seines Anliegens. Schon in der ersten Zeile geht es um Leben und Tod. »What if what you do to survive kills the things you love? Fear's a powerful thing«, heißt es weiter. Im Verhältnis zu dem, was alle anderen an diesem Abend boten, war »Devils & Dust« eine todernste Darbietung, die Springsteen zudem mit dem einzigen politischen Statement der gesamten Veranstaltung beendete: »Holt sie nach Hause!«

Wie die meisten der 48,05 Prozent der amerikanischen Wähler, die 2004 John Kerry ihre Stimme gegeben hatten, war Springsteen nach der Wiederwahl von George W. Bush sehr enttäuscht. Gegen Ende des Wahlkampfs war er Schulter an Schulter mit Kerry aufgetreten und hatte sich dabei ganz persönlich in dessen Dienst gestellt. Und so empfand er

»MAN VERSUCHT IMMER WIEDER, NOCH EINE NEUE STIMME ZU FINDEN, DENN DADURCH KLINGEN DIE FIGUREN SEHR LEBENDIG.«

Bruce Springsteen, 2005

Kerrys Niederlage zu einem gewissen Teil auch als seine eigene. So frustrierend das war, es war nicht zu ändern, und so machte er sich wieder an seine Arbeit.

Mit *Nebraska* hatte Springsteen ein gewisses Prozedere etabliert, das sich auch danach immer mal wieder bewährt hatte und auf das er auch jetzt wieder zurückgriff, indem er erneut solo arbeitete – zumindest zum größten Teil. Nach der Reunion mit der E Street Band konnte er den Loyalitätskonflikt, in den er während seiner großen Selbstfindungsphase in den 90er-Jahren geraten war, für beendet erklären. Die Band hatte sich weder getrennt noch aufgelöst. Springsteen schaltete ab und an lediglich einen Gang runter. Der Einzige, den er diesmal kontaktierte, war Brendan O'Brien, dem er sagte: »Ich spiel dir ein paar Songs vor, du sagst mir, was du davon hältst, und dann sehen wir weiter.«

Ein Jahr zuvor, im November 2003, war das Set *The Essential Bruce Springsteen* erschienen, das zwei CDs voller Klassiker sowie eine dritte mit Raritäten und bislang unveröffentlichtem Material enthält. »From Small Things (Big Things One Day Come)« war ein *River*-Outtake von 1979, ein halsbrecherischer Shuffle über die Entscheidungen, die wir treffen, und die Konsequenzen, die sie nach sich ziehen. »County Fair«, das er 1983 im Stil von *Nebraska* zu Hause aufgenommen hatte, zeichnet das Bild eines lauschigen Sommerabends; zu Beginn ist sogar das Zirpen echter Grillen zu hören. »None But The Brave« entstand in New York während der *Born In The U.S.A.*-Ses-

Links: Backstage bei den Grammy Awards mit Paul McCartney, 8. Februar 2006.

Gegenüber: Springsteens eindringliche, ernste Darbietung von »Devils & Dust« stach heraus aus all dem bei der Preisverleihung üblichen Glitzer, Glamour und Pomp.

»ALS KIND HABE ICH SOWOHL GLÜCK ALS AUCH UNGLÜCK ERLEBT, WOBEI DAS EINE DAS ANDERE NICHT AUFHEBT.«

Bruce Springsteen, 2005

sions, versetzt den Hörer aber zurück ins Asbury Park der 70er-Jahre. Ein von Erinnerungen geplagter Erzähler sucht nach Antworten: »Now who's the man who thinks he can decide, whose dreams will live and whose shall be pushed aside.«

»Dead Man Walkin'« ist einer von drei Filmsongs auf *Essential*. Die anderen beiden sind »Missing« aus dem Sean-Penn-Streifen *Crossing Guard – Es geschah auf offener Straße* sowie »Lift Me Up« aus *Wenn der Nebel sich lichtet – Limbo* von Regisseur John Sayles, der auch die Videos zu »Born In The U.S.A.«, »I'm On Fire« und »Glory Days« gedreht hatte. Auf »Lift Me Up« singt Springsteen mit seiner Falsettstimme – wie auch bei der Akustikversion von »Countin' On A Miracle«, die in der Lounge der Southern Tracks Studios während der *Rising*-Sessions aufgenommen wurde.

»Er hatte ganz unterschiedliche Stimmen und sagte: ›Ich könnte so ein Typ sein‹, dann sang er ein Lied auf diese Weise. ›Ich könnte aber auch so jemand sein‹, sagte er und sang dieselbe Nummer auf eine ganz andere Art«, erzählte O'Brien 2011. »Und so probierte er die verschiedenen Stimmen durch und versuchte herauszufinden, welche für ihn am glaubwürdigsten war.«

Für das am 25. April 2005 veröffentlichte Album *Devils & Dust* fand Springsteen einige Stimmen für eine ganze Reihe von Figuren, die in Bedrängnis sind. »Es sind Lieder über Menschen, die um ihre Seelen bangen müssen oder sie gar zu verlieren drohen«, erklärte er. Jon Pareles von der *New York Times* nannte es Springsteens »Album der Familienwerte, voller Reflektionen über die Themen Gott, Mutterschaft und Heimat.« Pareles hat ebenso Recht wie Springsteen. *Devils & Dust* ist eine Gratwanderung zwischen Hell und Dunkel, zwischen Erlösung und Verdammnis.

Bei seinem Heimspiel im Theater der Continental Airlines Arena, East Rutherford, New Jersey, 19. Mai 2005.

»Wir alle tragen die Saat unserer Zerstörung in uns. Aber auch alle anderen Saaten«, sagte Springsteen beim Auftaktkonzert der anschließenden Solotour in Detroit in seiner Ansage zu »Leah«. In diesem Song macht sich ein Mann auf in ein neues Leben mit einem Haus »on higher ground«. In der einen Hand hat er einen Hammer, in der anderen eine brennende Laterne. Mit der einen Hand hat er aufgebaut, mit der anderen niedergebrannt. Er zählt zu den Glücklichen, die ihrem Glück selbst ein wenig auf die Sprünge helfen können. Dasselbe gilt für den Trucker, den es in die Wärme und Geborgenheit von »Maria's Bed« zieht und der ebenso glücklich klingt wie der Erzähler von »All I'm Thinkin' About«, dessen Geschichte Springsteen mit einer ähnlichen Falsettstimme singt.

Ein Hotelzimmer in »Reno« bildet die Kulisse für die andere Seite der Medaille, die uns Springsteen präsentiert. Ein Mann lässt sich auf eine Hure ein und versucht, sich in der Liebe zu verlieren, die mit ihr möglich ist. Durch das Fenster sieht er, wie die Sonne den Himmel blutig färbt, wie ihr Licht durch die Rollos schneidet. Während die Hure sich an die Arbeit macht, schließt er die Augen und verliert sich in Erinnerungen: Er sieht, wie die Sonne die Haare seiner Geliebten zum Leuchten bringt und erinnert sich an den Duft von »mock orange«. Er erinnert sich, glücklich und zufrieden gewesen zu sein. Doch »somehow all you ever need's never really quite enough you know. You and I, Maria, we learned it's so«. In diesem Moment kehrt der Erzähler in die Gegenwart zurück, zu der Hure in dem Hotelzimmer. Sie gibt ihm einen Drink und spricht einen Toast aus auf »the best you ever had«. Es ist einer der bittersten Momente des ganzen Albums, wenn der Erzähler daraufhin denkt: »It wasn't the best I ever had, not even close.«

»Long Time Comin'« erzählt von den Hoffnungen und Ängsten eines Vaters. Wieder einmal treffen wir auf eine alte Bekannte: »It's me and you, Rosie, cracklin' like crossed wires.« Schauplatz der Handlung ist – ähnlich wie in »Reno« – der amerikanische Westen. Anders als dort wirken die Figuren hier jedoch nicht eingeengt, vielmehr scheint sich hinter dem offenen Land, der Weite des Universums und dem Rauschen der Mesquitebäume, die sie umgeben, eine Welt voller Möglichkeiten zu verbergen. »If I had one wish in this god forsaken world, kids, it'd be that your mistakes would be your own«, singt Springsteen. Kurz darauf legt der Erzähler seine Hand auf den nackten Bauch seiner Frau, spürt die Tritte ihres dritten Kindes und schwört: »I ain't gonna fuck it up this time.«

Bei einem Auftritt in Portland, Oregon, brachte Springsteens Sohn Evan seinem Vater die Gitarre vor »Long Time Comin'«. »Das hat mich jetzt 100 Dollar gekostet«, scherzte er und fügte hinzu, dass ihn sein Sohn darauf hingewiesen habe, dass die korrekte For-

mulierung der oben genannten Zeile »I'm not gonna fuck it up too bad this time« hätte lauten müssen.

Bei den Aufnahmen zu der VH1-Sendung *Storytellers* wenige Wochen zuvor hatte Springsteen erzählt, dass er sich eine Zeit lang viele Gedanken darum gemacht habe, ob es gut sei, dass seine Kinder in ihrem Leben niemals so viel würden kämpfen müssen wie er. Mach dir keinen Kopf darum, habe ihm ein Freund geantwortet. Als Vater gibst du ihnen immer das Beste. Für den Rest sorgt das Leben ganz von selbst. »Er hatte Recht«, sagte Springsteen. »Wir müssen uns alle dem Leben stellen.«

In »Black Cowboys« bricht für Rainey Williams, einem Jungen aus der South Bronx, eine Welt zusammen. Er muss hilflos mitansehen, wie seine Mutter mehr und mehr den Drogen verfällt, bis »the smile Rainey depended on dusted away«. Er schnappt sich das Geld, das ihr Freund und Dealer hinter der Spüle versteckt hat, und flüchtet nach Oklahoma. »Silver Palomino« schrieb Springsteen für eine Freundin, die an Krebs starb, und ihre beiden Söhne. »The Hitter« erzählt die Geschichte eines Jungen, der mit dem Gesetz in Konflikt gerät und von seiner Mutter auf ein Schiff nach New Orleans gesetzt wird, damit ihn die Polizei nicht

Oben: Patti Scialfa kommt beim Auftritt im Rahmen der VH1-Sendung *Storytellers* für »Brilliant Disguise« auf die Bühne, Two River Theater, Red Bank, New Jersey, 4. April 2005.

Gegenüber und nächste Seite: Porträts von Danny Clinch, 2005.

»MAN SELBST UND DIE EIGENE STIMME MÜSSEN HINTER DEN PERSONEN, ÜBER DIE MAN SINGT, VERSCHWINDEN. WICHTIG IST: WAS WÜRDEN SIE TUN? WAS NICHT? WAS FÜR EINE STIMME HABEN SIE? WIE SPRECHEN SIE?«

Bruce Springsteen, 2005

findet. Er wird ein guter Boxer und verdient zunächst eine Menge Geld, dann geht es bergab. Am Ende steht er vor dem Haus seiner Mutter und fleht sie an: »Just let me lie down for a while and I'll be on my way.«

»Man sagt, dass der Drang, das eigene Fleisch und Blut zu beschützen, das Erste ist, was einen schlagartig überkommt, wenn einem ein Kind geboren wird«, sagte Springsteen bei einer Show in Philadelphia, »und dass man dieses Gefühl nie wieder loswird.« Und genauso ist es. Für sein Kind würde man alles tun. Man denke nur an die Jungfrau Maria, die Jesus auf dem Kreuzweg nicht von der Seite wich. »Das ist der Ort, an dem er sich bewähren muss«, sagte Springsteen in Storytellers. »Das ist seine ›Darkness on the Edge of Town‹.« Man stellt sich Jesus vor und fragt sich, was er in diesem Moment wohl gedacht haben mag. Springsteen tat das während der ganzen Tour, jedes Mal wenn er »Jesus Was An Only Son« sang. Er stellte sich vor, dass Jesus an eine kleine Bar in Galiläa dachte und sich überlegte, sie zu pachten. Maria Magdalena würde hinter der Theke arbeiten, sie würden Kinder bekommen und sehen, wie sie aufwachsen.

»Ich fand immer, dass unsere Entscheidungen durch das an Wert gewinnen, was wir mit ihnen opfern«, sagte Springsteen. »Man entscheidet sich für eine Sache und gibt eine andere dafür auf. Das verleiht unseren Entscheidungen Wert und Bedeutung.«

In »Matamoros Banks« zeigt Springsteen, welche Konsequenz es hat, wenn sich ein Grenzposten entscheidet, seine Waffe zu benutzen.

»Die interessanten Menschen sind die, an denen etwas nagt«, sagte Springsteen, »die aber nicht genau wissen, was.« Springsteen, so hätte man glauben können, hat Kerrys Wahlniederlage am meisten zu schaffen gemacht. Immerhin folgt auf dem neuen Album auf den Titelsong direkt »All The Way Home«, in dem der Erzähler gleich zu Beginn versichert, zu wissen, wie es sich anfühlt, wenn man vor aller Welt versagt hat. Diesen Song hatte Springsteen allerdings schon 1991 geschrieben. Viele andere Tracks entstanden während der Tom Joad-Phase. Die meisten Kritiker steckten das Album rasch mit Nebraska und Tom Joad in eine Schublade. Roy Bittan sieht das anders. »Devils ist, in konzeptioneller Hinsicht, viel näher an Human Touch. Es ist nur besser gemacht«, sagte er 2011.

Wie schon auf der Tom Joad-Tour bat Springsteen sein Publikum zu Beginn der Devils & Dust-Konzerte um Ruhe, dennoch waren die Shows viel lebhafter. Springsteen wechselte von der Gitarre ans Klavier, ans E-Piano, ans Harmonium und sogar ans Banjo. Er spielte »Real World« wieder in dem Arrange-

ment, das der Song verdiente. Er heulte »Reason To Believe« in ein verzerrt klingendes grünes Bullet-Mikrofon. In der Einleitung zu »Part Man, Part Monkey« bekamen der Präsident und die Konservativen für ihre Einstellung zur Evolutionstheorie ihr Fett weg. Er scherzte über seine Kinder, seine Karriere und sein Leben. In Florida gesellten sich Clarence Clemons und Steve Van Zandt zu Springsteen auf die Bühne. Nach einigen Konzerten ging er dazu über, seine Shows mit einer sehr eindringlichen Version des Suicide-Songs »Dream Baby Dream« ausklingen zu lassen. Zu Beginn saß er dabei am Harmonium, ließ die Melodie dann aber nach einiger Zeit in einer Endlosschleife weiterlaufen und sang weiter, während er über die Bühne ging und den simplen Text immerfort wiederholte. »Es ist so wunderbar musikalisch«, erklärte er 2006 in der Mojo. Es ist ein beseelter Song voller Freude und Hoffnung – ein geradezu perfekter Schlusspunkt seiner Shows.

»ICH VERFOLGE IMMER NOCH MIT EINEM AUGE, WAS MEIN ALTER VEREIN MACHT. DAS IST WIE BEI EINEM BASEBALL-TEAM. WENN DANN EIN NEUER SPIELER KOMMT, HOFFT MAN, DASS ES NÄCHSTE SAISON BESSER LÄUFT.«

Springsteen im Papstwahljahr 2005 über sein Verhältnis zur katholischen Kirche

Gegenüber: Springsteen bot bei seinem Storytellers-Auftritt nicht nur elektrisierende Solo-Akustik-Darbietungen einiger Songs, sondern erzählte auch einiges zu ihren musikalischen und inhaltlichen Hintergründen, wobei er die eine oder andere witzige Anekdote zum besten gab.

Links: Das Gitarrenarsenal für die Storytellers-Aufnahme.

WE SHALL OVERCOME: THE SEEGER SESSIONS

2006

»ES GIBT SO ETWAS WIE EINEN FOLKPROZESS – UND ZWAR SCHON SEIT JAHRTAUSENDEN. HIERBEI WIRD EINE ÄLTERE FORM ÜBERARBEITET, EINE ALTE MELODIE NEU ARRANGIERT, UM SIE JÜNGEREN OHREN NÄHERZUBRINGEN.«

PETE SEEGER, 2006

2006

21. Januar: Letzte Seeger-Session im Thrill Hill East Studio.

8. Februar: Springsteen gewinnt seinen zweiten Grammy in Folge für die beste Solo-Gesangsdarbietung (Rock), diesmal mit »Devils & Dust«.

28. Februar: Veröffentlichung von *Hammersmith Odeon London '75* (US 93, UK 33).

24. April: Veröffentlichung von *We Shall Overcome: The Seeger Sessions* (US 3, UK 3).

30. April: Auftakt zur *Seeger Sessions*-Tour, New Orleans Fairgrounds.

27. Mai: Nach einer kurzen Europa-Etappe wird die US-Tour fortgesetzt im Tweeter Center, Mansfield, Massachusetts.

25. Juni: Abschlusskonzert der US-Tour im PNC Arts Center, Holmdel, New Jersey.

1. Oktober: Auftaktkonzert zum ausgedehnten europäischen Teil der Tour im Palamalaguti in Bologna.

21. November: Abschlusskonzert der *Seeger Sessions*-Tour in der Odyssey Arena in Belfast.

Vorherige Seite: Während der Tourproben, April 2006.

Oben: Tweeter Center, Camden, New Jersey, 20. Juni 2006.

Rechts: Die Sessions-Band im Thrill Hill East Studio.

Mr. Tavenner: »Welchem Beruf oder welcher Beschäftigung gehen Sie nach?«

Mr. Seeger: »Nun, ich habe schon vieles gemacht, aber hauptberuflich studiere ich amerikanische Folklore. Meinen Lebensunterhalt verdiene ich als Banjospieler – was in den Augen einiger wohl nicht gerade für mich spricht.«

Pete Seeger war im Jahr 1955 nach New York einbestellt worden, um dem Komitee für unamerikanische Umtriebe (HUAC) Rede und Antwort zu stehen. Das HUAC war ein Regierungsgremium, das eingesetzt worden war, um die Unterwanderung der amerikanischen Gesellschaft durch Anhänger als feindlich angesehener politischer Ideologien (vor allem des Kommunismus) zu verhindern. Den Vorsitz bei der Anhörung hatte der Abgeordnete der Demokratischen Partei und Komiteevorsitzende Francis E. Walter. Außerdem anwesend waren zwei Komiteemitglieder, der Rechtsanwalt Frank Tavenner, zwei Ermittler und ein Sekretär.

Seeger brachte die Vernehmungsbeamten mit seiner sturen, selbstgewissen Haltung fast zur Weißglut. Er sollte sich dafür verantworten, dass sein Name regelmäßig in der kommunistischen Zeitung *Daily Worker* zu lesen war, sowie für diverse Auftritte bei Kundgebungen und Versammlungen zur Rechenschaft gezogen werden. Seeger stand allerdings auf dem Standpunkt, dass sich kein Amerikaner für seine religiösen, politischen oder philosophischen Ansichten rechtfertigen müsse. »Das ist Privatsache«, sagte er.

Auf das im 5. Zusatzartikel zur Verfassung der Vereinigten Staaten festgeschriebene Aussageverweigerungsrecht berief er sich nicht, da er annahm, damit gewissermaßen eine Schuld einzugestehen. Und so drehte sich das Gespräch fortwährend im Kreis. Pete Seeger bot dem Komitee an, sich über seine Lieder und sein Leben zu unterhalten, weigerte sich aber, Auskunft darüber zu erteilen, wann, wo und vor wem er aufgetreten war. »Herr Vorsitzender, die Antwort ist dieselbe wie zuvor«, sagte er und betonte

»ES GEHT DARUM, IN EINE ANDERE HAUT ZU SCHLÜPFEN. BEIM MUSIKMACHEN WIE GENERELL BEI DER KUNST IST VOR ALLEM FANTASIE GEFRAGT, UND NICHT ZU VERGESSEN: EINFÜHLUNGSVERMÖGEN.«

Bruce Springsteen, 2006

immer wieder, dass er die Frage für illegitim hielt. »Diese Antwort akzeptieren wir nicht«, hielt man ihm entgegen. »Sir, meine Antwort bleibt dieselbe.«

Die Anhörung endete damit, dass Seeger vor dem Komitee neunmal in Folge den Satz »Die Antwort ist dieselbe wie zuvor« wiederholte, woraufhin Walter ihn als Zeugen entließ.

45 Jahre später stand Springsteen nur ein paar U-Bahn-Stationen von dem Ort entfernt, wo Seeger damals befragt wurde, auf der Bühne des Madison Square Garden und gratulierte der Folklegende zusammen mit vielen anderen Gästen zu seinem 90. Geburtstag.

»Irgendwann«, so Springsteen, »entschloss sich Pete Seeger, ein wandelndes, singendes Mahnmal der amerikanischen Geschichte zu werden. Er ist ein lebendes Archiv der amerikanischen Musik und so etwas wie das amerikanische Gewissen.«

Seeger lernte bei Lead Belly und sang mit Woody Guthrie bei den Alma-

Gegenüber: Backstage mit Pete Seeger beim Clearwater Concert zur Feier von Seegers 90. Geburtstag. Madison Square Garden, 3. Mai 2009.

Diese Seite: Seeger vor dem Komitee für unamerikanische Umtriebe im August 1955 (ganz links) und etliche Jahre später in New York, wo er am 20. Januar 1968 in der Carnegie Hall beim Gedächtniskonzert für den im letzten Herbst verstorbenen Woody Guthrie zusammen mit Bob Dylan singt (rechts).

nac Singers. 1963 spielte er – wie auch Bob Dylan – bei einer Bürgerrechtskundgebung in Greenwood, Mississippi. Im selben Jahr trat Dylan zum ersten Mal auf dem Newport Folk Festival auf, das Seeger mit ins Leben gerufen hatte. Das Festival endete mit einem gemeinsamen Auftritt von Dylan, Seeger, Joan Baez und einigen anderen, die mit vereinten Kräften »We Shall Overcome« und »Blowin' In The Wind« sangen. Beim berühmten Marsch auf Washington, der ebenfalls 1963 stattfand, sangen Peter, Paul and Mary Seegers Lied »If I Had A Hammer«. Als Dylan 1965 in Newport seine elektrische Phase einläutete, ärgerte sich Seeger maßlos, da für ihn der elektrisch verstärkte Sound einen Verrat an der puristischen Folkmusik darstellte, und drohte, Dylan den Stecker zu ziehen.

Seeger engagierte sich Zeit seines Lebens für Bürger- und Arbeiterrechte, für den Umweltschutz und die Friedensbewegung. Er reiste durch ganz Amerika, um den Menschen seine Lieder vorzuspielen, um sie zum Mitsingen zu bewegen und seinen Teil dazu beizutragen, die folkloristische Tradition aufrechtzuerhalten. Er war unbeugsam und kompromisslos. 2006, als Seeger die 80 weit überschritten hatte, endete ein Porträt im *New Yorker* über ihn mit einem Bild, das ihn alleine im Schneematsch am Straßenrand zeigte, wie er ein Pappschild mit der Aufschrift »Peace« hochhielt.

»Der wahre fleischgewordene Geist von Tom Joad ist heute Abend unter uns«, sagte Springsteen dem Publikum im Madison Square Garden. »Er wird jeden Moment hier auf der Bühne stehen. Er wird erschreckende Ähnlichkeit mit einem Flanellhemden und komische Mützen tragenden Opa haben. Er wird aussehen wie euer eigener Opa, falls euch euer Opa noch in den Hintern treten kann.«

Natürlich war Springsteen, der seine eigene politische Überzeugung öffentlich immer offensiver vertrat, ein großer Fan von Pete Seeger – 1997, gegen Ende seiner *Tom Joad*-Solotour, hatte er über ihn allerdings noch relativ wenig gewusst. Eines der Dinge, die es nach seiner Rückkehr von der Tour noch zu erledigen galt, war einen Song für ein geplantes Tributalbum zu Ehren Seegers zu schreiben. Um sich zu inspirieren, kaufte er in einem Plattenladen alles, was es dort von Seeger gab, und vertiefte sich in dessen Biografie.

Zur selben Zeit war Springsteen auf der Suche nach einer Band, die bei einer Feier auf seiner Farm in New Jersey spielen sollte. Er folgte schließlich einer Empfehlung von Soozie Tyrell (die mit ihm erstmals 1992 zusammengearbeitet hatte und seit der *Rising*-Tour zusammmen mit der E Street Band tourte) und engagierte die Gotham Playboys, die sich auf Cajun-Musik, Zydeco und andere akustische Stilrichtungen spezialisiert hatten. »Das war genau der Sound, nach dem ich suchte, um diesen Tributsong für Pete aufzunehmen«, schrieb Springsteen 2006. Im November 97 fand auf

»DIE WAHREN FOLK-INSTRUMENTE SIND DIE, DIE OHNE STROM FUNKTIONIEREN. MAN KONNTE SIE ÜBERALL HIN MITNEHMEN ... MAN KONNTE SIE ZU HAUSE SPIELEN, IN KNEIPEN UND GEMEINDESÄLEN – UND DAS IST HEUTE NOCH SO.«

Bruce Springsteen, 2006

seiner Farm die erste Session statt. Die Band stellte sich im Wohnzimmer auf, die Bläser standen im Flur, und dann legten sie los. Für das 1998 erschienene Album *Where Have All The Flowers Gone – The Songs of Pete Seeger* wählte man aus den Aufnahmen dieser Session eine Version von »We Shall Overcome« aus.

Kurze Zeit später wurde die E Street Band wieder reaktiviert. Erst 2004, nach der »Vote For Change«-Tour, hörten sich Springsteen und Landau das Material, das bei der Session entstanden war, hinsichtlich der Verwendung für eine eventuelle zweite *Tracks*-Sammlung noch einmal an. Schnell war man sich einig, dass die Aufnahmen Potenzial für ein eigenständiges Projekt hätten und vereinbarte für März 2005, kurz vor Beginn der *Devils & Dust*-Tour, eine weitere Session. Eine dritte folgte kurz nach der Tour, Anfang 2006.

Am 24. April 2006, nur 364 Tage nachdem *Devils & Dust* herausgekommen war, veröffentlichte Springsteen *We Shall Overcome – The Seeger Sessions* – sein

»We are brothers and sisters, all.« Aufwärmen für das letzte vor der Tour stattfindende Probekonzert in der Asbury Park Convention Hall am 26. April 2006.

erstes (und bislang einziges) Album mit Coverversionen. Darauf ist, wie Springsteen sagt, weniger Musik zu hören, die *gespielt*, als solche, die *gemacht* wird. »Es entsteht eine ganz bestimmte Energie, wenn keiner wirklich weiß [wo's langgeht] und man einfach nur drauflosspielt«, sagt Springsteen in dem Making-Of-Video zum Album. »Wenn man einfach rumprobiert, liegen Chance und Chaos eng beieinander. Wenn man aber die Chancen zu nutzen weiß, kann etwas ganz Besonderes entstehen.«

Beim Spielen gab Springsteen Kommandos zu Soli oder Akkordwechseln, alles war ungemein spontan. Auch Nebengeräusche, Gelächter der Musiker und sogar Fehler kamen mit aufs Band. »Braucht noch jemand ein Bier oder sonst was?«, fragt Springsteen. »Müsst ihr eure Stimmbänder noch ölen? Wir brauchen einen echt wilden Sound. Ich will einen richtig bierseligen Whiskeysound.«

Seeger hat die Songs auf dem Album nicht geschrieben, aber er hat sie bekannt gemacht, hat die Mitsingaktionen initiiert, bei denen sie gespielt wurden, hat Kraft und Trost in ihnen gefunden und sie mit anderen geteilt. Lieder wie »We Shall Overcome«, können auf eine eigene, stolze Geschichte zurückblicken. Die ursprüngliche Baptistenhymne wurde zunächst von der Arbeiterbewegung aufgegriffen, bevor sie die amerikanischen Bürgerrechtler für sich entdeckten und sie so zum Protestlied wurde. Zeilen wie »We shall overcome«, »We'll walk hand und hand« und »We are not afraid« sind ungeheuer gemeinschaftsstiftend. Ganz ähnlich wie »Eyes On The Prize«, in dem es heißt: »Freedom's name is mighty sweet, and soon we're gonna meet«. Es ist ein allgemeingültiges Versprechen, das damals, heute und in Zukunft gesungen werden kann. Lieder wie dieses eignen sich für Streikende ebenso wie für Demonstranten. Wie die beiden Spirituals auf dem Album, »O Mary Don't You Weep« und »Jacob's Ladder«, können sie auch in der Kirche gesungen werden. Kein religiöses Lied im klassischen Sinn ist »Shenandoah«, doch das innig empfundene Bild der Heimat, das von einem Erzähler gezeichnet wird, der nach Westen aufbricht, um dort sein Glück zu finden, trägt durchaus religiöse Züge.

Das bei Weitem älteste Lied des Albums ist »Froggie Went A Courtin'«, das sich bis ins Schottland des 16. Jahrhunderts zurückverfolgen lässt. »My Oklahoma Home«, der jüngste Song auf der Platte, wurde 1961 von Sis Cunningham und ihrem Bruder Bill geschrieben. Erzählt wird die Geschichte eines armen Mannes, der sich in Oklahoma niederlässt und dem die Staubstürme alles nehmen. »Everything except my mortgage blown away«, heißt es dort.

»Old Dan Tucker« wäscht sein Gesicht mit einer Bratpfanne, kämmt sein Haar mit einem Wagenrad »and died with a toothache in his heel«. Er ist einer

von den liebenswürdigen, den lustigen Trinkern, einer der, wie Springsteen einmal Dave Marsh erklärte, gut auf *Greetings* gepasst hätte. Am anderen Ende der Stimmungsskala steht »Mrs. McGrath«, ein Antikriegslied, in dem ein Sohn nach mehr als sieben Jahren aus einem Krieg heimkehrt, in dem er beide Beine verloren hat. »All foreign wars I do proclaim, live on blood and a mother's pain«, sagt Mrs. McGrath. Marsh, der die Recherchen für die Linernotes übernahm, datiert das Lied auf das Jahr 1815, durch eine geringfügige Textänderung stellt Springsteen allerdings rasch einen Bezug zur Gegenwart her: »I'd rather have my son as he used to be, than the King of America and his whole Navy«.

»John Henry« und »Jesse James« erwecken amerikanische Volkshelden zu neuem Leben. Beide kommen gewaltsam zu Tode – James stirbt durch die Hand eines seiner Bandenmitglieder, Henry nach seinem symbolischen Kampf gegen den Dampfhammer des Eisenbahnmagnaten –, aber ihre Geschichten sind unsterblich und werden fortgeschrieben. Jesse hat Frau und Kinder, die um ihn trauern. Und John Henry hat eine Frau, die mit seinem Hammer weiterarbeitet, so hart wie jeder andere Schienenarbeiter an der Strecke.

Wer »forty days and nights at sea« gearbeitet hat, erwartet, dass er auch bezahlt wird, worum es auch in »Pay Me My Money Down« geht. Der Erzähler von »Erie Canal« hat zwar keinen Job, verfügt dafür aber über reichlich Erfahrung und einen sehr robusten Maulesel, den man besser nicht ärgern sollte, wenn man von ihm nicht getreten werden will.

»Ich hörte Hunderte von Stimmen in diesen alten Volksliedern und Storys aus allen Epochen der amerikanischen Geschichte – Musik aus Wohnzimmern, Kirchen, Tavernen, von der Straße und aus der Gosse«, sagte Springsteen im Gespräch mit dem *New Yorker*. »Er betrachtet Musiker als wichtige historische Zeugen und Vermittler ... Zugleich schwingen bei Pete immer auch reichlich Spaß und eine gewisse Leichtigkeit mit, und genau das macht seine Größe aus.«

Sechs Tage nach der Veröffentlichung des Albums trat Springsteen mit siebzehn Musikern beim ersten New Orleans Jazz and Heritage Festival nach Hurrikan Katrina auf. Acht Monate zuvor war die Stadt überflutet worden; es hatte viele Tote gegeben, der Superdome war zu einem Flüchtlingslager geworden und ganze Viertel, die als Geburtsstätte der Musik galten, die Springsteen jetzt in die Stadt brachte, waren verwüstet.

Am Tag vor seinem Auftritt machte sich Springteen vor Ort ein Bild von der Zerstörung und sprach mit freiwilligen Helfern. Keith Spera, der Musikredakteur der *Times-Picayune*, berichtet, dass Springsteen der New Orleans Musician Clinic 80 000 Dollar spendete.

Oben: Der mitreißende Auftritt beim New Orleans Jazz and Heritage Festival am 30. April 2006 bildete den Tourauftakt.

Gegenüber: Pause zwischen den Proben für die Grammy-Awards-Show, 8. Februar 2006. Bruce Springsteen gewinnt zum zweiten Mal in Folge den Grammy für die beste Solo-Gesangs-darbietung (Rock), diesmal mit »Devils & Dust«.

»BEI DIESER MUSIK MUSS MAN UNWEIGERLICH MITSINGEN. SIE ROCKT, OBSCHON ES KEINE ECHTE ROCKMUSIK IST. MAN IST NICHT AUF DIESEN GANZ SPEZIELLEN BEAT ODER DIESES TEMPO BESCHRÄNKT. ES IST ERSTAUNLICH, WIE SCHNELL WIR DAS GANZE ARRANGIERT HABEN.«

Bruce Springsteen, 2006

Springsteen und die Sessions Band eröffneten ihr Konzert mit »O Mary Don't You Weep«, ein Lied, in dem unter anderem an Gottes Versprechen gegenüber Noah, nie wieder eine sintflutartige Flut zu schicken, erinnert wird. Auf dem Höhepunkt der Show hielt Springsteen inne, um seine Eindrücke von dem, was er am Vortag gesehen hatte, mitzuteilen. »Ich sah Dinge, von denen ich mir nie hätte träumen lassen, das es so etwas in einer amerikanischen Stadt geben könnte«, sagte er. »... So etwas passiert, wenn Politiker ihre Spielchen mit dem Leben anderer treiben.«

Danach spielte er »How Can A Poor Man Stand Such Times And Live«, ein Lied, das »Blind« Alfred Reed kurz nach dem Börsencrash von 1929 geschrieben hatte. Springsteen ließ die erste Strophe des Originals unverändert, jedoch fügte er drei neue hinzu, in denen er die Situation in New Orleans nach der Überflutung verarbeitete. Es folgten »Jacob's Ladder« und »We Shall Overcome«. Nur diese drei Songs brauchte er, um von der Wut über das, was war, hin zur Hoffnung auf das, was kommt, überzuleiten. Springsteen beendete das reguläre Set mit »My City Of Ruins« und den Zugabenteil mit dem wohl bekanntesten Lied der Stadt: »When The Saints Go Marching In«. Mithilfe seiner großartigen Bläsersektion verwandelte er dieses Lied in ein Gelöbnis, aus dem eine Zeile der letzten Strophe besonders hervorstach: »Now some say this world of trouble is the only world we'll ever see. But I'm waiting for that morning when the new world is revealed.«

Von New Orleans ging es nach Europa. Alten Klassikern wurde neues Leben eingehaucht. Aus »Open All Night« wurde eine Big-Band-Swing-Nummer. »If I Should Fall Behind« kam als Walzer daher. Und kaum noch wiederzuerkennen war das als treibender Offbeat-Folk präsentierte »Blinded By The Light«.

Zudem schrieb Springsteen noch einen neuen Text zu Seegers Anti-Vietnamkrieg-Song »Bring Them Home«. Inspiriert von dem Gedicht »He Lies In The American Land« von Andrew Kovaly, das Seeger vertonte, schrieb er »American Land«. In der typischen Tonart eines keltischen Mitsinglieds werden in dem Song die Vorstellungen, die Einwanderer von Amerika haben (»there's diamonds in the sidewalk«, »gold comes rushing out the river«), der harten Realität (»the hands that built the country, we're always trying to keep down«) gegenübergestellt. Veröffentlicht wurden beide Songs erstmals auf einer Special Edition von *We Shall Overcome*. Ein Livealbum und eine DVD des Dublin-Konzerts wurden ebenfalls herausgebracht.

Dem *Billboard*-Magazin erklärte Seeger, er wäre gerne zu einem der Konzerte gegangen – wenn er eine gute Verkleidung zur Hand gehabt hätte. Er fühle sich geehrt und hoffe, dass die Aufmerksamkeit, die seiner Musik durch Springsteen zuteil werde, mehr Menschen dafür begeistern würde, aber »um Himmels willen, ich brauche so eine Publicity nicht«, sagte er.

Springsteen sagte NPR: »Wie frisch das Ganze klingt, erkennt man an der Reaktion des Publikums. Mit den Jahren ritualisieren sich verschiedene Element der eigenen Show quasi von selbst. Aber wenn man noch einmal alles ganz neu macht, dann ist jeder Song so etwas wie ein Schritt in noch unentdecktes Gebiet.«

Beim Auftritt in der Heineken Music Hall in Amsterdam am 16. Mai 2006.

MAGIC

2007

»ICH WEISS NOCH, DASS EINIGE
KRITIKER SCHRIEBEN: ›ER IST ZU
NACHGIEBIG‹, UND ICH GLAUBE, ICH
HAB DRAUF GESCHISSEN.«

BRENDAN O'BRIEN, 2011

2007

11. Februar: Springsteen gewinnt Grammys für das beste traditionelle Folkalbum (für *We Shall Overcome: The Seeger Sessions*) und das beste Musik-Langvideo (für *Wings for Wheels: The Making of Born To Run*).

Februar – Mai: Aufnahmesessions für *Magic* in den Southern Tracks Studios. Die *Working on a Dream*-Sessions beginnen kurz darauf und finden während der *Magic*-Tour 2007 und 2008 statt.

5. Juni: Veröffentlichung der *Live in Dublin*-CD (US 23, UK 21) und -DVD.

30. Juli: Terry Magovern, Springsteens Freund und Assistent, stirbt.

2. August: Springsteen spielt »Terry's Song« auf Magoverns Beerdigung in Red Bank, New Jersey.

2. Oktober: Veröffentlichung von *Magic* (US 1, UK 1) und Auftakt zur *Magic*-Tour im Hartford Civic Center, Hartford, Connecticut.

19. November: Abschluss des ersten Teils der US-Tour im TD Banknorth Garden, Boston; Danny Federicis letztes komplettes Konzert.

25. November: Auftakt zum ersten Teil der Europa-Tour im Palacio de Deportes, Madrid; Charles Giordano ersetzt Federici.

19. Dezember: Abschluss des ersten Teils der Europa-Tour in der O2 Arena in London.

2008

10. Februar: Springsteen gewinnt Grammys für den besten Rocksong und die beste Sologesangsdarbietung (Rock) (für »Radio Nowhere«) sowie für die beste Darbietung eines Rockinstrumentals (für »Once Upon A Time In The West« vom Tributalbum *We All Love Ennio Morricone*).

28. Februar: Die *Magic*-Tour wird fortgesetzt wo sie begann, im Hartford Civic Center.

20. März: Federicis letzter Auftritt mit der E Street Band, Conseco Fieldhouse, Indianapolis.

16. April: Springsteen unterstützt Barack Obamas Kandidatur.

17. April: Danny Federici stirbt im Ater von 58 Jahren.

21. April: Springsteen singt drei Lieder und hält die Trauerrede auf Federicis Beerdigung in Red Bank, New Jersey.

2. Mai: Abschlusskonzert des zweiten Teils der US-Tour im Bankatlantic Center, Sunrise, Florida.

7. Mai: Darbietung der beiden Alben *Darkness On The Edge Of Town* und *Born To Run* bei einem Fundraising-Event zugunsten des Count Basie Theater in Red Bank, New Jersey, wo das Konzert stattfindet.

22. Mai: Auftakt zum zweiten Teil der Europa-Tour, RDS Arena, Dublin.

20. Juli: Abschlusskonzert des zweiten Teils der Europa-Tour im Camp Nou, Barcelona.

27. Juli: Auftaktkonzert zum dritten und letzten US-Teil der Tour im Giants Stadium, East Rutherford, New Jersey.

24. August: Tourabschlusskonzert im Sprint Center in Kansas City.

5. September: Der Film *The Wrestler*, zu dem Springsteen den Titelsong schrieb, feiert Weltpremiere bei den Filmfestspielen in Venedig.

Vorherige Seite: Licht und
Schatten, 2007.

Rechts: Datch Forum, Mailand,
28. November 2007.

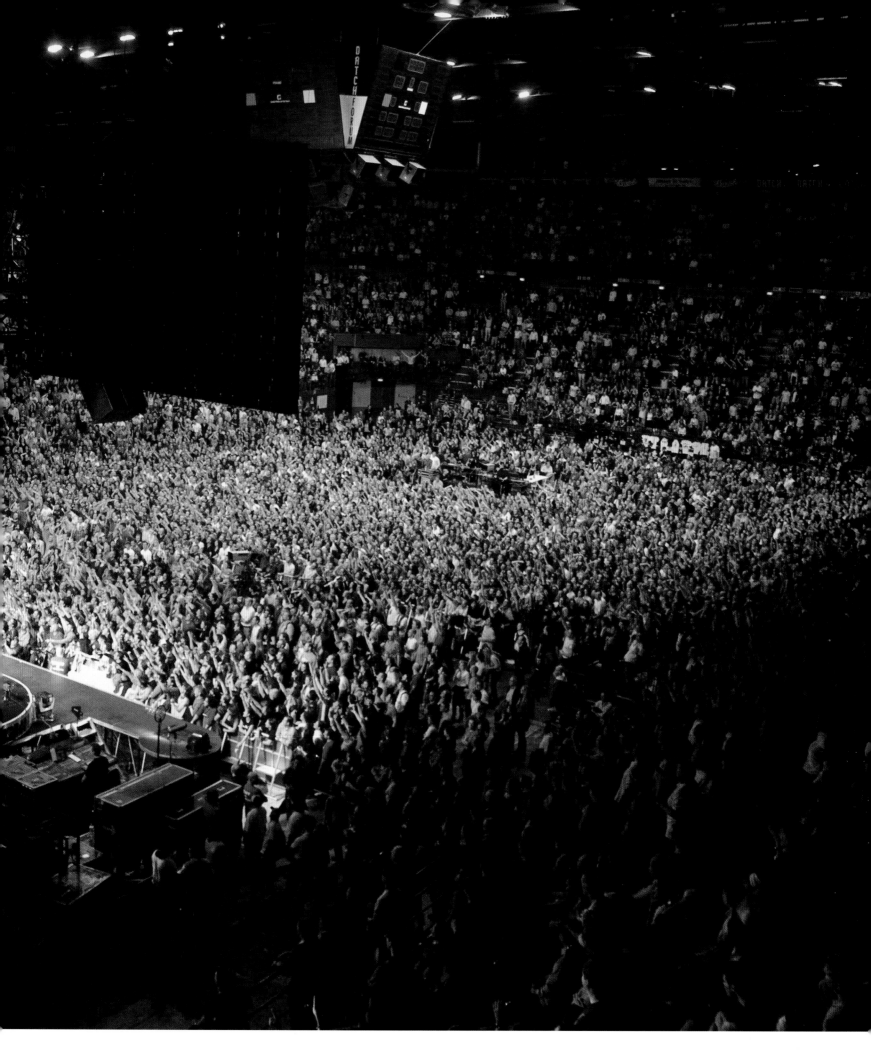

Was den Dixie Chicks widerfuhr, war eine Warnung. Im März 2003 machte Sängerin Natalie Maines bei einem Auftritt in London unmissverständlich klar, dass die Band dagegen sei, gegen den Irak einen Krieg zu beginnen. Zudem schäme sie sich für George W. Bush, da der amtierende Präsident aus ihrem Heimatstaat Texas stamme. Daraufhin brach ein Sturm der Entrüstung los. Dixie-Chicks-CDs sollten öffentlich zerstört werden. Es gab Boykottaufrufe, und die Songs der Band wurden aus dem Radio verbannt. Bei ihren Auftritten kam es zu Protestaktionen. Sie wurden als unamerikanisch und vaterlandslos beschimpft. Die Haltung der Countrystars spaltete die Nation. Springsteen, der gerade mit *The Rising* auf Tour war, stärkte ihnen mit einem Kommentar auf seiner Website den Rücken: »Meiner Meinung nach sind sie ganz fantastische amerikanische Künstlerinnen, die amerikanische Werte hochhalten, indem sie als Amerikanerinnen ihr Recht auf freie Meinungsäußerung wahrnehmen.« Sieben Monate später – er war kaum wieder zu Hause – schrieb er »Livin' In The Future«. Und dann passierte erst mal nichts.

»Bruce Springsteen vertritt liberale Ansichten«, sagte der konservative TV-Moderator Bill O'Reilly in seiner Nachrichtensendung vom 3. Oktober 2007 auf dem Fox News Channel. »Zurzeit rührt er die Werbetrommel für sein neues Album. Dabei trat er letzten Freitag auch in der *Today*-Show auf.« An dieser Stelle sahen die Zuschauer einen Einspieler, der Springsteen bei einer Rede auf der Rockefeller Plaza vor der New Yorker NBC-Zentrale zeigte. »In den vergangenen sechs Jahren haben sich die Amerikaner durch illegale Auslieferungen, illegales Abhören, Wahlpannen, Verhaftungen ohne richterlichen Haftbefehl und rechtstaatliches Gerichtsverfahren, die Gleichgültigkeit gegenüber unserer großartigen Stadt New Orleans und ihrer Bevölkerung, einen Frontalangriff auf die Verfassung sowie den Verlust unserer besten Männer und Frauen in einem tragischen Krieg hervorgetan. Dieser Song handelt von Dingen, die hier nicht passieren sollten.«

Großmütig gestand O'Reilly Springsteen zu, »das Recht auf eine abweichende Meinung« zu haben. Wirklich respektieren würde man diese allerdings nur, wenn er sich bereit erklärte, sie in seiner – O'Reillys – Sendung zu verteidigen. »Denn Popstars werden eher selten zur Rechenschaft gezogen«, meinte der Moderator. Fünf Tage später erklärte er sich öffentlich bereit, 25 000 Dollar für einen guten Zweck zu spenden, wenn Springsteen seine Einladung annähme.

Springsteen reagierte, indem er tat, was alle, die sich über die Dixie Chicks geärgert hatten, von *ihnen* erwartet hätten. »Wir werden darüber singen«, sagte er und begann mit der Band, »Livin' In The Future« zu spielen. Schon die erste Zeile gibt den Ton vor: »A let-

ter come blowin' in, on an ill wind.« Den Himmel verdunkeln »gunpowder und shades of grey«. Der Horizont leuchtet »bloody red«. Bei einem Kuss liegt ein »taste of blood on your tounge«. Wilde Hunde streunen herum. Das Meer tost und die Erde bebt. Die Schuhe einer Frau klackern durch die Straßen »like the barrel of a pistol spinnin' round«. Von überall kamen nur schlechte Nachrichten. Ist das ein Donnergrollen in der Ferne? Oder ist es »the sinkin' sound of somethin' righteous goin' under?«

»Livin' In The Future« war so etwas wie der »Ausgangspunkt, der Urquell des Albums«, sagte Springsteen 2011. Das am 2. Oktober 2007 veröffentlichte *Magic* durchzieht ein großes Unbehagen. In insgesamt zwölf Songs wird einiges an Blut vergossen. Das ist der Preis, den man für den Betrug zu zahlen hat, dafür, dass man auf den Trick hereingefallen ist und sich der Illusion hingegeben hat. »I'll cut you in half,

> # »ES MUSS POLITISCH SEIN, UM RESONANZ ZU FINDEN. ZUGLEICH SOLLTE ES EIN GUTER TRENNUNGSSONG SEIN ... SO MACHE ICH ES GANZ GERNE. DAS BEWAHRT EINEN DAVOR, ZUM SONNTAGSREDNER ZU WERDEN.«

Bruce Springsteen, 2011

while you're smiling ear to ear«, singt ein unheimlicher Zauberer.

Springsteen war sich bewusst, dass das Album in einem entscheidenden Wahljahr erschien. Er wusste, dass er als eine Art Stimmungsbarometer und jede seiner Veröffentlichungen als Reaktion auf die aktuelle politische Lage in Amerika angesehen werden würden. Springsteen kannte die aggressiven Wahlkämpfe und die plumpe Meinungsmache zur Genüge, ihm war klar, worauf er sich einließ. Als es darum ging, das Album zu promoten, stellte er sich sogar einer politischen Magazinsendung für ein Interview zur Verfügung. Es war zwar nur das eher gemäßigte *60 Minutes*, aber immerhin ein Politmagazin. Mit 58 stürzte sich der Musiker beherzt in die Schlacht. »Diese Suppe haben wir uns eingebrockt, und sie nützt uns gar nichts«, erklärte er

im Dezember 2007 in der *Spin*. »Man muss einfach weiter darauf pochen, seinen Idealen treu bleiben und den kleinen Beitrag leisten, den man leisten kann.«

Mit Produzent Brendan O'Brien und der E Street Band hatte Springsteen in Atlanta sein ambitioniertestes Album seit *Born To Run* aufgenommen, das musikalisch gesehen paradoxerweise mehr Ähnlichkeit mit *Pet Sounds* hatte als mit einem Punkalbum, das man aufgrund des thematischen Fokus wohl eher erwartet hätte. Cellos und Geigen untermalen die gefälligen Popsounds. Die volltönenden Arrangements sind im Grunde ein Illusionszauber aus Springsteens Trickkiste. *Magic* erweckt nur von der Musik her den Eindruck, als sei alles in Ordnung. Doch das ist es nicht. Oberflächlich betrachtet geht es in dem wunderbar eingängigen »I'll Work For Your Love« um genau das, was

Gegenüber: Mit ihrer Kritik an George W. Bush zogen die Dixie Chicks teils heftige Anfeindungen aus konservativen Kreisen auf sich.

Oben: Springsteen brachte sich selbst in die Schusslinie mit seinen Kommentaren in der *Today*-Show am 28. September 2007.

»ES IST DIE SEHNSUCHT, DIE UNGESTILLTE SEHNSUCHT NACH DER PERFEKTEN WELT. POP IST EIN WITZ. ER IST EINE MOGELPACKUNG. EINE WICHTIGE VIELLEICHT, ABER EINE MOGELPACKUNG. UND GENAU DAS MACHT IHN AUS.«

Bruce Springsteen, 2007

der Titel andeutet. Doch in ihren »empty eyes of blue« sieht man die »pages of Revelation« – die Apokalypse. Die »city of peace has crumbled, our book of faith's been tossed«. Glaube, Liebe, Friede, Hoffnung – all die Werte, die *The Rising* davor bewahrten, ein Abgesang auf das Leben zu werden, sind in der Zwischenzeit verloren gegangen.

»Das Album ist eine Bestandsaufnahme der Kosten und Verluste«, erklärte Springsteen dem *New York Times*-Redakteur A. O. Scott. Eine Bestandsaufnahme, mit der sich die meisten nicht auseinandersetzen wollten. Es war viel einfacher, darum zu streiten, welche Partei aus der politischen Schlacht als Sieger hervorgehen sollte, als sich den Folgen zu stellen, die die wahren Kriege zeitigten. »We don't measure the blood we've drawn anymore«, singt Springsteen in »Last To Die«. »We just stack the bodies outside the door.« Der Refrain – »Who'll be the last to die for a mistake« – ist einer Rede vor dem Senatsausschuss entlehnt, die John Kerry 1971 hielt, kurz nachdem er aus Vietnam zurückgekehrt war. »Wie bittet man einen Menschen darum, der Letzte zu sein, der in Vietnam fällt?«, fragte Kerry. Im Grunde genommen haben sich nur die Namen der Kriege geändert.

Oben: John Kerry bei seinem Auftritt vor dem Senatsausschuss für auswärtige Angelegenheiten, April 1971.

Rechts: Tourprobe in der Asbury Park Convention Hall, September 2007.

»ICH FINDE, WENN MAN EINEN SCHWIERIGEN TEXT ZUM FUNKELN BRINGEN KANN, WIRD DAS GANZE WENIGER EINDIMENSIONAL. ER HATTE NICHTS DAGEGEN, DASS WIR SIE ALLE [DIE SONGS] MIT ETWAS ZUCKERGUSS VERZIEREN. UND ICH WAR NUR ZU GERN BEREIT DAZU.«

Brendan O'Brien, 2011

Bei dem Besuch einer Tourprobe in Asbury Park vor Beginn der *Magic*-Tour wurde Scott Zeuge, wie Springsteen und die Band eine perfekte Überleitung von »The Rising« zu »Last To Die« schafften. »Es ist kaum übertrieben zu sagen, dass man Mr. Springsteens Einstellung zur US-amerikanischen Geschichte nach dem 11. September anhand des Raums zwischen den Refrains dieser beiden Lieder nachvollziehen kann«, schrieb Scott. Eigentlich wird sie an jeder Stelle in einem dieser beiden Songs klar. 2002 war noch die Rede vom »dream of life«, 2007 hieß es »the sun sets in flames as the city burns«.

In »Gypsy Biker« zieht die Mutter eines gefallenen Soldaten dessen Bett ab, während die Schwester schweigend danebensitzt, der Bruder ist betrunken. »This whole town's been rousted, which side are you on?«, fragt der Erzähler. Was spielt das noch für eine Rolle? »To the dead, it don't matter much 'bout who's wrong or right.« Der Schmerz und die Trauer, die den Song dominieren, werden durch heulende Gitarrensoli betont. Aber auch Wut schwingt mit: »Speculators made their money on the blood you shed.«

In »Devil's Arcade« kehrt ein Soldat zwar lebend nach Hause zurück, doch körperlich und seelisch ist er schwer versehrt. Jeden Tag wacht er mit einer dicken Schicht Wüstensand auf der Haut auf. »Somebody made a bet, somebody paid.« Derjenige, der die Wette abschloss, und der, der dafür bezahlte, sind eindeutig zwei verschiedene Menschen.

»You'll Be Comin' Down« und »Your Own Worst Enemy« sind als Warnungen zu verstehen. »Easy street, a quick buck and true lies«, singt Springsteen in Ersterem und legt damit den Grundstein zu einer Geschichte, die nur mit einer Niederlage enden kann. Im zweiten Song geht es um jemanden, der die Selbstreflektion ganz bewusst scheut. Weil er sich davor fürchtet, sich zu erinnern und sich selbst in die Augen zu schauen, hängt er schließlich sogar alle Spiegel daheim ab.

Jahrelang stellte Springsteen auf der Bühne seinem Publikum die Frage: »Is there anybody alive out there?« In »Radio Nowhere« wird diese Frage zu seinem verzweifelten Ruf auf der Suche nach einem anderen Menschen in einer Welt, in der man sich oft genug verloren vorkommt. »Girls In Their Summer Clothes« klingt nach einem typischen Beach-Boys-Song, aber wer genau hinhört, kann den Herbst bereits erahnen, der auf den besungenen Sommer folgt. Die Geschichte handelt von einem Mann, der gerade verlassen wurde, und man kann vermuten, dass er seine besten Tage bereits hinter sich hat, nicht zuletzt weil die hübschen Frauen in ihren schönen Sommerkleidern an ihm vorübergehen, ohne ihn zu beachten.

Bei der Veröffentlichung von *The Rising* lagen die Tage nach dem 11. September, als das ganze Land zusammengehalten hatte und alles möglich schien, noch nicht weit zurück. Von der damals für möglich gehaltenen positiven Entwicklung der Nation war zur Zeit der Veröffentlichung von *Magic* nichts zu spüren – im Gegenteil. Auf dem stattdessen eingeschlagenen Weg sind nach Springsteens Ansicht eine ganze Reihe Bürgerrechte geopfert worden, wie er bei seinem Auftritt in der *Today*-Show sagte. Wieder umzukehren, würde

Porträt von Todd Heisler, 2007.

nicht leicht sein. Um das zu verdeutlichen, griff er wieder einmal zur Nationalflagge als Metapher. In »Long Walk Home« flattert die Fahne über dem Gerichtsgebäude und erinnert den Erzähler an etwas, das sein Vater ihn einmal lehrte. Die Flagge ist so etwas wie ein Gelöbnis, sie »means certain things are set in stone: who we are, what we'll do and what we won't.« Nach Springsteens Auffassung war dieses Gelöbnis gebrochen worden, und es war an der Zeit, etwas dagegen zu unternehmen. »Wenn es dunkel wird, soll man singen«, erklärte Springsteen Scott Pelley in *60 Minutes.* »Und jetzt ist es dunkel.«

Kurz nach der Fertigstellung von *Magic* starb am 30. Juli 2007 Springsteens langjähriger Freund und Assistent Terry Magovern an Krebs. Als Reaktion darauf schrieb er »Terry's Song«. Er spielte dieses Lied auf der Beerdigung seines Freundes und brachte es noch als letzten Track auf seinem neuen Album unter.

Live konnten es die neuen Nummern problemlos mit den Klassikern aufnehmen. »Gypsy Biker« mündete in ein wildes Gitarrenduell zwischen Springsteen und Van Zandt. Auf das Doppelpack »The Rising«/ »Last To Die« folgten »Long Walk Home« und anschließend »Badlands«. In Anaheim, Kalifornien, bat Springsteen den Rage-Against-The-Machine-Gitarristen Tom Morello auf die Bühne und lieferte gemeinsam mit ihm eine furiose elektrische Version von »The Ghost Of Tom Joad« ab. »Reason To Believe« wurde zu einer mitreißenden Bluesrocknummer umarrangiert.

Nach der letzten US-Show im November 2007 konnte Danny Federici wegen seiner Krebserkrankung nicht mehr weiter mit auf Tour gehen. Bei den folgenden Hallenkonzerten in Europa vertrat ihn Charles Giordano aus der Seeger Sessions Band. Springsteen setzte die Tour im Frühjahr in den USA fort und bat Federici am 20. März 2008 in Indianapolis noch einmal für ein paar Songs auf die Bühne. »Komm schon, Bruder«, sagte er lächelnd mit einem Blick auf Federici und sein Akkordeon. »Bereit? Wir fangen an, nur Danny und ich.« Dann spielten sie das traumhaft schöne »4th of July, Asbury Park (Sandy)«, und für einen kurzen Moment schien alles so zu sein wie immer.

Danny Federici starb am 17. April. Das erste Konzert nach seinem Tod, am 22. April in Tampa, Florida, begann – zu den Klängen von »Blood Brothers« – mit einem Film zum Andenken an den verstorbenen Organisten und Keyboarder. Ein Spot war auf Federicis leeren Platz gerichtet, während Springsteen und die Band eine Version von »Backstreets« ohne Hammondorgel spielten. Das Akkordeon bei »4th of July, Asbury Park (Sandy)« spielte Roy Bittan.« Als erste Zugabe wählte die Band »I'll Fly Away«. Eine kleine Bluegrass-Nummer aus New Jersey, scherzte Springsteen.

Inzwischen hatte Springsteen begonnen, sich für Barack Obama als Präsidentschaftskandidaten der

Demokraten starkzumachen; mit Erfolg, denn Obama konnte sich gegen Hillary Clinton durchsetzen. »Er spricht von dem Amerika, das ich die letzten 35 Jahre in meinen Liedern skizziert habe«, schrieb Springsteen auf seiner Website, »eine großzügige Nation, deren Bürger bereit sind, schwierige und komplexe Probleme anzugehen, ein Land, dem das Schicksal all seiner Bürger am Herzen liegt, dem Gemeinsinn etwas bedeutet.« Und in Anspielung auf »Long Walk Home« fügte er hinzu: »ein Ort, an dem ›nobody crowds you, and nobody goes it alone.‹« Wie schon John Kerry unterstützte er auch Obama mit Wahlkampfauftritten, bei denen er Akustikversionen von »This Land Is Your Land«, »The Rising«, »No Surrender«, »The Promised Land« und »The Ghost Of Tom Joad« spielte.

Am 2. November, zwei Tage vor der Wahl, kam Bruce Springsteen zu einer Wahlveranstaltung von Obama nach Cleveland, Ohio, und hielt eine Rede über Träume, Bestimmung und was an Arbeit noch zu tun ist, um in diesem Land für mehr Gleichberechtigung zu sorgen. »Welche Gnade Gott uns auch gewährt haben mag«, sagte er, »sie äußert sich in unseren Beziehungen zueinander ... hierin können wir ein winziges Anrecht auf ein kleines Stück vom Himmel erwerben.« Und dann fügte er seiner Sammlung an Songs, die für einen Anlass wie diesen perfekt geeignet gewesen wären, einen neuen hinzu: »Working On A Dream«. Liebe und Hoffnung waren anscheinend zurückgekehrt.

Oben: Danny Federicis letzter kompletter Auftritt mit der E Street Band, TD Banknorth Garden, Boston, 19. November 2007.

Gegenüber: »Yes we can!« Im Wahlkampf mit Barack Obama, dem künftigen Präsidenten, Cleveland, 2. November 2008.

DANNY FEDERICI
(1950–2008)

Danny Federici hatte einen »intuitiven« Stil. Dieser Ein-
schätzung begegnete man öfter nach dem Tod des Musikers am 17. April 2008. »Sein Stil war glatt und flüssig,
er füllte die Lücken, die die anderen Musiker in der
E Street Band offenließen«, sagte Springsteen bei der
Beerdigung seines Freundes. Er hätte einen Song nicht
zweimal auf dieselbe Weise spielen können, wenn man
ihn darum gebeten hätte. Und wenn man ihn gebeten
hätte, hätte er es ohnehin nicht getan, weil er einfach
seinen eigenen Kopf hatte. Er war »das Phantom«, derjenige, der beim legendären Clearwater-Swim-Club-
Tumult 1970 den Cops die Lautsprecher entgegen-
schleuderte und sich danach wie von Zauberhand in
Luft auflöste – womit er sich wochenlang seiner Verhaf-
tung entzog.

»Mein Freund, der ruhige, schüchterne Dan Federici,
hat im Alleingang für einige der haarsträubendsten
Zwischenfälle in unserer vierzigjährigen Karriere ge-
sorgt«, sagte Springsteen. Wie an dem Tag, an dem er
seinen Wagen im absoluten Halteverbot parkte – mit einer Marihuanapflanze auf dem Beifahrersitz. »Der Wagen wurde natürlich prompt abgeschleppt«, erzählte
Springsteen. »Er sagte: ›Bruce, ich geh hin und melde
ihn als gestohlen.‹ Ich entgegnete: ›Ich weiß nicht, ob
das so eine gute Idee ist.‹« Womit er natürlich recht
hatte. »Er war mein Kumpel und einfach großartig«,
sagte Springsteen, »und darum sieht man über so was
hinweg.«

Springsteen erinnerte an die Zeit vor der E Street
Band, die Zeit im Upstage, als Federici und Vini »Mad
Dog« Lopez ihm *ihre* Band aufschwatzten. Erst hieß sie
Child, dann Steel Mill, und danach eroberten sie die
Welt. Auf seiner Hammond B3 konnte Federici die typischen Jahrmarktklänge der Jersey Shore zum Leben erwecken oder das Donnergrollen eines herannahenden
Sturms. So wie Springsteen es darstellt, wirkte er Wunder. »Natürlich werden wir alle erwachsen und sagen
uns irgendwann: ›it's only rock'n'roll‹ – aber das stimmt
nicht«, sagte Springsteen. »Wenn man einen Menschen
ein ganzes Leben lang beobachtet hat, wie er Abend
für Abend Wunder vollbringt, fühlt es sich irgendwann
verdammt stark nach Liebe an.«

Danny Federici während der
Proben für die *Magic*-Tour in der
Asbury Park Convention Hall,
September 2007.

WORKING ON A DREAM

2009

»ICH HABE GEMERKT, DASS MIR DIESE GROSSEN, EINGÄNGIGEN MELODIEN UND DAS GANZE ROMANTISCHE LIEGEN, DOCH BISHER HATTE ICH MIR NICHT ERLAUBT, VIELE SOLCHER SONGS ZU MACHEN. SO HATTE ICH EINIGES NACHZUHOLEN.«

BRUCE SPRINGSTEEN, 2009

2009

11. Januar: Springsteen gewinnt einen Golden Globe für den besten Filmsong für »The Wrestler«.

13. Januar: Veröffentlichung der zweiten *Greatest Hits* (US 43, UK 3).

18. Januar: Springsteen tritt beim Konzert zur Amtseinführung von Barack Obama vor dem Lincoln Memorial in Washington auf.

27. Januar: Veröffentlichung von *Working On A Dream* (US 1, UK 1).

1. Februar: Springsteen und die E Street Band treten in der Halbzeitpause beim XLIII. Super Bowl auf.

8. Februar: Springsteen gewinnt den Grammy für den besten Rocksong für »Girls In Their Summer Clothes«.

1. April: Auftaktkonzert zur *Working On A Dream*-Tour im HP Pavilion, San Jose, California.

3. Mai: Springsteen tritt beim Clearwater Concert zur Feier von Pete Seegers 90. Geburtstag im Madison Square Garden auf.

23. Mai: Abschlusskonzert des ersten Teils der US-Tour im Izod Center, East Rutherford, New Jersey.

30. Mai: Den Auftakt zum europäischen Teil der Tour bildet ein Auftritt beim Pinkpop Festival in Landgraaf in den Niederlanden.

27. Juni: Springsteen spielt als Headliner beim Glastonbury Festival in England.

2. August: Abschlusskonzert der Europa-Tour im Auditorio Monte do Gozo in Santiago de Compostela.

19. August: Auftaktkonzert zum letzten amerikanischen Teil der Tour im Comcast Theater in Hartford, Connecticut.

20. September: Die erste komplette Livedarbietung von *Born To Run* auf der Tour, United Center, Chicago.

25. September: Aufnahme des Konzerts im New Yorker Apollo Theater für Elvis Costellos TV-Sendereihe *Spectacle*.

2. Oktober: Die erste Livedarbietung von *Darkness On The Edge Of Town* auf der Tour, Giants Stadium, East Rutherford, New Jersey.

9. Oktober: Die erste komplette Livedarbietung von *Born In The U. S. A.* beim letzten Konzert im Giants Stadium vor seinem Abriss.

29. / 30. Oktober: Springsteen tritt bei den Konzerten zum 25-jährigen Bestehen der Rock and Roll Hall of Fame im Madison Square Garden auf.

7. November: Die erste komplette Livedarbietung von *The Wild, The Innocent & The E Street Shuffle* im Madison Square Garden.

8. November: Die erste komplette Livedarbietung von *The River* im Madison Square Garden.

22. November: Abschlusskonzert der *Working On A Dream*-Tour in der HSBC Arena, Buffalo, New York (zum ersten Mal wird *Greetings From Asbury Park, N. J.* komplett live gespielt).

5. / 6. Dezember: Springsteen wird mit einem der Kennedy-Preise 2009 geehrt.

13. Dezember: Aufnahme der Livedarbietung von *Darkness On The Edge Of Town* im Paramount Theater, Asbury Park.

Vorherige Seite und rechts außen: Porträts von Danny Clinch, 2010.

Oben: Setlist, Madison Square Garden, 7. November 2009.

2010

31. Januar: Springsteen gewinnt einen Grammy für die beste Gesangsdarbietung (Rock) für »Working On A Dream.«.

22. Juni: Veröffentlichung der DVD *London Calling: Live in Hyde Park*.

16. November: Veröffentlichung der CD *The Promise* (US 16, UK 7) und des Boxsets *The Promise: The Darkness On The Edge Of Town Story*.

7. Dezember: Clarence Clemons' letzter Auftritt mit der E Street Band, Carousel House, Asbury Park.

2011

Februar: Beginn der Aufnahmen für *Wrecking Ball*.

18. Juni: Clarence Clemons stirbt im Alter von 69 Jahren.

21. Juni: Springsteen singt zwei Lieder und hält die Trauerrede auf Clemons' Beerdigung in Palm Beach, Florida.

Oktober: Die letzten Aufnahmessessions für *Wrecking Ball*.

Mitte: Hyde Park, London, 28. Juni 2009.

Unten: Italienpremiere von *The Promise*, Rom, 1. November 2010.

Am 18. Januar 2009, dem Tag der Amtseinführung des neuen US-Präsidenten Barack Obama, stand Springsteen auf der Treppe des Lincoln Memorial. Hunderttausende Menschen waren auf der National Mall, um das Ereignis zu verfolgen. Zu seiner Rechten stand Obama mit seiner Familie, hinter ihm ein Gospelchor in strahlend roten Roben. Die Joyce Garrett Singers hoben zum Refrain von »The Rising« an. Lächelnd fiel Springsteen mit seiner Gitarre ein. Sein Song schien in diesem Augenblick tatsächlich den Beginn von etwas Befreiendem zu markieren. So viel von dem, was in den vergangenen Jahren geschehen war, widersprach völlig dem Idealbild, das er von seinem Heimatland hatte. »Und dann ist er plötzlich da, dieser Wahlabend«, sagte Springsteen dem *Rolling Stone*-Redakteur David Fricke. »Und das, worüber man all die Jahre gesungen hat, scheint plötzlich greifbar nah.«

Gegen Ende der Show trug Springsteen mit dem fast 90-jährigen Pete Seeger und dessen Enkel alle Strophen von »This Land Is Your Land« vor, selbst die umstrittenen über das Relief Office und das Privateigentum, die oft übergangen werden. Sie sangen es so, wie Woody Guthrie es getan hätte, auf die einzige Weise, wie Seeger es sein Leben lang getan hatte. Seeger sprach den Text einmal vor und animierte die Leute zum Mitsingen. Es war wunderbar.

»Das war eine gute Generalprobe für diese Show hier«, sagte Springsteen elf Tage später in Tampa, Florida. »Hier gibt's eine Menge verrückter Footballfans, aber wenigstens schaut einem hier nicht ständig Lincoln über die Schulter.«

Während die Pittsburgh Steelers und die Arizona Cardinals ihre letzten Trainingseinheiten für das Spiel zum 43. Super Bowl absolvierten, arbeiteten Springsteen und die E Street Band am Finetuning für die Halbzeitshow. Obamas Amtseinführung war eine eher besinnliche Zeremonie gewesen. Beim Super Bowl ging es darum, alle Geschütze aufzufahren und eine beeindruckende Show abzuliefern. Die National Football League (NFL) machte aus dem Finale der American-Football-Profiliga alljährlich ein Riesenspektakel, das allein in den USA von 90 Millionen Fernsehzuschauern verfolgt wurde. Und selbstverständlich war das auch ein ultrakommerzielles Event: 2009 kostete ein 30-sekündiger Werbespot, der während des Spiels ausgestrahlt wurde, stolze drei Millionen Dollar. Vor dem Hintergrund sagte Springsteen in einer Hinter-den-Kulissen-Doku: »Die NFL hat uns eine Jubiläumsparty ausgerichtet, wie wir sie für uns nie organisiert hätten, mit Feuerwerk und allem Drum und Dran.« Zu Beginn dieses Filmberichts sieht man, wie er in einem Trailer sitzt und eine vorläufige Setlist für die Show zusammenstellt: »Nebraska«, »The Ghost Of Tom Joad«, *Das Kommunistische Manifest* und »Badlands«.

»Hm, vielleicht doch nicht«, sagt Springsteen zuletzt.

34 Jahre nach der Veröffentlichung von *Born To Run* eröffnete er sein zwölfminütiges Set in Anspielung auf das legendäre Covermotiv dieses Albums mit der klassischen Pose von sich und Clemons. Sie fingen an mit »Tenth Avenue Freeze-Out«, dann folgte »Born To Run«. Für »Working On A Dream« kamen auch hier die Joyce Garrett Singers mit auf die Bühne. Das furiose Finale bildete dann »Glory Days«. Damit spannte Springsteen den Bogen von der Geschichte der Band über seine eigene bis hin zu jedermanns Geschichte – so zumindest fasste er sein Programm zusammen. Der Auftritt war rasant, mitreißend und wurde vielleicht auch ein bisschen albern, als Springsteen und Van Zandt gegen Ende des Sets herumflachsten, während ein Schiedsrichter über die Bühne lief und ihnen die gelbe Verwarnungsflagge wegen Zeitspiels zuwarf. »Wenn sich jemand in zwölf Minuten ein annähernd umfassendes Bild von uns machen möchte«, sagte Springsteen 2011, »schaut er sich am besten einen Mitschnitt von diesem Auftritt an.«

Die NFL hatte schon seit Jahren versucht, Springsteen für einen Auftritt beim Super-Bowl-Finale zu gewinnen. Schließlich gab er seine Vorbehalte dagegen auf, was nicht zuletzt auch daran lag, dass Tom Petty im Vorjahr die Halbzeitshow bestritten hatte, dem man ganz sicher nicht vorwerfen konnte, für so ein Event seine Seele zu verkaufen. Zudem war fünf Tage vor dem Spiel *Working On A Dream* erschienen. »Insofern kommt dieser Auftritt angesichts unserer knallharten

Diese Seite: Auftritt mit Pete Seeger und seinem Enkel Tao Rodriguez-Seeger (oben) und mit den Joyce Garrett Singers (unten) bei der Feier zu Obamas Amtseinführung. Lincoln Memorial, Washington, 18. Januar 2009.

Gegenüber: Halbzeitshow beim XLIII. Super Bowl im Raymond James Stadium, Tampa, 1. Februar 2009.

ökonomischen Interessen natürlich wie gerufen«, witzelte Springsteen auf der Pressekonferenz. Bedenkt man noch, dass er am 11. Januar für den Titelsong zu dem Mickey-Rourke-Film *The Wrestler – Ruhm, Liebe, Schmerz* mit dem Golden Globe ausgezeichnet worden war, kann man durchaus von einem mehr als gelungenen Start ins Jahr 2009 für Springsteen sprechen.

Er wäre nicht im Traum auf die Idee gekommen, dass er »The Rising« eines Tages bei der Amtseinführung des ersten afroamerikanischen US-Präsidenten spielen würde. »Aber acht Jahre ziehen ins Land, und dann steht man auf einmal da«, sagte Springsteen im Gespräch mit dem *New York Times*-Kritiker Jon Pareles. »Du schwimmst mit dem Strom der Geschichte, und deine Musik schwimmt mit.«

Auch *Working On A Dream* hat im weitesten Sinne mit Geschichte und Geschichten zu tun. Die Beziehungen, um die es auf dem Album im Besonderen geht, sind sehr langjährige Beziehungen. Doch schuf Springsteen nach dem Tod von Terry Magovern und Danny Federici ein Werk, das weniger den Tod als die Zeit zum Thema hat. »Wenn man mit einem Menschen zusammen ist, den man liebt, steht die Zeit in manchen Augenblicken still«, erzählte er Mark Hagen vom *Guardian*. »In der Liebe scheint die Zeit transzendiert zu werden.«

Ganz konkret sprach Springsteen hier über »Kingdom Of Days«, einen Song, in dem die Jahreszeiten völlig unbemerkt verstreichen, abgesehen von »a subtle change of light on your face«. Wo die Protagonisten »laugh beneath the covers and count the wrinkles and the grays«. »Ich dachte nur, wow, der ist perfekt«, sagte Garry Tallent 2011. »Einer der besten Songs, den er je geschrieben hat.«

In »This Life« wird die Liebe mit dem Urknall verglichen, mit der Geburt des Universums selbst. »A billion years or just this night«, singt Springsteen. In »Tomorrow Never Knows« werden glückliche Erinnerungen einer Zukunft gegenübergestellt, der die Protagonisten trotz ihrer Ungewissheit gelassen entgegengehen.

Auf diesem Album erlaubte sich Springsteen zum ersten Mal, sein Talent für wunderbare eingängige Popmelodien voll zur Entfaltung zu bringen. Er schrieb Musik in der Tradition der Beach Boys, der Byrds und von Roy Orbison. Auf dem Cover von *Magic* blickte uns noch ein ernsthafter, nachdenklicher, sepiagetönter Springsteen entgegen. Auf *Working On A Dream* hingegen sehen wir den Boss milde lächelnd vor einem romantischen Nachthimmel in gedämpftem Licht.

Zusammen mit Brendan O'Brien begann Springsteen bereits mit der Arbeit an dem neuen Album, als sich *Magic* noch in der Abmischphase befand. Max Weinberg, Garry Tallent und Roy Bittan nahmen die Basic Tracks auf. Die restlichen E Streeter – darunter auch Federici – besorgten die Overdubs. »Die Stimmen

»THE RISING, MAGIC UND DAS NEUE ALBUM KÖNNEN ES MEINER MEINUNG NACH IN JEDER BEZIEHUNG MIT JEDEN DREI ALBEN IN FOLGE AUFNEHMEN, DIE WIR JE GEMACHT HABEN. SO ETWAS AN DIESEM PUNKT SEINER KARRIERE NOCH LEISTEN ZU KÖNNEN, IST SEHR BEFRIEDIGEND.«

Bruce Springsteen, 2009

brauchen ein ordentliches Klangpolster«, sagte Springsteen im Studio, als er sich eine Aufnahme von »This Life« anhörte. »Der Sound muss noch üppiger werden.«

»Outlaw Pete«, das Achtminutenepos, mit dem das Album beginnt, erzählt davon, dass die Vergangenheit etwas ist, das man nicht loswird, weil sie uns immer wieder einholen kann. Im Song zeigt sich das in dem Moment, als Outlaw Pete, der sein kriminelles Vorleben aufgegeben und eine Familie gegründet hat, von dem Kopfgeldjäger Dan aufgespürt wird und diesen im Kampf tötet. »We cannot undo these things we've done«, erklärt Dan und betont: »You're Outlaw Pete« – ob Pete das nun gefällt oder nicht. Im Grunde genom-

Springsteens Gastauftritt bei U2 beim zweiten Konzert zum 25-jährigen Jubiläum der Rock and Roll Hall of Fame im Madison Square Garden, 30. Oktober 2009.

»ICH FRAGE MICH NICHT MEHR, WER ICH BIN. MEINE IDENTITÄT, DAS WOMIT SICH DIE LEUTE IDENTIFIZIEREN, HAT SICH IM GROSSEN UND GANZEN VERFESTIGT ... ES GIBT EINEN KOSMOS AN FIGUREN UND THEMEN, DIE ICH SEIT LANGER ZEIT IMMER WIEDER AUFGREIFE. HEUTE EMPFINDE ICH DAS NICHT MEHR ALS BELASTUNG. IM GEGENTEIL.«

Bruce Springsteen, 2009

men ist der Song allerdings ein Märchen, eine Ode an eine alte Gutenachtgeschichte mit dem Titel *Brave Cowboy Bill*, die Springsteen einst von seiner Mutter vorgelesen bekam. Dem *Rolling Stone* erklärte Springsteen, dass er etwas Comichaftes schaffen wollte, ähnlich wie die Beatles mit »Rocky Raccoon«. Pete, so erfahren wir, hat als sechs Monate altes Baby bereits drei Monate im Gefängnis gesessen und schon in Windeln seine erste Bank ausgeraubt. Zusätzliche Komik erhält der Song durch die offensichtliche musikalische Anleihe bei dem Kiss-Hit »I Was Made For Loving You«.

»Life Itself« handelt von einem Paar, das kurz vor der Trennung steht. Wenn Springsteen dieses Thema anpackt, ist es in der Regel der Erzähler, der mit seinen Gefühlen hadert. »Good Eye« ist ein typisches Beispiel dafür. Glaubte der Erzähler dieser klassischen Bluesnummer zunächst noch »you were the only one«, muss er sich schon kurz darauf eingestehen: »I had my good eye to the dark and my blind eye to the sun.« In »Life Itself« wird die Geschichte aus der anderen Perspektive erzählt, aus der Sicht desjenigen, der die Richtige für sich gefunden hat und den Rest den anderen überlässt. Doch dann muss er feststellen: »I knew you were in trouble, anyone could tell ... Like you had no further use for, for life itself.«

Als er mit Weinberg über das Trommelwirbel-Intro zu »My Lucky Day« sprach, sagte Springsteen: »Es muss richtig waghalsig klingen. So, als geriete es dir fast außer Kontrolle. Wild und schludrig. Aber eben nicht wirklich schludrig.« Und Weinberg weiß, was damit von ihm gefordert wird und wie er es umsetzen kann – auch das ein Ergebnis einer sehr langjährigen (künstlerischen) Beziehung. Aufgrund von Songs wie »My Lucky Day«, »What Love Can Do« und »Surprise, Surprise« schwärmten Kritiker wie Noel Murray von der Entertainment-Website A.V. Club vom Sound des Albums, wenngleich sie die Hörer auch warnten, »sich die Texte besser nicht näher anzusehen«. Die Songs handeln von Liebe. Von der Kraft der Liebe. Vom Wunder der Liebe. Von Love, Love, Love.

Das gilt auch für »Queen Of The Supermarket«. Auf der *Devils & Dust*-Tour erzählte Springsteen eine Anekdote von einem Besuch bei Roy Orbison. »Ich hab da einen neuen Song übers Windsurfen geschrieben«, sagte Orbison. »Aha«, dachte Springsteen und wunderte sich ein bisschen. Aber Orbisons Stimme war einfach unschlagbar. »Sein nächstes Album kam raus, und da war dieser wunderbare Song drauf, ›Windsurfer‹ hieß er. Er hätte mich fast dazu animiert, windsurfen zu gehen. Fast.«

»Queen Of The Supermarket« ist ein famos instrumentiertes und arrangiertes Stück über einen Supermarkt und all die Köstlichkeiten, die es dort zu kaufen gibt. Und über eine schöne Frau, die dort an der Kasse

»He was born a little baby on the Appalachian Trail.« Outlaw Bruce mit Stetson, Wachovia Spectrum, Philadelphia, 28. April 2009.

sitzt. »A dream awaits in aisle number two«, singt Springsteen, und wir folgen dem Erzähler, wie er seinen Einkaufswagen durch den Laden schiebt und das Haar der schönen Kassiererin bewundert, obschon es zum Teil von ihrer »company cap« verdeckt wird. »Es ist ein Lied darüber, dass man auch dort Schönheit finden kann, wo man normalerweise gar keinen Blick dafür hat«, erklärte Springsteen Mark Hagen.

»The Wrestler«, ein Song über einen Mann, dessen Narben und Wunden alles sind, was ihm geblieben ist, wurde dem Album als Bonustrack hinzugefügt und verleiht ihm zum Schluss noch eine gewisse Schwere. Das Highlight der Platte ist allerdings ein Danny Federici gewidmetes Lied. In »The Last Carnival« begegnen wir noch einmal Wild Billy. Seine Zirkuskarriere ist zu Ende. Zusammen mit Federicis Sohn Jason am Akkordeon beschwört Springsteen noch einmal die Strandpromenaden-Klänge aus den frühen Tagen der E Street Band herauf. »We'll be riding the train without you tonight«, singt er. »The train that keeps on movin', its black smoke scorching the evening sky.«

Und so fuhren sie fort. Im Lauf der Tour strichen sie immer mehr Nummern von *Working On A Dream* aus dem Set. Zuletzt blieb nur noch der Titelsong übrig. Springsteen mochte das Album sehr, aber als es herauskam, befand sich die Weltwirtschaft plötzlich in einer großen Krise, in der viele Menschen ihre Arbeit verloren. Es war jetzt einfach nicht die richtige Zeit für seichte Poptöne – zumindest nicht von Springsteen.

Alte Klassiker, die besser passten, wie »Johnny 99« oder »Badlands«, dominierten wieder das Liveset. Hinzu kam noch Stephen Fosters »Hard Times Come Again No More«, ein eindringliches Klagelied. Einige Male gaben sie sogenannte Full-Album-Shows, bei denen sie meist *Born To Run* oder *Darkness On The Edge Of Town* komplett spielten. In New York spielten sie sogar *The River* komplett. Anlässlich ihres letzten Konzerts im Giants Stadium in New Jersey schrieb Springsteen »Wrecking Ball«, eine Nummer, die nicht nur von einem Stadion handelt, das abgerissen wird, sondern auch davon, harte Zeiten durchzustehen.

Beim letzten Konzert der Tour, am 22. November 2009 in Buffalo, New York, spielte die Band unter anderem sämtliche Songs von *Greetings From Asbury Park, N. J.* Bei dieser Gelegenheit – Mike Appel war an diesem Abend unter den Zuschauern, er selbst war wenige Wochen zuvor 60 geworden – griff Springsteen auf eine seiner alten Showeinlagen zurück.

»Da standen wir also«, begann Springsteen die Geschichte über jenen Abend im Student Prince, als er und Van Zandt auf der Bühne standen und draußen auf der Kingsley Street ein schwerer Sturm um die Häuser tobte. »Mit einem Mal wurde die Tür aus den Angeln gerissen und der Sturm riss sie mit sich fort die Straße hinab«, sagte Springsteen. »Und dann trat

ein mächtiger Schatten von einem Mann herein.«

2009 bewegte sich dieser Schatten so schwerfällig wie noch nie. Ein Stock reichte Clarence Clemons nicht mehr aus. Trotz neuer Hüften und neuer Knie litt er enorme Schmerzen und musst jeden Abend mit einem Aufzug auf die Bühne gefahren werden. Trotz allem schaffte er es zu Springsteen ans Mikro und spielte seinen Part.

»Ich will mit euch spielen«, sagte er.

»Was sollte ich sagen?«, fragte Springsteen. »Ich sagte: ›Na, klar!‹« Und Clemons begann zu spielen. »Kühl wie Flusswasser«, sagte Springsteen und forderte Clemons auf, weiterzumachen. »Und am Ende des Abends sahen wir uns an und …« – beide nickten synchron. Als sie dann auch noch die legendäre *Born To Run*-Pose einnahmen, war das Publikum außer Rand und Band.

»Also stiegen wir in diesen Wagen, einen großen, laaaaaaaangen Cadillac. Wir fuhren durch die Wälder am Rand der Stadt. Und auf einmal wurden wir sehr, sehr müde und fielen in einen langen, langen, langen, langen Traum. Und als wir wieder erwachten …«

Zwei Wochen später stand Springsteen im Weißen Haus. Diesmal war er derjenige, der gefeiert wurde. Zusammen mit Robert De Niro, Mel Brooks, Dave Brubeck und Grace Bumbry erhielt er den Kennedy-Preis. Obama sagte in seiner Laudatio: »Ich bin der Präsident, aber er ist der Boss.«

Oben: Zusammen mit den anderen Trägern des Kennedy-Preises 2009, Dezember 2009.

Gegenüber, oben: Springsteen mit der von einem Fan ausgeliehenen Mütze beim letzten Konzert im Giants Stadium am 9. Oktober 2009.

Gegenüber, unten: In seinem Heimstudio Thrill Hill East, Juni 2010.

CLARENCE CLEMONS
(1942–2011)

Er war der Big Man. Die Geschichte ist voll von Rockstars. Unter ihnen gibt es Legenden, Mythen und wahre Übermenschen. Aber es gibt nur einen Big Man. Daher hatte es durchaus etwas Unwirkliches, als Clarence Clemons am 18. Juni 2011 starb, eine Woche, nachdem er in seinem Haus in Florida einen Schlaganfall erlitten hatte.

»Neben Clarence zu stehen war, als stünde man neben dem coolsten Kerl dieses Planeten«, sagte Springsteen auf Clemons' Beerdigung. Mit Clemons schien alles möglich zu sein. Wenn Springsteen mit den Worten »Big Man!« ein Solo forderte, verlangte er keine normale Musik, er beschwor geradezu eine Naturgewalt herauf. »Clarence zu verlieren, ist als verlöre man etwas Elementares«, sagte Springsteen. »Es ist als verlöre man den Regen oder die Luft.« Vier Jahrzehnte lang war Clemons Springsteens Sidekick für alle möglichen Einlagen und Späße auf der Bühne gewesen. Er ist das einzige Mitglied der E Street Band, das je auf einem Albumcover zu sehen war. Dabei zeigt das *Born To Run*-Cover nicht einfach nur Springsteen und Clemons, es zeigt Springsteen, der sich auf Clemons stützt. »Ich habe mich oft auf Clarence gestützt«, sagte er. »In gewisser Weise habe ich das zum Beruf gemacht.«

Ohne Clemons verliert »Jungleland« einen Teil seines dunklen Geheimnisses, »Badlands« klingt weniger kraftvoll, »Ramrod« wird nicht mehr so kneipenhaft-ausgelassen klingen. Und erst »Thunder Road« – der Big-Man-Sound wird einfach fehlen. Clemons war einzigartig, er war prägend. »Wie groß war der Big Man?«, fragte Springsteen. »Too fucking big to die. Und das ist eine Tatsache … Clarence hat die E Street Band nicht verlassen, als er gestorben ist. Er wird sie erst verlassen, wenn wir sterben.«

Clarence Clemons bei der Saisoneröffnung der Florida Marlins während der Gedenkminute für die Erdbebenopfer in Japan, Sun Life Stadium, Miami, Florida, 1. April 2011.

WRECKING BALL

2012

»WENN MAN ÜBER IRGENDWAS SO RICHTIG SAUER IST, KANN MAN IM ROCK'N'ROLL EIGENTLICH NICHTS VERKEHRT MACHEN.«

BRUCE SPRINGSTEEN, 2012

2012

6. März: Veröffentlichung von *Wrecking Ball* (US 1, UK 1).

9. März: Springsteen und die E Street Band treten im Apollo Theater in Harlem auf.

15. März: Springsteen hält die Grundsatzrede beim South by Southwest Music Festival in Austin, Texas.

18. März: Auftakt zur *Wrecking Ball*-Tour in der Philips Arena, Atlanta.

2. Mai: Abschlusskonzert des ersten amerikanischen Abschnitts der Tour im Prudential Center, Newark, New Jersey.

13. Mai: Auftaktkonzert zum ersten europäischen Abschnitt der Tour im Estadio Olímpico de la Cartuja, Sevilla.

31. Juli: Springsteen beendet den ersten europäischen Abschnitt der Tour im Olympiastadion in Helsinki mit dem längsten Konzert seiner Karriere – es dauerte vier Stunden und sechs Minuten.

14. August: Auftakt zum zweiten amerikanischen Abschnitt der Tour im Fenway Park in Boston.

Oktober – November: Springsteen unterstützt aktiv Barack Obamas Wahlkampf; am 6. November wird Obama wiedergewählt.

2. November: Springsteen und die E Street Band wirken beim Spendenmarathon *Hurricane Sandy: Coming Together* mit.

5. Dezember: *Wrecking Ball* führt die vom *Rolling Stone* aufgestellte Liste der 50 besten Alben des Jahres 2012 an.

10. Dezember: Abschlusskonzert der 2012er Tour im Palacio de los Deportes, Mexiko-Stadt.

12. Dezember: Springsteen und die E Street Band wirken beim 12-12-12: The Concert for Sandy Relief im Madison Square Garden mit.

2013

8. Februar: Springsteen wird mit dem MusiCares Person of the Year Award ausgezeichnet.

8. März: Veröffentlichung von *Collection 1973–2012 Australian Tour Edition* (US –, UK –).

14. März: Auftakt zum australischen Abschnitt der Tour im Brisbane Entertainment Centre, Brisbane.

31. März: Abschluss der Australien-Tour im Hanging Rock, Macedon.

29. April: Auftaktkonzert zum zweiten europäischen Abschnitt der Tour in der Telenor Arena in Oslo.

14. Juni: Springsteen spielt in London eine Akustikversion von »The Promised Land« für die von Bono initiierte Antiarmutsinitiative agit8.

20. Juni: Zu Ehren von Van Zandts *Sopranos*-Schauspielkollegen James Gandolfini, der am Vortag gestorben ist, spielen sie das komplette *Born To Run*-Album, Ricoh Arena, Coventry.

22. Juli: Kinoweltpremiere von *Springsteen & I*, einer von Ridley Scott produzierten Fan-Dokumentation.

28. Juli: Abschlusskonzert des zweiten europäischen Tourabschnitts im Nowlan Park im irischen Kilkenny.

12. September: Auftakt zur Südamerika-Tour in der Movistar Arena in Santiago de Chile.

21. September: Abschlusskonzert der *Wrecking Ball*-Welttournee beim Festival Cidade do Rock in Rio de Janeiro.

12. Oktober: Springsteen wird in die American Academy of Arts and Sciences aufgenommen.

Ganz oben: Bei seiner Rede auf dem South by Southwest Music Festival, 15. März 2012.

Oben: Hurricane Sandy: Coming Together Spendenmarathon, 2. November 2012.

Links: Bei der Verleihung des MusiCares Person of the Year Award, 8. Februar 2013.

Ganz links: Fenway Park, Boston, 14. August 2012.

Vorherige S.: Oslo, 29. April 2013.

Am 19. Januar 2012, zu Beginn eines weiteren entscheidenden Wahljahres, wurde Näheres zu Springsteens 17. Studioalbum *Wrecking Ball* bekannt. Der Albumtitel ging offensichtlich auf den gleichnamigen Song zurück, den er zum Ende der *Working On A Dream*-Tour vorgestellt hatte – doch die erste Singleauskopplung »We Take Care Of Our Own« war ein deutlich wütenderer Song als »Wrecking Ball«. Nachdem Springsteen und die E Street Band die Verleihung der Grammy Awards am 12. Februar mit dem neuen Song eröffnet hatten, war in der *New York Times* zu lesen, dass Springsteen »Hurra-Patriotismus mit Empathie verwechselt«. »Sie sollten sich einen etwas gescheiteren Musikkritiker leisten«, erklärte Springsteen dem Comedian Jon Stewart, der ihn für den *Rolling Stone* interviewte.

»We Take Care Of Our Own« fehlt nicht nur jeglicher für patriotische Kampflieder typische Chauvinismus, es klingt sogar eher zynisch. Nachdem Springsteen diese Art von Fehlinterpretation mit »Born In The U.S.A.« schon zur Genüge kennengelernt hatte, fragt man sich, ob er diesen Köder nicht ganz bewusst auslegte, um in der breiten Öffentlichkeit erst einmal Interesse für seine neuen Songs zu wecken, bevor er auf dem Rest des Albums seine tatsächlichen Anliegen unzweideutig offenbart.

Oberflächlich betrachtet könnte »We Take Care Of Our Own« durchaus ein passender Auftakt für ein Album voller Stadionrockhymnen sein. Wenn er von dem New Orleans Superdome in diesem Song singt, hat Springsteen allerdings nicht die Halle als Austragungsort großer Sportevents vor Augen, sondern die Halle, die mehreren Zehntausend durch Hurrikan Katrina obdachlos gewordenen Bürgern der Stadt als Notunterkunft diente. Ein schrecklicher Ort, an dem es vor allem eines nicht mehr zu geben schien: Hoffnung.

»The road of good intentions has gone dry as a bone«, singt Springsteen. »Where're the hearts that run over with mercy?« Wohin sind Liebe, Arbeit und das Versprechen – »the promise« –, das von »sea to the shining sea« – von Küste zu Küste – gegeben wurde? Was ist aus dem Gesellschaftsvertrag geworden?

»Auf dem Album wird eine Frage gestellt: Do we take care of our own? – Kümmern wir uns um uns selbst?«, erklärte Springsteen am 16. Februar einem ganzen Saal voller Journalisten, die zur *Wrecking Ball*-Pressekonferenz am 6. März nach Paris geladen worden waren. »Und dann folgen Szenarien, in denen wir Menschen begegnen, denen Schlimmes widerfahren ist, weil die Antwort offenbar nein ist, weil genau diese Ideale und Werte nichts mehr gelten.«

»ES IST EIN BISSCHEN SO, ALS HÄTTE DIE SEEGER SESSIONS BAND EIN ALBUM MIT EIGENEN SONGS GEMACHT.«

Bruce Springsteen, 2011

Wrecking Ball handelt vom Verlust. Die Figuren auf dem Album haben ihr Heim, ihre Jobs oder ihre Renten verloren. Auch Prinzipien wie Fairness und Anstand scheinen verloren gegangen zu sein. Wie schon bei *The Rising* und *Magic* schien die Nation in ihrer aktuellen Lage geradezu nach Springsteen zu verlangen. Jetzt war nicht die Zeit für gefällige Popsongs.

Seit 2010 arbeitete Springsteen mit Ron Aniello zusammen, der 2007 schon Patti Scialfas Album *Play It As It Lays* produziert hatte. Springsteen und Aniello hatten an einer Reihe üppig instrumentierter Songs gearbeitet, die vom Sound her eher zum Nachfolger von *Working On A Dream* gepasst hätten. Im Februar 2011 schrieb Springsteen »Easy Money«, den zweiten Track auf *Wrecking Ball*. Er vergleicht darin die Banker, die den Wirtschaftscrash durch ihr gewissen- und verantwortungsloses Handeln herbeigeführt haben, ohne in irgendeiner Weise zur Rechenschaft gezogen zu werden, mit gewöhnlichen Straßenräubern. Einen Tag später schrieb er »We Take Care Of Our Own«, und binnen zwei Wochen hatte er auch die restlichen Songs für das neue Album fertig.

In »Shackled And Drawn« blicken die Arbeitslosen wütend auf ein großes Anwesen hoch oben auf einem Hügel, wo die Finanzhaie ausgelassene Partys feiern. In »Jack Of All Trades« werden die Banker immer fetter, während die Arbeiter immer dünner werden. In »Death To My Hometown« scheint eine offene Rebellion unmittelbar bevorzustehen; ein irisches Tanzlied, dem MG-Sal-

Gegenüber: Premiere von »We Take Care Of Our Own« bei den Grammy Awards am 12. Februar 2012.

Links: »From the shotgun shack to the Superdome, there ain't no help, the cavalry stayed home.«

ven unterlegt sind, zu dem Springsteen »send the rob-
ber barons straight to hell« faucht.

Möglicherweise fühlte sich Springsteen auch durch
die sich global ausweitenden Proteste der Occupy-Bewegung gegen den stetig wachsenden Einfluss großer
Wirtschaftskonzerne auf die Politik und die enorm un-
gleiche Vermögensverteilung ermuntert, derart konkret – und auch plakativ – zu werden. Er hatte die sich
aufstauende Wut bei den Menschen schon Monate vor
den in der Wall Street im September 2011 ihren Ausgang nehmenden Protesten bemerkt. Und mit dem
Rage-Against-The-Machine-Gitarristen Tom Morello
holte er sich einen bekennenden Sympathisanten der
Occupy-Bewegung als Gastmusiker ins Studio. Er ist
auf zwei der eher düsteren Songs zu hören: »Jack Of
All Trades« und »This Depression«. Letzteres fängt
den Moment ein, in dem sich die Auswirkungen der
Politik massiv im persönlichen Lebensbereich nieder-
schlagen. Hier geht es nicht um eine wirtschaftliche
Depression. Hier geht es um einen Moment, in dem alles um einen herum in Dunkelheit versinkt. Ein Augenblick, der einen an Doug Springsteen denken lässt,
wie er alleine in der dunklen Küche sitzt, eine glim-
mende Zigarette im Mundwinkel und vor sich auf dem
Tisch eine Flasche Bier.

»Wrecking Ball« ist in gewisser Weise ein Abgesang.
Springsteen schrieb es anlässlich seiner letzten »Heim-
spiele« in dem wenig später abgerissenen Giants Stadium, und kaum jemanden hätte es gewundert, wenn die
Nummer danach in der Versenkung verschwunden wäre. Doch Springsteen erkannte die Stärke eines Songs,
der darstellt, wie die Zeit verstreicht und alles zerfällt,
die Menschen jedoch alles daran setzen, diesen Verfall aufzuhalten. »Hard times come, and hard times
go, yeah just to come again«, singt er. »Bring on your
wrecking ball.« Genau an diesem Punkt widersetzt
sich das Album dem allgemeinen Niedergang. Die Figuren reißen sich zusammen und beginnen, sich wieder ein eigenes Leben aufzubauen. Auf »You've Got It«
finden sie sogar wieder ein bisschen Zeit für die Liebe.

»Wer seine Arbeit verliert, verliert ein Stück Selbst-
achtung«, sagte Springsteen den
Journalisten in Paris. Er hatte als
Heranwachsender selbst miterlebt,
wie die Arbeitslosigkeit seinen Vater zermürbte, während eine An-
stellung zu haben seiner Mutter
half, den Mut nicht zu verlieren
und zuversichtlich zu bleiben. Auf
diese frühe Prägung berief er sich
immer wieder, wenn man ihn fragte,
wie sich ein Mensch, der wohl mehr
Finanzberater beschäftigt als manch
eine Bank, so sehr über Banker auf-
regen kann.

»WENN MAN SICH DIE FIGUR IN ›JACK OF ALL TRADES‹ ANGUCKT ODER SICH MIT ›ROCKY GROUND‹ UND ALL SEINEN STIMMEN BESCHÄFTIGT, STELLT MAN FEST, DASS SIE UNVERWÜSTLICH, DASS SIE ZEITLOS SIND.«

Bruce Springsteen, 2012

Springsteen benannte in deutlichen Worten die
grundlegenden Ungerechtigkeiten, die er als Kind
miterlebt hatte, so explizit, wie vielleicht seit *Darkness
On The Edge Of Town* nicht mehr – ein Album, das er
erst kürzlich als umfangreiches Boxset neu aufgelegt
hatte. Bruce Springsteen war wütend. Aber Wut alleine
reicht nicht aus, sagte er in Paris. Man muss die Story
vorantreiben. Und um voranzukommen, griff Springsteen auf Vergangenes zurück. »Shackled and Drawn«
etwa ist an den von James Brown produzierten Lyn-Collins-Song »Me And My
Baby Got Our Own Thing Going« von
1972 angelehnt.

»Death To My Hometown« enthält Ausschnitte aus »The Last Words Of Copernicus«, einer Aufnahme, die der amerikanische Folkloreforscher und Musikwissenschaftler Alan Lomax 1959 in einer Kirche in Alabama machte.

»Rocky Ground« enthält ein Sample
aus »I'm A Soldier In The Army Of The
Lord«, eine weitere Aufnahme von Alan
Lomax, diesmal von 1942 aus einer Kir-

Links: Der Musikwissenschaftler
Alan Lomax, in dessen Archiv
Springsteen zwei Songs fand, die
er auf *Wrecking Ball* verwendete.

Gegenüber: Auf zwei Tracks
spielte auch Tom Morello mit, der
den aufgrund von Dreharbeiten
verhinderten Steve Van Zandt bei
der Australien-Tour im März 2013
vertrat.

»WIR SIND HIER, UM NOCH EIN KONZERT ZU GEBEN, DAS SICH SO ANFÜHLT, ALS SEI ES DAS BESTE, DAS WIR JE GEGEBEN HABEN. DAS IST EIN EHRENKODEX UNTER TOURDINOS.«

Bruce Springsteen, 2013

Auftritt an historischer Stätte:
In Harlems legendärem Apollo
Theater am 9. März 2012.

253

che in Clarksdale, Mississippi. Die Lomax-Aufnahmen sind voller Seele und strahlen eine gewisse Kraft aus. Der Stilmix ist in »Rocky Ground« besonders gut gelungen, da der Song neben der Gospelbasis noch einen Hip-Hop-Break enthält (den Springsteen von Michelle Moore singen ließ). Die religiöse Metaphorik ist offensichtlich: Hirten ziehen mit ihren Herden durchs Land, Engel singen Halleluja, Geldwechsler bevölkern den Tempel.

Weder schreckte Springsteen davor zurück, wieder einmal die Nationalflagge als Symbol für die ideellen amerikanischen Werte zu bemühen, noch verzichtete er darauf, seine linksliberalen Ansichten in eine religiöse Bildsprache zu kleiden, wie man sie gewöhnlich eher von der politischen Rechten kennt. Springsteen sieht die Kontinuität zwischen den Problemen der Vergangenheit und denen der Gegenwart. Nichts von dem, was heute geschieht ist neu, konstatiert er, und wer ihm nicht glaubt, sollte sich den letzten Track des Albums anhören, »We Are Alive«. Hier sprechen die Toten zu den Lebenden. Sie haben das alles schon einmal erlebt. Vom Prinzip her sitzen wir alle in einem Boot, sagen sie, und greifen damit inhaltlich dem vorletzten Song des Albums vor.

»Land Of Hope And Dreams« war eigentlich schon ein alter Hut, als Springsteen an *Wrecking Ball* arbeitete. Er hatte den Song während der Reunion-Tour geschrieben – noch vor der Regierungszeit von George W. Bush, vor dem 11. September, den darauf folgenden Kriegen und den Diskussionen über Folter und illegale Massenüberwachung, vor Hurrikan Katrina, vor der Wirtschaftskrise und vor der Wahl des ersten afroamerikanischen US-Präsidenten und den Hoffnungen, die damit verbunden waren. Einige Elemente des Songs reichen sogar noch weiter in die Vergangenheit zurück. Man hört darin Curtis Mayfields Bürgerrechtshymne »People Get Ready« ebenso wie das insbesondere in der Version von Woody Guthrie bekannt gewordene »This Train Is Bound For Glory«.

In »This Train« gibt es allerdings nur Platz für die Rechtschaffenen, während das »Land Of Hope And Glory« jedem offensteht: Heiligen, Sündern, Gewinnern, Verlierern, Huren, Spielern, verlorenen Seelen und denen mit einem gebrochenem Herzen. »Faith will be rewarded«, verspricht Springsteen. Und weil der Song schon älter war, konnte er Clarence Clemons darin noch einmal zum Leben erwecken. Auf einem Album, das davon handelt, was alles verloren gegangen ist, durfte der Big Man, den Springsteen schmerzlich vermisste, nicht fehlen.

Seinen letzten Auftritt hatte Clarence Clemons allerdings nicht an

»SELBST IN EINEM HOHEN ALTER WIE DEM MEINEN WIRD UNSERE ERFAHRUNG IMMER NOCH DURCH DAS GEFILTERT, WAS WIR IN DEN FRÜHEN JAHREN, DIE UNS PRÄGTEN, ERLEBT HABEN. DAS HÖRT NIE AUF.«

Bruce Springsteen, 2012

Springsteens Seite gehabt – mit ihm stand er zum letzten Mal 2010 im winzigen Carousel House in Asbury Park auf der Bühne. Seinen allerletzten Auftritt hatte Clemons mit Lady Gaga in *American Idol*. Er hatte auf zwei Songs ihres Albums *Born This Way* mitgespielt und war auch in ihrem Videoclip zu »The Edge Of Glory« zu sehen. Mit Springsteen hatte er es danach nicht mehr ins Studio geschafft. Nach seinem Tod schnitt Aniello sein Solo für »Land Of Hope And Dreams« aus diversen Liveaufnahmen zusammen.

Als der 6. März, der Veröffentlichungstermin für das neue Album, näher rückte und Springsteen und die Band auf einem ehemaligen Militärstützpunkt in New Jersey bereits probten, wurde die Frage, ob und wie es ohne Clemons weitergehen könne, immer häufiger gestellt. Die Antwort gab Springsteen am 9. März.

»Ladies and gentlemen, are you ready for showtime?«

Die Band spielte einen Tusch.

»Willkommen im legendären Apollo Theater in Harlem!«

Links: Beim Auftritt im Apollo erwies Springsteen seinem Jugendidol James Brown die Ehre, indem er ihn auf der Bühne nachahmte.

Gegenüber: Mit Clarence Clemons' Neffen Jake beim Festival Cidade do Rock in Rio de Janeiro, 21. September 2013.

254

Der Tusch schwoll an.

Im »true temple of soul«, wie er ihn nannte, ahmte Springsteen James Browns legendäres »Star Time«-Intro nach. Nachdem er einst Browns Bewegungen genau studiert hatte, stand er nun auch auf seiner Bühne.

»Er ist ›Born In The U.S.A.‹! Und er fuhr hier heute Abend in seinem ›Pink Cadillac‹ vor! … Der Mann, der keine Kosten und Mühen scheute, um der Boss zu sein! Der am härtesten arbeitende *weiße* Mann im Showgeschäft.«

Max Weinberg donnerte los mit »We Take Care Of Our Own« und der Rest der Band fiel mit ein. Springsteen sprach an diesem Abend über die Verluste, die die Band erlitten hatte, aber auch darüber, was die USA als Nation in den vergangenen Jahren verloren hatte.

Die Arbeitslosenquote im Land war hoch, wobei die E Street Band daran indes keine Schuld traf. Ganz im Gegenteil, die Band war inzwischen auf sage und schreibe 17 Mitglieder angewachsen. Allein eine fünfköpfige Bläsersektion war nötig, um Clemons zu ersetzen, auch wenn alle Augen nur auf Clemons' Saxofon spielenden Neffen Jake gerichtet waren.

»Wenn ihr hier seid und wir hier sind, dann sind sie auch da«, sagte Springsteen über Clemons und Federici bei »My City Of Ruins«. Als die Band bei »Tenth Avenue Freeze-Out« an die Stelle kam, »when the change was made uptown and the Big Man joined the band«, setzte die Musik aus, und Springsteen sang ohne Begleitung weiter, bis zu der Stelle, an der Clemons üblicherweise seinen Einsatz hatte. Hier fiel nun die gesamte Bläsergruppe ein und übernahm seinen Part.

Eine Woche nach diesem Konzert trat die Band im 2750 Zuschauer fassenden Moody Theater in Austin, Texas, auf. Am Mittag noch hatte Springsteen auf der South by Southwest Musikkonferenz seine Grundsatzrede im Austin Convention Center gehalten. Hatte er auf der Bühne des Apollo Theater den Showman gegeben, so präsentierte er sich bei der SXSW wieder von seiner politischen Seite. In Harlem war »Star Time« angesagt. In Austin führte Springsteen die Band auf die Bühne und begrüßte das Publikum im 100. Geburtsjahr von Woody Guthrie mit einem schlichten: »Happy Birthday, Woody.« Und so eröffnete er die Show auch mit einem Woody-Guthrie-Song, »I Ain't Got No Home«. »Oh, the gamblin' man is rich an' the workin' man is poor«, lautet Guthries Originaltext von 1938. »Gambling man rolls the dice, working man pays the bill«, sang Springsteen in »Shackled And Drawn« 74 Jahre später.

Sie tourten weiter durch Amerika, dann ging es nach Europa. In Helsinki spielten Springsteen und die Band über vier Stunden – ein neuer Rekord. Zum ersten Mal seit 25 Jahren kooperierte Springsteen auch mit einem Biografen, Peter Ames Carlin, und gab zu, an Depressionen zu leiden. 2013 erschien *Bruce* auf Deutsch.

»PESSIMISMUS UND OPTIMISMUS TREFFEN AUF ALL MEINEN ALBEN AUFEINANDER. ES IST DIE SPANNUNG ZWISCHEN DIESEN BEIDEN, UM DIE ES GEHT.«

Bruce Springsteen, 2012

Nachdem Springsteen zunächst erklärt hatte, sich aus dem Wahlkampf heraushalten zu wollen, begann er Obama kurz vor dem entscheidenden Wahltag am 6. November doch wieder aktiv zu unterstützen. Gleich dreimal trat er am letzten Wahlkampftag zusammen mit dem Präsidenten auf – in Madison, Wisconsin, Columbus, Ohio und Des Moines, Iowa.

Beim letzten Auftritt in Des Moines war es bitterkalt. Trotzdem hatte Springsteen die Ärmel hochgekrempelt. »Ich verdiene letztlich meinen Lebensunterhalt damit, von Amerika zu singen«, sagte er. Von dem, was gut ist oder gut sein könnte, und dem, was schlecht ist und falsch läuft. Auf *Wrecking Ball* findet sich beides. Es wird gezeigt, welchen Schaden sich die Menschen durch Geiz und Gier gegenseitig zufügen, aber auch, dass man mit vereinten Kräften alles zum Guten wenden kann.

Am Ende läuft es auf das hinaus, worum es Springsteen immer schon ging: Das Schlechte darf einen nicht demoralisieren, es soll einen vielmehr anspornen, noch entschiedener mitanzupacken.

»Heute ist er also da, der Abend vor dem großen Tag«, sagte Springsteen in Iowa. »Danach werden wir uns wieder alle an die Arbeit machen.«

Oben: Springsteen wieder im Wahlkampfeinsatz für Barack Obama – der Präsident wurde wiedergewählt.

Gegenüber: Beim Hard Rock Calling Festival im Londoner Hyde Park am 14. Juli 2012. Paul McCartney unterstützte Springsteen bei den Zugaben, doch pünktlich um 22.30 Uhr drehten Ordnungsamtmitarbeiter den Strom ab.

HIGH HOPES

2014

»WENN ICH IN MEIN STUDIO GEHE, SIND DA ALL DIE SONGS, DIE ICH GESCHRIEBEN, ABER NOCH NICHT VERÖFFENTLICHT HABE. ICH WARTE DANN UND SEHE, WELCHER DAVON MICH ANSPRICHT.«

BRUCE SPRINGSTEEN, 2013

2014

13. Januar: Veröffentlichung von *High Hopes* (US 1, UK 1).

16. Januar: Der *Rolling Stone* veröffentlicht eine Liste der »100 besten Bruce-Springsteen-Songs« – die ersten fünf sind: »Born To Run«, »Badlands«, »Thunder Road«, »Racing In The Street« und »The River«.

26. Januar: Auftaktkonzert zur *High Hopes*-Tour im Bellville Velodrome in Kapstadt – Springsteens erstes Konzert in Südafrika.

28. Januar: Springsteen spielt »We Shall Overcome« im Gedenken an Pete Seeger, der am Tag zuvor im Alter von 94 Jahren verstarb.

2. März: Abschlusskonzert der Südafrika-, Australien- und Neuseeland-Tour im Mt. Smart Stadium in Auckland, Neuseeland.

25. März: Veröffentlichung der DVD *A MusiCares Tribute To Bruce Springsteen*.

4. April: Ausstrahlung des Making-of *Bruce Springsteen's High Hopes*.

6. April: Auftakt zum ersten Teil der US-Tour im Reunion Park in Dallas.

10. April: 15 Jahre nach Springsteen wird auch die E Street Band in die Rock and Roll Hall of Fame aufgenommen.

18. Mai: Abschlusskonzert des ersten Teils der US-Tour in der Mohegan Sun Arena in Uncasville, Connecticut.

Oben: Beim Light of Day Benefiz-konzert zugunsten der Parkinson-Forschung, Paramount Theater, Asbury Park, 18. Januar 2014.

Vorherige Seite: In Perth, Australien, 5. Februar 2014.

Rechts: Springsteen und Talkmaster Jimmy »Bruce« Fallon mit einer »Born To Run«-Parodie, in der sie die Verkehrspolitik von New Jerseys Gouverneur Chris Christie aufs Korn nehmen. *Late Night with Jimmy Fallon*, 14. Januar 2014.

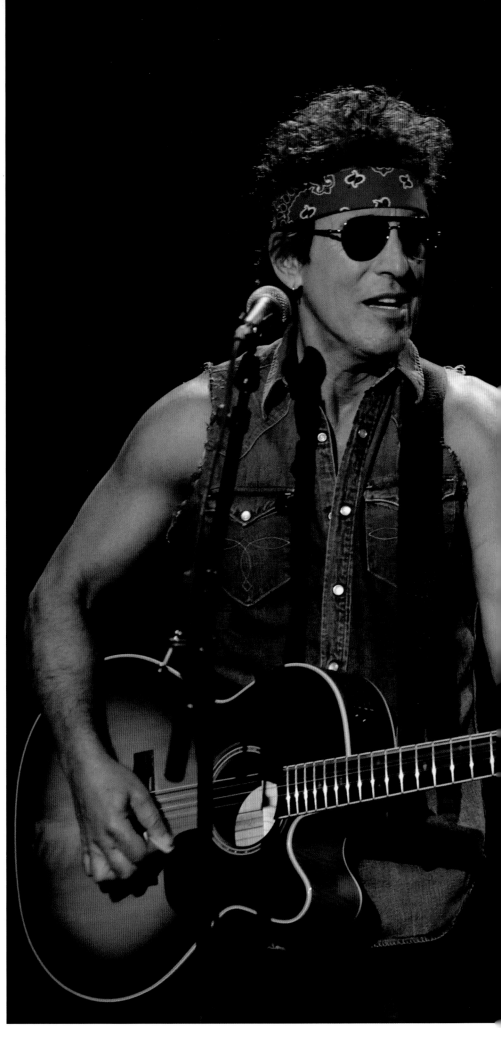

Manche Dinge ändern sich nie. Erinnern wir uns, wie es 1975 war: Springsteens Tontechniker Jimmy Iovine brachte ihm eine Testpressung von *Born To Run* nach Pennsylvania, wo er gerade spielte. Die ganze Band versammelte sich gespannt um den Plattenspieler in Springsteens Hotelzimmer, doch es dauerte nicht lange, und er warf die Platte in den Pool. Der Sound sei scheiße, ärgerte er sich. »Der Plattenspieler, den er dabei hatte, taugte nichts«, erklärte Iovine in der 2005 veröffentlichten Doku *Wings For Wheels*.

Im Sommer 2013 saß Springsteen wieder in einem Hotelzimmer – diesmal in Europa. Zusammen mit dem *Wrecking Ball*-Produzenten Ron Aniello hatte er an einer Handvoll Songs gearbeitet, die aus dem großen Arsenal unveröffentlichter Tracks stammten, die sich seit der Reunion der E Street Band 1999 angesammelt hatten. Springsteen hörte sich das neu abgemischte Material an und war vom Sound enttäuscht. »Ich fragte ihn: ›Womit hörst du dir das da eigentlich an?‹«, erzählte Aniello später dem *Rolling Stone*. Es war ein Beats by Dr. Dre-Kopfhörer von Beats Electronics – ein von Iovine mitgegründetes Audiotechnik-Unternehmen. »Vermutlich hörst du gerade jede Menge Bässe, die eigentlich gar nicht da sind«, sagte Aniello und schickte einen Techniker nach Italien, der Springsteen eine geeignete Anlage mitbrachte, auf der die Aufnahmen unverfälscht klangen. Problem gelöst. Die Arbeit an seinem 18. Studioalbum *High Hopes* konnte weitergehen.

»Am ehesten kann man dieses Album als kleine Anomalie bezeichnen«, sagte Springsteen dem *Rolling Stone*. »Aber wirklich nur eine kleine.« *High Hopes* ist ein Konglomerat von Coverversionen, Studioeinspielungen beliebter Livenummern und Songs, die es nicht auf einige der neueren Alben geschafft hatten. Das verbindende Element ist also weniger ein zentrales Thema oder eine konkrete Botschaft als ein bestimmter Musiker – nämlich Gastgitarrist Tom Morello – und die »Erlaubt ist, was gefällt«-Mentalität, die sich schon auf der *Wrecking Ball*-Tour niedergeschlagen hatte.

»Es war eigentlich jeden Abend so, dass wir auf die Bühne rausgingen und eine Show ablieferten, die immer einige Überraschungen bot – auch für uns selbst«, sagte Springsteen im E Street Radio kurz vor der Veröffentlichung des Albums. Ende 2013 hatte er für seine Fans eine Handvoll Livevideos von seiner letzten Tour auf seine Website hochgeladen. Es waren Schmankerl wie das bläserlastige »Local Hero«, das sie im englischen Leeds gespielt hatten. Oder wie Springsteen und Van Zandt in Leipzig sichtlich ihren Spaß dabei hatten, die richtige Tonart und das passende Bläserarrangement für Chuck Berrys »You Never Can Tell« zu finden.

Springsteen und die Band bedankten sich überdies bei den Fans mit einem Videoclip mit Tourimpressionen, der mit einer Studioversion von »Dream Baby Dream« unterlegt war. Die eisernen, selbst auferlegten Regeln, an die er sich immer gehalten hatte, schienen über Bord geworfen worden zu sein, nun ging es offensichtlich nach dem Motto: »Mach's einfach, wenn's dir Spaß macht«. Und dann wurde am 18. November mit »High Hopes« auch noch eine neue Single angekündigt, die in der darauffolgenden Woche erschien.

Der neue Song entpuppte sich rasch als einer von denen, die Springsteen und die E Street Band 1995 für das *Greatest Hits*-Album eingespielt hatten. Geschrieben hatte ihn Tim Scott McConnell 1990 für seine Band The Havalinas. Schon mit der ersten Zeile, »Monday morning runs to Sunday night«, beschwört der Song das harte Leben eines Arbeiters herauf und fügt sich damit nahtlos in Springsteens Arbeitersongs ein. Alles was sich der Erzähler wünscht, ist nachts ruhig schlafen zu können, ohne sich um die Zukunft seiner Kinder Sorgen machen zu müssen »and know they'll stand a chance«. Am Tag, als die Single herauskam, wurde auch das neue Album angekündigt.

Im Dezember 2012 fuhr Tom Morello gerade durch Los Angeles, als er im E Street Radio Springsteens ursprüngliche Version von »High Hopes« hörte. Spontan schlug er Springsteen per SMS vor, den Song im März in sein Liveset aufzunehmen, wenn die E Street Band durch Australien touren und Morello kurzzeitig Van Zandt vertreten würde, der zur selben Zeit für die TV-Serie *Lilyhammer* vor der Kamera stehen musste.

Sollte das tatsächlich der Stein gewesen sein, der die Produktion von *High Hopes* ins Rollen brachte, dann hätte die ganze Geschichte allerdings schon einige Jahre früher begonnen, nämlich 2008, als Springsteen Morello einlud, bei einem Gig in Anaheim einen Song mit der E Street Band zu spielen. Man verständigte sich auf »The Ghost Of Tom Joad«. Alles Weitere sollte beim Soundcheck geklärt werden. »Eigentlich werde ich nicht so leicht nervös«, sagte Morello 2011. »Aber

In Jimmy Fallons *Late Night Show* spielte Springsteen auch »High Hopes«; das gleichnamige Album war am selben Tag erschienen. Tom Morello (rechts) wurde in den Albumcredits als Special Guest aufgeführt. Sein spezieller musikalischer Beitrag ist eines der prägenden Elemente von *High Hopes*.

jetzt machte ich mir vor Aufregung fast in die Hose.« Erschwerend kam hinzu, dass die Band – wie er vor Ort erfuhr – den Song auf eine Tonart transponiert hatte, die so hoch war, dass er ihn mit seinem Bariton kaum bewältigen konnte. Morello versuchte, sich seine Panik nicht anmerken zu lassen. Springsteen beharrte auf der Tonart. Diskussion beendet. »Da eh alles schon entschieden war, gingen wir den Song einfach durch, und meine Nervosität legte sich«, sagte Morello. Zumindest vorübergehend, denn während er hinter der Bühne saß und auf seinen Auftritt wartete, machte sie sich allmählich wieder breit.

Letztendlich lieferte er einen atemberaubenden Auftritt ab. Zusammen mit Springsteen verwandelte er »The Ghost Of Tom Joad« in das, was es ursprünglich hatte sein sollen: ein lupenreiner Rocksong. Springsteen und Morello wechselten sich bei den Soli und beim Gesang ab, bevor Springsteen Morello das Rampenlicht schließlich allein überließ. Der Ausnahmegitarrist griff daraufhin tief in die Trickkiste und fuhr alles auf, was er bei Rage Against The Machine – die »The Ghost Of Tom Joad« auf ihrem Album *Renegades* gecovert hatten – je gelernt hatte. Das Ergebnis war überwältigend. Tom Joads Worte klangen nicht mehr wie ein leises Versprechen – wenn Morello sang: »Look in their eyes, ma, you'll see me«, hörten sie sich vielmehr wie eine Drohung an.

Kurz bevor die Band im Frühjahr 2013 nach Australien aufbrach, ging Tom Morello mit Max Weinberg und Ron Aniello ins Studio, um die neue Version von »The Ghost Of Tom Joad« aufzunehmen. In Australien klangen dann das frisch entstaubte »High Hopes« und die Coverversion von »Just Like Fire Would« (ein Song der australischen Punkband The Saints) so gut, dass Springsteen mit der Band umgehend ins Studio ging – was er während einer Tour noch nie getan hatte.

Springsteen hatte auf Reisen immer einen Computer mit unveröffentlichtem Material dabei. In ruhigen Momenten sichtete er es auf der Suche nach Songs, die einen Bezug zur aktuellen Situation hatten. Diese Gewohnheit erklärt auch, warum er das Album als nur »kleine« Anomalie bezeichnet. Songs, die es nicht auf *Darkness* geschafft hatten, landeten später auf *The River*. Lieder, die während der *Nebraska*-Sessions geschrieben worden waren, finden sich heute auf *Born In The U.S.A. High Hopes* war ganz bewusst als Auffangbecken für solche aussortierten Nummern angelegt, und Morello hatte den Anstoß dazu gegeben. Und so verwundert es auch nicht, dass er gleich auf acht der zwölf Albumtracks zu hören ist. »Er nahm sich die Songs und kickte sie gewissermaßen in die Gegenwart«, sagte Springsteen im *Rolling Stone*.

»Harry's Place« war für *The Rising* geschrieben worden und hätte es beinahe auf *Magic* geschafft. Harry's Place ist ein »shithole on the corner, no light, no sign«.

»[DIE KONZERTE VON RAGE AGAINST THE MACHINE] WAREN EINE HERAUSFORDERUNG FÜRS HERZKREISLAUF-SYSTEM, BRUCE' KONZERTE HINGEGEN GEHEN VOLL AUF DIE KNOCHEN.«

Tom Morello, 2014

Harry selbst ist ein kleiner Gangster, die Art von Kerl, die dafür sorgt, dass man »a taste of that one little weakness you allow yourself« bekommt. Der Song erinnert ein wenig an Glenn Freys »Smuggler's Blues« und enthält einen Saxofonpart von Clemons, der klingt, als hätte er ihn gegen irgendeinen Laternenpfahl gelehnt an einem nebligen, verregneten Abend gespielt. »Down In The Hole«, einer der wenigen Songs, an denen Tom Morello nicht beteiligt war, stammt ebenfalls aus der *Rising*-Phase (und musste damals »Empty Sky« den Vorrang lassen). Der Refrain wird von Springsteens Kindern gesungen, die Orgel spielte Danny Federici.

»Heaven's Wall« enthält einen Gospel-Part und in »This Is Your Sword« finden sich Anklänge an keltische Musik, womit Springsteen zwei seiner jüngsten musikalischen Vorlieben zu ihrem Recht verhalf. In »Frankie Fell In Love« sitzen Einstein und Shakespeare bei einem Bier zusammen. Während der Wissenschaftler verzweifelt die Zahl sucht, »that adds up to bliss«, ist dem Dichter völlig klar: »It all starts with a kiss«. Es ist für Springsteen und Van Zandt die perfekte Nummer, um auf der Bühne richtig Gas zu geben und dabei noch ihre Späßchen zu treiben.

Der »Hunter Of Invisible Game« streift durch eine postapokalyptische Landschaft, wo »hope and faith and courage and trust can rise or vanish like dust into dust«. Rettung verspricht – wie immer – die Liebe.

Laut Credit hatte Springsteens alter Freund Joe Grushecky die Idee zu »The Wall«, dessen Titel er auch gleich gefunden hatte. »The Wall« ist ein Song über Walter Cichon, der Mitglied der zu Springsteens Jugendzeit gefeierten Jersey-Shore-Band Motifs war und somit eine Art lokaler Rockstar. Cichon fiel 1968 in Vietnam. »This black stone and these hard tears are all I got left now of you«, schrieb Springsteen nach einem Besuch am Vietnam Veterans Memorial in Washington, wo er Cichons eingravierten Namen entdeckt hatte.

»American Skin (41 Shots)« ist nach wie vor einer von Springsteens besten Songs. Angesichts der unvermindert hohen Zahl an Schusswaffenopfern besitzt er auch immer noch traurige Aktualität. Wie von »The Ghost Of Tom Joad« waren auch hiervon nahezu perfekte Liveversionen mitgeschnitten und veröffentlicht worden. »Es ist sehr, sehr schwer, eine Liveaufnahme der E Street Band von einer dieser Nummern zu toppen«, sagte Springsteen. Zugleich fand er jedoch, dass es einem Song, der nie in einer ordentlichen Studioversion veröffentlicht worden war, an einer gewissen Autorität fehlte. Die Version, die es auf *High Hopes* schaffte, kann sich zwar von ihrer Intensität her nicht mit den Liveaufnahmen messen, ist aber durchaus gelungen.

Auch »Dream Baby Dream« kommt Springsteens Meinung nach nicht ganz an die atmosphärische Dichte seiner Liveversion heran, doch die Fans mochten den dem Dankes-Video unterlegten Track, und so nahm er auch diesen mit aufs Album. »Ich fand, sie alle hatten sich ein Zuhause verdient und sollten gehört werden«, schrieb Springsteen in den Linernotes.

High Hopes war noch gar nicht erschienen, da sickerte schon durch, dass Aniello bereits an einem Album arbeitete, das Springsteen schon vor *Wrecking Ball* in Angriff genommen hatte. Außerdem war auch wieder die Rede von dem stark elektronisch angehauchten Album, mit dem er sich 93/94 beschäftigt hatte. Und Jon Landau teilte mit, dass an einer *The River*-Box gearbeitet würde. Es waren zudem immer wieder Pläne laut geworden, Live- und Archivmaterial via Internet zugänglich zu machen – und dann konnte man plötzlich nach dem ersten Konzert der *High Hopes*-Tour den ersten Südafrika-Gig von seiner Website downloaden.

Unterdessen ging und geht die Tour weiter und Springsteen gibt »night after night« alles, damit seine Fans selbst nach Non-Stop-Regen-Konzerten wie in München 2013 glücklich und beseelt lächelnd nach Hause gehen – oder sich aufmachen zu seinem nächsten Tourstop. Manche Dinge ändern sich nie.

In vergleichsweise entspannter Atmosphäre mit Journalisten vor dem Auftakt zur *High Hopes*-Tour im Bellville Velodrome in Kapstadt am 26. Januar 2014.

»Je älter man wird, desto mehr
bedeutet es einem.« Stadium of
Light, Sunderland, 21. Juni 2012.

NACHWORT

Die vermutlich weitsichtigste Bemerkung zum Rock'n'Roll, die ich je gehört habe, war der Kommentar von Lester Bangs zum Tod von Elvis. 1977 sagte Lester Bangs, wir würden uns nie wieder über etwas so einig sein wie über Elvis…

Es war eine unglaublich tolle Rede, die Springsteen 2012 bei der South by Southwest Musikkonferenz hielt. Noch tagelang wurde darüber gesprochen.

Bangs hatte gar nicht so unrecht. Nach Elvis hatte jeder sein eigenes Ding. »In eurem Leben mag sich alles um Iggy Pop, Joni Mitchell oder Dylan drehen«, sagte Springsteen. »In meinem um Kiss oder Pearl Jam. Jedenfalls sollten wir uns nie wieder so völlig einig sein – und nie wieder sollte die Musik eines Einzelnen ein solches Gefühl der Verbundenheit erzeugen.« Wobei man allerdings nicht behaupten kann, Springsteen habe es nicht versucht. Oder würde es nicht noch immer versuchen. Oder würde nicht glauben, es zu können. Denn offenbar glaubt er jeden Abend daran. Jeden Abend, wenn er auf die Bühne geht. »Bruce Springsteen verausgabt sich komplett, bis der Akku völlig leer ist«, sagte Jon Stewart bei der Verleihung der Kennedy-Medaille 2009.

Im November 2012 brachten Springsteen und die E Street Band das Publikum in Portland, Oregon, zum Tanzen. Was gar nicht so leicht ist, wie man im ersten Moment vielleicht denken mag. Wenn in Portland ausgelassen gefeiert wird, stehen die Leute normalerweise mit verschränkten Armen da und wackeln ein bisschen mit dem Kopf. Springsteen eröffnete die Show mit »Land Of Hope And Dreams« und sprach all die ernsten Themen an, die bei der Wrecking Ball-Tour auf der Agenda standen. Aber er spielte nie zwei ernstere Songs hintereinander, immer war mindestens einer dazwischen, bei dem man so richtig abrocken konnte. Gegen Ende der Show, als sie »Dancing In The Dark« spielten, entdeckte Springsteen zwei Frauen, die mitten im Innenraum auf das Podest kletterten, auf dem auch das Mischpult stand. Während er »worrying about your little world falling apart« sang, konnte er sich das Lachen nicht mehr verkneifen. Die Ordner fanden das Verhalten der beiden Damen weit weniger amüsant und versuchten, sie von dort oben zu vertreiben. Auch das beobachtete Springsteen. »Macht schon, tanzt weiter«, rief er. »Ignoriert diesen Spaßverderber. *Fuck him!*« Und es sah so aus, als hätte auch Springsteen in diesem Augenblick unglaublich viel Spaß.

Acht Monate später stand er schweißgebadet alleine auf der Bühne im irischen Kilkenny. Es waren die letzten Momente einer wie so oft enorm erfolgreichen Europa-Tournee. »Je älter man wird, desto mehr bedeutet es einem«, sagte er und dankte der E Street Band, seiner Crew und den Fans, die über all die Jahre Abend für Abend zu seinen Konzerten gekommen waren. Und er sagte, 2014 würden es 50 Jahre werden, die er Musik macht. Er war vom gefeierten Jersey-Shore-Lokalmatadoren zum neuen Dylan geworden. Er war Zukunft und Vergangenheit zugleich. Er fand seine Stimme, schnappte sich einen Traum, setzte sich damit in ein Auto und gab Vollgas, bis er da ankam, wo er hinwollte, und zur Stimme einer Generation wurde, wie es Woody Guthrie, Curtis Mayfield, Bob Dylan und Elvis vor ihm gewesen sind.

So wurde er Bruce Springsteen. Und sein Rezept dafür war ziemlich einfach: Um das, was andere dachten, scherte er sich nicht im Mindesten. »Er traute sich, Gefühle zu zeigen«, sagte Steve Van Zandt 2011, »Sentimentalität zuzulassen.« Und daran zu glauben, dass seine Arbeit etwas bedeutete – mehr als an alles andere auf der Welt. Zu glauben, dass sie, weil sie ihm so viel bedeutete, auch seinen Fans etwas bedeutete. Zu glauben, dass er dadurch, dass er mit den Problemen kämpfte, mit denen *er* zu schaffen hatte, anderen Menschen half, sich mit *ihren* Problemen auseinanderzusetzen. »Im Grunde genommen sind wir Mechaniker, Leute, die was reparieren«, sagte Springsteen einmal im E Street Radio. »Jeder ist irgendwann im Leben mal kaputt oder geknickt. Das bleibt nicht aus.« Wir betrachten es als die Aufgabe von Musikern und anderen Künstlern, für uns in die Werkzeugkiste zu greifen und daraus irgendetwas hervorzukramen, womit sie wieder alles in Ordnung bringen können.

»Je älter man wird, desto mehr bedeutet es einem«, wiederholte Springsteen. Nach dem letzten Song, »This Hard Land«, hielt er seine Gitarre hoch, warf einen Kuss ins Publikum und verabschiedete sich mit den Worten: »Seid gut zu euch selbst«.

DISKOGRAFIE

STUDIOALBEN

GREETINGS FROM ASBURY PARK, N.J. 1973

Aufgenommen in den 914 Sound Studios
34 Route 303, Blauvelt, New York
Produziert von Mike Appel und Jim Cretecos

Besetzung
Bruce Springsteen – Akustikgitarre, Bass, Congas,
  E-Gitarre, Mundharmonika, Keyboard, Piano,
  Handclaps, Leadgesang
Clarence Clemons – Saxofon, Backgroundgesang,
  Handclaps
Vini Lopez – Schlagzeug, Backgroundgesang, Handclaps
David Sancious – Keyboard, Orgel, Piano
Garry Tallent – Bass

Weitere Musiker
Richard Davis – Kontrabass (»The Angel«)
Steve Van Zandt – Soundeffekte (»Lost In The Flood«)
Harold Wheeler – Piano (»Blinded By The Light«)

Covergestaltung
John Berg – Gestaltung Covervorderseite
Fred Lombardi – Fotografien und Coverrückseite

Seite eins
»Blinded By The Light«
»Growin' Up«
»Mary Queen Of Arkansas«
»Does This Bus Stop At 82nd Street?«
»Lost In The Flood«

Seite zwei
»The Angel«
»For You«
»Spirit In The Night«
»It's Hard To Be A Saint In The City«

Veröffentlichungsdatum
5. Januar 1973

Label und Katalognummer
US: Columbia KC 31903, UK: CBS S 65480

Höchste Chartplatzierung
US: 60, UK: 41

Anmerkungen
Alle Songs von Bruce Springsteen.
Wiederveröffentlicht als LP 1975 (PC 31903); und 1979
in einem Gatefold-Cover (JC 31903).
Wiederveröffentlicht als CD 1990 (CK 31903).

THE WILD, THE INNOCENT & THE E STREET SHUFFLE 1973

Aufgenommen in den 914 Sound Studios
34 Route 303, Blauvelt, New York
Produziert von Mike Appel und Jim Cretecos

Besetzung
Bruce Springsteen – Leadgesang, Gitarren, Mundhar-
  monika, Mandoline, Blockflöte, Maracas
Clarence Clemons – Saxofon, Backgroundgesang
Danny Federici – Akkordeon, Backgroundgesang (und
  zweites Piano auf »Incident on 57th Street« und Orgel
  auf »Kitty's Back«)
Vini Lopez – Schlagzeug, Backgroundgesang (und
  Kornett auf »The E Street Shuffle«)
David Sancious – Piano, Orgel, E-Piano, Clavinet,
  Backgroundgesang (sowie Sopransaxofon auf »The
  E Street Shuffle« und Streicherarrangement auf »New
  York City Serenade«)
Garry Tallent – Bass, Tuba, Backgroundgesang

Weitere Musiker
Richard Blackwell – Congas, Percussion
Suki Lahav – Chorstimme (ohne Credit)
Albany »Al« Tellone – Baritonsaxofon (»The E Street
  Shuffle«)

Covergestaltung
Teresa Alfieri und John Berg – Design
David Gahr – Fotografie

Seite eins
»The E Street Shuffle«
»4th Of July, Asbury Park (Sandy)«
»Kitty's Back«
»Wild Billy's Circus Story«

Seite zwei
»Incident On 57th Street«
»Rosalita (Come Out Tonight)«
»New York City Serenade«

Veröffentlichungsdatum
5. November 1973

Label und Katalognummer
US: Columbia KC 32432, UK: CBS S 65780

Höchste Chartplatzierung
US: 59, UK: 33

Anmerkungen
Alle Songs von Bruce Springsteen.
Auf der ersten UK-Pressung gibt es einen Druckfehler,
statt »Asbury« in »4th of July, Asbury Park (Sandy)«
wurde »Ashbury« gedruckt.
Wiederveröffentlicht als LP 1975 (PC 32432) und 1977
(JC 32432).
Wiederveröffentlicht als CD 1990 (CK 32432).

BORN TO RUN 1975

Aufgenommen in den the Record Plant Studios
321 West 44th Street, New York City
Weitere Aufnahmen in den 914 Sound Studios
34 Route 303, Blauvelt, New York
Produziert von Bruce Springsteen, Jon Landau und
Mike Appel

Besetzung
The E Street Band
Bruce Springsteen – Leadgesang, Gitarren, Mund-
  harmonika, Percussion
Roy Bittan – Piano, Fender Rhodes, Orgel, Cembalo,
  Backgroundgesang
Clarence Clemons – Saxofon, Tamburin, Background-
  gesang
Danny Federici – Orgel (und Glockenspiel auf »Born
  To Run«)
David Sancious – Keyboard (»Born To Run«)
Garry Tallent – Bass, Tuba, Backgroundgesang
Max Weinberg – Schlagzeug

Weitere Musiker
Wayne Andre – Posaune
Mike Appel – Backgroundgesang
Michael Brecker – Tenorsaxofon
Randy Brecker – Trompete, Flügelhorn
Charles Calello – Streicherarrangements (»Jungleland«)
Ernest »Boom« Carter – Schlagzeug (»Born To Run«)
Richard Davis – Kontrabass (»Meeting Across The River«)
Suki Lahav – Violine (»Jungleland«)
David Sanborn – Baritonsaxofon
Steve Van Zandt – Backgroundgesang (»Thunder
  Road«), Bläserarrangements

Covergestaltung
John Berg und Andy Engel – Design
Eric Meola – Fotografien

Seite eins
»Thunder Road«
»Tenth Avenue Freeze-Out«
»Night«
»Backstreets«

Seite zwei
»Born To Run«
»She's The One«
»Meeting Across The River«
»Jungleland«

Veröffentlichungsdatum
1. September 1975

Label und Katalognummer
US: Columbia PC 33795, UK: CBS S 69170

Höchste Chartplatzierung
US: 3, UK: 17

Anmerkungen
Alle Songs von Bruce Springsteen.

Auf einer frühen US-Pressung ist Jon Landaus Vorname als »John« falsch geschrieben.
Wiederveröffentlicht als LP 1977 mit Gatefold-Cover (JC 33795); und 1980 als »Half-speed mastered edition« (CBS MasterSound) (HC 33795).
Wiederveröffentlicht als CD 1993 als remastered Gold-CD in einer Limited Edition Longbox (CK 52859).
Das 30th Anniversary Edition Boxset (C3K 94175), veröffentlicht im November 2005, enthält: eine remastered all-black CD des Originalalbums; eine DVD mit der Dokumentation *Wings For Wheels: The Making Of Born To Run* (mit drei Bonussongs, aufgenommen 1973 im Ahmanson Theater, Los Angeles: »Spirit In The Night«, »Wild Billy's Circus Story«, »Thundercrack«); und eine Konzert-DVD des Auftritts im Londoner Hammersmith Odeon vom 18. November 1975 (später auch veröffentlicht als CD *Hammersmith Odeon London '75*). Eine Exklusivedition des Boxsets, das nur von Best Buy vertrieben wurde, enthielt zudem eine Replica-CD der Originalsingle »Born To Run«/»Meeting Across The River«.

DARKNESS ON THE EDGE OF TOWN 1978

Aufgenommen in den the Record Plant Studios
321 West 44th Street, New York City
Produziert von Jon Landau und Bruce Springsteen

Besetzung
The E Street Band
Bruce Springsteen – Gesang, Gitarre, Mundharmonika
Roy Bittan – Piano
Clarence Clemons – Saxofon, Percussion
Danny Federici – Orgel
Garry Tallent – Bass
Steve Van Zandt – Gitarre
Max Weinberg – Schlagzeug

Covergestaltung
Frank Stefanko – Fotografien

Seite eins
»Badlands«
»Adam Raised A Cain«
»Something In The Night«
»Candy's Room«
»Racing In The Street«

Seite zwei
»The Promised Land«
»Factory«
»Streets Of Fire«
»Prove It All Night«
»Darkness On The Edge Of Town«

Veröffentlichungsdatum
2. Juni 1978

Label und Katalognummer
US: Columbia JC 35318, UK: CBS 32542

Höchste Chartplatzierung
US: 5, UK: 16

Anmerkungen
Alle Songs von Bruce Springsteen.
1978 auch als Promo-Picture-Disc (35318) veröffentlicht.
Wiederveröffentlicht 1982 als »Half-speed mastered edition«-LP (CBS MasterSound) (HC 45318).
Wiederveröffentlicht als CD 1990 (CK 35318).

THE RIVER 1980

Aufgenommen in den Power Station Studios
441 West 53rd Street, New York City
Produziert von Bruce Springsteen, Jon Landau und Steve Van Zandt

Besetzung
The E Street Band
Bruce Springsteen – Gesang, Gitarre, Mundharmonika (und Piano auf »Drive All Night«)
Roy Bittan – Piano, Orgel, Backgroundgesang
Clarence Clemons – Saxofon, Percussion, Backgroundgesang
Danny Federici – Orgel, Glockenspiel
Garry Tallent – Bass
Steve Van Zandt – Gitarren, Harmoniegesang, Backgroundgesang
Max Weinberg – Schlagzeug

Weitere Musiker
Flo and Eddie (Howard Kaylan und Mark Volman) – Harmoniegesang (»Hungry Heart«)

Covergestaltung
Frank Stefanko – Fotografien

Seite eins
»The Ties That Bind«
»Sherry Darling«
»Jackson Cage«
»Two Hearts«
»Independence Day«

Seite zwei
»Hungry Heart«
»Out In The Street«
»Crush On You«
»You Can Look (But You Better Not Touch)«
»I Wanna Marry You«
»The River«

Seite drei
»Point Blank«
»Cadillac Ranch«
»I'm A Rocker«
»Fade Away«
»Stolen Car«

Seite vier
»Ramrod«
»The Price You Pay«
»Drive All Night«
»Wreck On The Highway«

Veröffentlichungsdatum
17. Oktober 1980

Label und Katalognummer
US: Columbia PC2 36854, UK: CBS 88510

Höchste Chartplatzierung
US: 1, UK: 2

Anmerkungen
Alle Songs von Bruce Springsteen.
Wiederveröffentlicht als CD 1990 (C2K 36854).

NEBRASKA 1982

Aufgenommen in New Jersey von Mike Batlan auf einem Vierspur-Kassettenrekorder
Produziert von Bruce Springsteen

Besetzung
Bruce Springsteen – Gesang, Gitarre, Mundharmonika, Mandoline, Glockenspiel, Tamburin, Orgel

Covergestaltung
David Kennedy – Fotografien
Andrea Klein – Design

Seite eins
»Nebraska«
»Atlantic City«
»Mansion On The Hill«
»Johnny 99«
»Highway Patrolman«
»State Trooper«

Seite zwei
»Used Cars«
»Open All Night«
»My Father's House«
»Reason To Believe«

Veröffentlichungsdatum
20. September 1982

Label und Katalognummer
US: Columbia QC 38358, UK: CBS 25100

Höchste Chartplatzierung
US: 3, UK: 3

Anmerkungen
Alle Songs von Bruce Springsteen.
Erstmalig als CD veröffentlicht 1985 in Japan (CBS/SONY 32DP 357). Diese Version ist eine Rarität, da für

die Pressung fälschlicherweise ein anderes Masterband verwendet wurde, weshalb »My Father's House« hier eine 28-sekündige Synthesizer-Coda enthält. Wiederveröffentlicht als CD in den USA 1990 (CK 38358).

BORN IN THE U.S.A. 1984

Aufgenommen in den Power Station Studios
441 West 53rd Street, New York City
Weitere Aufnahmen in der Hit Factory
421 West 54th Street, New York City
Produziert von Bruce Springsteen, Jon Landau, Chuck Plotkin und Steve Van Zandt

Besetzung
The E Street Band
Bruce Springsteen – Leadgesang, Leadgitarre
Roy Bittan – Synthesizer, Piano, Backgroundgesang
Clarence Clemons – Saxofon, Percussion, Backgroundgesang
Danny Federici – Orgel, Glockenspiel (und Piano auf »Born In The U.S.A.«)
Garry Tallent – Bass, Backgroundgesang
Steve Van Zandt – Akustikgitarre, Mandoline, Harmoniegesang
Max Weinberg – Schlagzeug

Weitere Musiker
Ruth Jackson – Backgroundgesang (»My Hometown«)
Richie »La Bamba« Rosenberg – Backgroundgesang (»Cover Me« und »No Surrender«)

Covergestaltung
Annie Leibovitz – Fotografien

Seite eins
»Born In The U.S.A.«
»Cover Me«
»Darlington County«
»Working On The Highway«
»Downbound Train«
»I'm On Fire«

Seite zwei
»No Surrender«
»Bobby Jean«
»I'm Goin' Down«
»Glory Days«
»Dancing In The Dark«
»My Hometown«

Veröffentlichungsdatum
4. Juni 1984

Label und Katalognummer
LP: US: Columbia QC 38653, UK: CBS 86304
CD: US: Columbia CK 38653, UK: CDCBS 86304

Höchste Chartplatzierung
US: 1, UK: 1

Anmerkungen
Alle Songs von Bruce Springsteen.
Born in the U.S.A. war das erste Album, das als kommerzielle CD erschien, die in den USA gepresst wurde. Exemplare der Testpressung wurden an Besucher bei der Presswerkeröffnung im September 1984 verteilt und besitzen heute einen hohen Sammlerwert.
Eine europäische Wiederveröffentlichung als LP 2007 (SONY/BMG 88697159531) enthält auf dem Label der Seite eins einen Druckfehler, dort steht »I'm Free« statt »I'm On Fire«.

TUNNEL OF LOVE 1987

Aufgenommen im Thrill Hill East Studio
(Springsteens Heimstudio in New Jersey)
Weitere Aufnahmen in den A&M Studios
1416 North La Brea Avenue, Hollywood, Kalifornien
Produziert von Bruce Springsteen, Jon Landau und Chuck Plotkin

Besetzung
The E Street Band
Bruce Springsteen – Leadgesang, Gitarre, Bass, Keyboard, Soundeffekte, Mundharmonika
Roy Bittan – Piano (»Brilliant Disguise«), Synthesizer (»Tunnel Of Love«)
Clarence Clemons – Backgroundgesang (»When You're Alone«)
Danny Federici – Orgel
Nils Lofgren – Gitarre (»Tunnel Of Love«), Backgroundgesang (»When You're Alone«)
Patti Scialfa – Backgroundgesang
Garry Tallent – Bass (»Spare Parts«)
Max Weinberg – Schlagzeug, Percussion

Weitere Musiker
The Schiffer Family – Achterbahnstimmen (»Tunnel Of Love«)
James Wood – Mundharmonika (»Spare Parts«)

Covergestaltung
Sandra Choron – künstlerische Leitung
Annie Leibovitz – Fotografien

Seite eins
»Ain't Got You«
»Tougher Than The Rest«
»All That Heaven Will Allow«
»Spare Parts«
»Cautious Man«
»Walk Like A Man«

Seite zwei
»Tunnel Of Love«
»Two Faces«
»Brilliant Disguise«
»One Step Up«
»When You're Alone«
»Valentine's Day«

Veröffentlichungsdatum
9. Oktober 1987

Label und Katalognummer
LP: US: Columbia C 40999, UK: CBS 460270 1
CD: US: Columbia CK 40999, UK: CBS COL 460270 2

Höchste Chartplatzierung
US: 1, UK: 1

Anmerkungen
Alle Songs von Bruce Springsteen.
Wiederveröffentlicht als CD in »verbesserter Verpackung« in Europa 2003 (COL 511304 2).

HUMAN TOUCH 1992

Aufgenommen in den A&M Studios
1416 North La Brea Avenue, Hollywood, California
Produziert von Bruce Springsteen, Jon Landau, Chuck Plotkin und Roy Bittan

Besetzung
Bruce Springsteen – Leadgesang, Gitarre (und Bass auf »57 Channels (And Nothin' On)«)
Roy Bittan – Keyboard
Randy Jackson – Bass
Jeff Porcaro – Schlagzeug, Percussion

Weitere Musiker
Michael Fisher – Percussion (»Soul Driver«)
Bobby Hatfield – Harmoniegesang (»I Wish I Were Blind«)
Mark Isham – Trompete (»With Every Wish«)
Bobby King – Backgroundgesang (»Roll Of The Dice« und »Man's Job«)
Douglas Lunn – Bass (»With Every Wish«)
Ian McLagan – Piano (»Real Man«)
Sam Moore – Backgroundgesang (»Soul Driver«, »Roll Of The Dice«, »Real World« und »Man's Job«)
Tim Pierce – Gitarre (»Soul Driver« und »Roll Of The Dice«)
David Sancious – Hammondorgel (»Soul Driver« und »Real Man«)
Patti Scialfa – Harmoniegesang (»Human Touch« und »Pony Boy«)
Kurt Wortman – Percussion (»With Every Wish«)

Covergestaltung
Sandra Choron – künstlerische Leitung
David Rose – Fotografien

Seite eins
»Human Touch«
»Soul Driver«
»57 Channels (And Nothin' On)«
»Cross My Heart«
»Gloria's Eyes«
»With Every Wish«
»Roll Of The Dice«

Seite zwei
»Real World«
»All Or Nothin' At All«
»Man's Job«
»I Wish I Were Blind«
»The Long Goodbye«
»Real Man«
»Pony Boy«

Veröffentlichungsdatum
31. März 1992

Label und Katalognummer
LP: US: Columbia C 53000, UK: CBS COL 471423 1
CD: US: Columbia CK 53000, UK: CBS COL 471423 2

Höchste Chartplatzierung
US: 2, UK: 1

Anmerkungen
Alle Songs von Bruce Springsteen, außer: »Cross My
Heart« (von Bruce Springsteen und Sonny Boy
Williamson); »Roll Of The Dice« und »Real World«
(von Bruce Springsteen und Roy Bittan); und »Pony
Boy« (Traditional).
In Europa 1992 auch veröffentlicht zusammen mit
Lucky Town als Limited Edition Doppel-CD-Set (COL
SAMPCD 1630).

LUCKY TOWN 1992
Aufgenommen im Thrill Hill West Studio
(Springsteens Heimstudio in Beverly Hills)
Weitere Aufnahmen in den A&M Studios
1416 North La Brea Avenue, Hollywood, Kalifornien

Produziert von Bruce Springsteen, Jon Landau und
Chuck Plotkin (Roy Bittan war als Coproduzent an »Leap
Of Faith«, »The Big Muddy« und »Living Proof« beteiligt)

Besetzung
Bruce Springsteen – Leadgesang, Gitarre, verschiedene
    Instrumente
Gary Mallaber – Schlagzeug

Weitere Musiker
Roy Bittan – Keyboard (»Leap Of Faith«, »The Big
    Muddy« und »Living Proof«)
Randy Jackson – Bass (»Better Days«)
Lisa Lowell – Backgroundgesang (»Better Days«,
    »Local Hero« und »Leap Of Faith«)
Ian McLagan – Orgel (»My Beautiful Reward«)
Patti Scialfa – Backgroundgesang (»Better Days«,
    »Local Hero« und »Leap Of Faith«)
Soozie Tyrell – Backgroundgesang (»Better Days«,
    »Local Hero« und »Leap Of Faith«)

Covergestaltung
Sandra Choron – künstlerische Leitung
David Rose – Fotografien

Seite eins
»Better Days«
»Lucky Town«
»Local Hero«
»If I Should Fall Behind«
»Leap Of Faith«

Seite zwei
»The Big Muddy«
»Living Proof«
»Book Of Dreams«
»Souls Of The Departed«
»My Beautiful Reward«

Veröffentlichungsdatum
31. März 1992

Label und Katalognummer
LP: US: Columbia C 53001, UK: CBS COL 471424 1
CD: US: Columbia CK 53001, UK: CBS COL 471424 2

Höchste Chartplatzierung
US: 3, UK: 2

Anmerkungen
Alle Songs von Bruce Springsteen.
In Europa 1992 auch veröffentlicht zusammen mit
Human Touch als Limited Edition Doppel-CD-Set (COL
SAMPCD 1630).

THE GHOST OF TOM JOAD 1995
Aufgenommen im Thrill Hill West Studio
(Springsteens Heimstudio in Beverly Hills)
Produziert von Bruce Springsteen und Chuck Plotkin

Besetzung
Bruce Springsteen – Leadgesang, Gitarre, Keyboard,
    Mundharmonika

Weitere Musiker
Jennifer Condos – Bass (»Across The Border«)
Danny Federici – Akkordeon (»Across The Border«),
    Keyboard (»The Ghost Of Tom Joad«, »Straight Time«,
    »Dry Lightning« und Across The Border«)
Jim Hanson – Bass (»Straight Time« und »Youngstown«)
Lisa Lowell – Backgroundgesang (»Across The Border«)
Gary Mallaber – Schlagzeug (»The Ghost Of Tom Joad«,
    »Straight Time«, »Youngstown«, »Dry Lightning« und
    »Across The Border«)
Chuck Plotkin – Keyboard (»Youngstown«)
Marty Rifkin – Pedal-Steel-Gitarre (»The Ghost Of Tom
    Joad«, »Straight Time«, »Youngstown« und »Across
    The Border«)
Patti Scialfa – Backgroundgesang (»Across The Border«)
Garry Tallent – Bass (»The Ghost Of Tom Joad« und »Dry
    Lightning«)
Soozie Tyrell – Violine (»Straight Time«, »Youngstown«,
    »Dry Lightning« und »Across The Border«), Back-
    groundgesang (»Across The Border«)

Covergestaltung
Sandra Choron – künstlerische Leitung
Eric Dinyer – Illustrationen

Seite eins
»The Ghost Of Tom Joad«
»Straight Time«
»Highway 29«
»Youngstown«
»Sinaloa Cowboys«
»The Line«

Seite zwei
»Balboa Park«
»Dry Lightning«
»The New Timer«
»Across The Border«
»Galveston Bay«
»My Best Was Never Good Enough«

Veröffentlichungsdatum
21. November 1995

Label und Katalognummer
LP: US & UK: Columbia C 67484
CD: US: Columbia CK 67484, UK: CBS COL 481650 2

Höchste Chartplatzierung
US: 11, UK: 16

Anmerkungen
Alle Songs von Bruce Springsteen.

THE RISING 2002
Aufgenommen in den Southern Tracks Studios
3051 Clairmont Road NE, Atlanta, Georgia
Weitere Aufnahmen im Thrill Hill East Studio
(Springsteens Heimstudio in New Jersey)
Sound Kitchen Studios
112 Seaboard Lane, Franklin, Tennessee
Henson Studios
1416 North La Brea Avenue, Hollywood, California
Produziert von Brendan O'Brien

Besetzung
The E Street Band
Bruce Springsteen – Leadgesang, Leadgitarre,
    Akustikgitarre, Baritongitarre, Mundharmonika
Roy Bittan – Keyboard, Piano, Mellotron, Kurzweil,
    Harmonium, Korg M1, Crumar
Clarence Clemons – Saxofon, Backgroundgesang
Danny Federici – Hammondorgel B3, Vox Continental,
    Farfisa-Orgel
Nils Lofgren – E-Gitarre, Dobro, Slide-Gitarre, Banjo,
    Backgroundgesang
Patti Scialfa – Backgroundgesang
Garry Tallent – Bass
Steve Van Zandt – E-Gitarre, Mandoline, Backgroundgesang
Max Weinberg – Schlagzeug

Weitere Musiker
Alliance Singers – Chor (»Let's Be Friends (Skin To Skin)«
   und »Mary's Place«)
Asif Ali Khan und Gruppe – Gesang (»Worlds Apart«)
Jere Flint – Cello (»Lonesome Day« und »You're Missing«)
Larry Lemaster – Cello (»Lonesome Day« und »You're
   Missing«)
Ed Manion – Baritonsaxofon (»Mary's Place«)
Nashville String Machine – Streichinstrumente
   (»Countin' On A Miracle« und »You're Missing«)
Brendan O'Brien – Drehleier, Glockenspiel
Mark Pender – Trompete (»Mary's Place«)
Rich Rosenberg – Posaune (»Mary's Place«)
Jane Scarpantoni – Cello (»Into The Fire«, »Mary's
   Place«, »The Rising« und »My City Of Ruins«)
Mike Spengler – Trompete (»Mary's Place«)
Soozie Tyrell – Violine, Backgroundgesang
Jerry Vivino – Tenorsaxofon (»Mary's Place«)

Covergestaltung
Chris Austopchuk – künstlerische Leitung
Dave Bett – künstlerische Leitung und Design
Danny Clinch – Fotografien
Michelle Holme – Design

Titelliste
»Lonesome Day«
»Into The Fire«
»Waitin' On A Sunny Day«
»Nothing Man«
»Countin' On A Miracle«
»Empty Sky«
»Worlds Apart«
»Let's Be Friends (Skin To Skin)«
»Further On (Up The Road)«
»The Fuse«
»Mary's Place«
»You're Missing«
»The Rising«
»Paradise«
»My City Of Ruins«

Veröffentlichungsdatum
30. Juli 2002

Label und Katalognummer
US: Columbia CK 86600, UK: COL 508000 2

Höchste Chartplatzierung
US: 1, UK: 1

Anmerkungen
Alle Songs von Bruce Springsteen.
In den USA und Europa auch veröffentlicht als Doppel-
LP (US: Columbia C2 86600/Europa: COL 508000 1).
2003 erschien in Europa und Australien eine »Tour
Edition« (COL 508000 3). Sie enthält eine Bonus-DVD
mit der Darbietung von »The Rising« bei den MTV
Video Awards, den offiziellen Clip zu »Lonesome Day«
und Livefilmaufnahmen von »Waitin' On A Sunny Day«,

»Mary's Place« und »Dancing In The Dark« vom
Barcelona-Konzert am 16. Oktober 2002.

DEVILS & DUST 2005
Aufgenommen in den Thrill Hill East und Thrill Hill West
Studios (Springsteens Heimstudios in New Jersey und
Beverly Hills)
Weitere Aufnahmen in den Southern Tracks Studios
3051 Clairmont Road NE, Atlanta, Georgia
Masterfonics
28 Music Square E, Nashville, Tennessee
Produziert von Brendan O'Brien (»All The Way Home«
und »Long Time Comin'« von Brendan O'Brien, Bruce
Springsteen und Chuck Plotkin)

Besetzung
Bruce Springsteen – Leadgesang, Gitarre, Keyboard, Bass,
   Schlagzeug, Mundharmonika, Tamburin, Percussion
Steve Jordan – Schlagzeug
Brendan O'Brien – Drehleier, elektrische Sarangi, Sitar,
   Bass, Tambora
Patti Scialfa – Backgroundgesang
Soozie Tyrell – Violine, Backgroundgesang

Weitere Musiker
Brice Andrus – Blasinstrumente
Danny Federici – Keyboard (»Long Time Comin'«)
Lisa Lowell – Backgroundgesang (»Jesus Was An Only
   Son« and »All I'm Thinkin' About«)
Nashville String Machine – Streichinstrumente
Mark Pender – Trompete (»Leah«)
Chuck Plotkin – Piano (»All The Way Home«)
Marty Rifkin – Lap-Steel-Gitarre (»All The Way Home«
   und »Long Time Comin'«)
Donald Strand – Blasinstrumente
Susan Welty – Blasinstrumente
Thomas Witte – Blasinstrumente

Covergestaltung
Chris Austopchuk – künstlerische Leitung
Dave Bett – künstlerische Leitung und Design
Anton Corbijn – Fotografien
Michelle Holme – künstlerische Leitung und Design

Titelliste
»Devils & Dust«
»All The Way Home«
»Reno«
»Long Time Comin'«
»Black Cowboys«
»Maria's Bed«
»Silver Palomino«
»Jesus Was An Only Son«
»Leah«
»The Hitter«
»All I'm Thinkin' About«
»Matamoros Banks«

Veröffentlichungsdatum
25. April 2005

Label und Katalognummer
US: Columbia CN 93900, UK: COL 520000 2

Höchste Chartplatzierung
US: 1, UK: 1

Anmerkungen
Alle Songs von Bruce Springsteen.
In den USA auch veröffentlicht als Doppel-LP (C2 93900).
Die Standard-CD-Ausgabe enthält eine Bonus-DVD mit
Filmaufnahmen akustischer Darbietungen von »Devils &
Dust«, »Long Time Comin'«, »Reno«, »All I'm Thinkin'
About« und »Matamoros Banks«.

WE SHALL OVERCOME: THE SEEGER SESSIONS 2006
Aufgenommen im Thrill Hill East Studio (Springsteens
Heimstudio in New Jersey)
Produziert von Bruce Springsteen

Besetzung
The Seeger Sessions Band
Bruce Springsteen – Leadgesang, Gitarre, Mandoline,
   Hammondorgel B3, Piano, Percussion, Mund-
   harmonika, Tamburin
Sam Bardfield – Violine, Backgroundgesang
Art Baron – Tuba
Frank Bruno – Gitarre, Backgroundgesang
Jeremy Chatzky – Kontrabass, Backgroundgesang
Mark Clifford – Banjo, Backgroundgesang
Larry Eagle – Schlagzeug, Percussion, Backgroundgesang
Charles Giordano – Hammondorgel B3, Akkordeon,
   Piano, Harmonium
Lisa Lowell – Backgroundgesang (»Jacob's Ladder«,
   »Eyes On The Prize«, und »Froggie Went A Courtin'«)
Ed Manion – Saxofon, Backgroundgesang
Mark Pender – Trompete, Backgroundgesang
Richie »La Bamba« Rosenberg – Posaune, Background-
   gesang
Patti Scialfa – Backgroundgesang
Soozie Tyrell – Violine, Backgroundgesang

Covergestaltung
Chris Austopchuk – künstlerische Leitung
Danny Clinch – Fotografien
Meghan Foley – Design
Michelle Holme – künstlerische Leitung und Design

Titelliste
»Old Dan Tucker«
»Jesse James«
»Mrs. McGrath«
»O Mary Don't You Weep«
»John Henry«
»Erie Canal«
»Jacob's Ladder«

»My Oklahoma Home«
»Eyes On The Prize«
»Shenandoah«
»Pay Me My Money Down«
»We Shall Overcome«
»Froggie Went A Courtin'«

Veröffentlichungsdatum
24. April 2006

Label und Katalognummer
US: Columbia 82876 82867 2, UK: 82876 83074 2

Höchste Chartplatzierung
US: 3, UK: 3

Anmerkungen
Alle Songs sind Traditionals/gemeinfrei, außer: »Jesse
James« (von Billy Gashade); »Erie Canal« (von Thomas S.
Allen); »Jacob's Ladder« (zusätzlicher Text von Pete
Seeger); »My Oklahoma Home« (von Bill und Agnes »Sis«
Cunningham); »Eyes On The Prize« (zusätzlicher Text von
Alice Wine); und »We Shall Overcome« (Adaptation von
Guy Carawan, Frank Hamilton, Zilphia Horton und Pete
Seeger). Alle Songs wurden arrangiert von Bruce
Springsteen.
In den USA auch veröffentlicht als Doppel-LP (82876
83439 1).
Die Standard-CD-Ausgabe enthält eine Bonus-DVD, auf
der das komplette Album in PCM-Stereo enthalten ist,
zusätzlich zwei Extratracks – »Buffalo Gals« und »How
Can I Keep From Singing« (zusätzlicher Text von Doris
Plenn) – und ein 30-minütiges Making-of, inklusive
Darbietungen von »John Henry«, »Pay Me My Money
Down«, »Buffalo Gals«, »Erie Canal«, »O Mary Don't You
Weep« und »Shenandoah«.
Im Oktober 2006 erschien in den USA und Europa die
»American Land Edition« (US: 82876 82867 2/Europa:
88697009162). Zusätzlich zu den Inhalten der Standard-
CD-Ausgabe enthält diese drei Bonustracks – »How Can
A Poor Man Stand Such Times And Live« (von »Blind«
Alfred Reed mit zusätzlichem Text von Bruce Spring-
steen), »Bring 'Em Home« (von Pete Seeger mit zusätzli-
chem Text von Jim Musselman) und »American Land«
(von Bruce Springsteen). Überdies ist die Laufzeit des
Making-of um zehn Minuten verlängert worden und es
wurden die offiziellen Clips zu »American Land« und
»Pay Me My Money Down« hinzugefügt, ebenso wie
Livefilmaufnahmen von »How Can A Poor Man Stand
Such Times And Live« und »Bring 'Em Home«.

MAGIC 2007
Aufgenommen in den Southern Tracks Studios
3051 Clairmont Road NE, Atlanta, Georgia
Produziert von Brendan O'Brien

Besetzung
The E Street Band
Bruce Springsteen – Leadgesang, Gitarren,

Harmonium, Mundharmonika, Synthesizer,
Glockenspiel, Percussion
Roy Bittan – Piano, Orgel
Clarence Clemons – Saxofon, Backgroundgesang
Danny Federici – Orgel, Keyboard
Nils Lofgren – Gitarren, Backgroundgesang
Patti Scialfa – Backgroundgesang
Garry Tallent – Bass
Steve Van Zandt – Gitarren, Mandoline, Background-
gesang
Max Weinberg – Schlagzeug

Weitere Musiker
Jeremy Chatzky – Kontrabass (»Magic«)
Daniel Laufer – Cello (»Devil's Arcade«)
Soozie Tyrell – Violine
Patrick Warren – Chamberlin, Reißnagelklavier
*Streicher (»Your Own Worst Enemy« und »Girls In Their
Summer Clothes«):*
Justin Bruns, Jay Christy, Sheela Lyengar, John Meisner,
William Pu, Christopher Pulgram, Olga Shpitko, Kenn
Wagner – Violinen
Amy Chang, Tania Maxwell Clements, Lachlan
McBane – Bratschen
Karen Freer, Charae Kruege, Daniel Laufer – Cellos

Covergestaltung
Chris Austopchuk – künstlerische Leitung
Danny Clinch – Fotografien
Michelle Holme – künstlerische Leitung
Mark Seliger – Fotografien

Titelliste
»Radio Nowhere«
»You'll Be Comin' Down«
»Livin' In The Future«
»Your Own Worst Enemy«
»Gypsy Biker«
»Girls In Their Summer Clothes«
»I'll Work For Your Love«
»Magic«
»Last To Die«
»Long Walk Home«
»Devil's Arcade«
»Terry's Song«

Veröffentlichungsdatum
2. Oktober 2007

Label und Katalognummer
Columbia 88697 17060 2

Höchste Chartplatzierung
US: 1, UK: 1

Anmerkungen
Alle Songs von Bruce Springsteen. »Terry's Song« ist ein
Hidden Track.
In den USA und Europa auch veröffentlicht als LP
(88697 17060 1).

WORKING ON A DREAM 2009
Aufgenommen in den Southern Tracks Studios
3051 Clairmont Road NE, Atlanta, Georgia
Weitere Aufnahmen in den Avatar Studios
441 West 53rd Street, New York City
Clinton Studios
180 West 80th Street, New York City
Henson Studios
1416 North La Brea Avenue, Hollywood, Kalifornien
Thrill Hill East Studio (Springsteens Heimstudio in New
Jersey)
Produziert von Brendan O'Brien

Besetzung
The E Street Band
Bruce Springsteen – Leadgesang, Gitarren, Mundhar-
monika, Keyboard, Glockenspiel, Percussion
Roy Bittan – Piano, Orgel, Akkordeon
Clarence Clemons – Saxofon, Backgroundgesang
Danny Federici – Orgel
Nils Lofgren – Gitarren, Backgroundgesang
Patti Scialfa – Backgroundgesang
Garry Tallent – Bass
Steve Van Zandt – Gitarren, Backgroundgesang
Max Weinberg – Schlagzeug

Weitere Musiker
Jason Federici – Akkordeon (»The Last Carnival«)
Eddie Horst – Streicher- und Bläserarrangements
(»Outlaw Pete«, »Tomorrow Never Knows«, »Kingdom
Of Days« und »Surprise, Surprise«)
Soozie Tyrell – Violine, Backgroundgesang
Patrick Warren – Orgel (»Outlaw Pete«), Piano (»This
Life«), Keyboard (»Tomorrow Never Knows«)

Covergestaltung
Chris Austopchuk – künstlerische Leitung
Dave Bett – künstlerische Leitung
Danny Clinch – Fotografien
Michelle Holme – künstlerische Leitung
Jennifer Tzar – Fotografien

Titelliste
»Outlaw Pete«
»My Lucky Day«
»Working On A Dream«
»Queen Of The Supermarket«
»What Love Can Do«
»This Life«
»Good Eye«
»Tomorrow Never Knows«
»Life Itself«
»Kingdom Of Days«
»Surprise, Surprise«
»The Last Track«
»The Wrestler«

Veröffentlichungsdatum
27. Januar 2009

Label und Katalognummer
Columbia 88697 41355 2

Höchste Chartplatzierung
US: 1, UK: 1

Anmerkungen
Alle Songs von Bruce Springsteen. »The Wrestler« ist als Bonustrack ausgewiesen.
In den USA und Europa auch veröffentlicht als Doppel-LP (US 88697 41355 1/Europa 88697 45316 1).
Die »Deluxe Edition« (88697 43931 2) enthält zusätzlich eine Bonus-»Sessions DVD« mit einem Clip und Extra-track – »A Night With The Jersey Devil« (von Bruce Springsteen, basierend auf einem Sample von »Baby Blue« von Robert Jones und Gene Vincent) – und einem 40-minütigen Making-of mit Studioaufnahmen von »My Lucky Day«, »Queen Of The Supermarket«, »Kingdom of Days«, »Tomorrow Never Knows/What Love Can Do/This Life«, »Life Itself«, »Working On A Dream« und »The Last Carnival«.

WRECKING BALL 2012
Aufgenommen im Stone Hill Studio (Springsteens Heimstudio in New Jersey)
Weitere Aufnahmen in den MSR Studios (Studio B)
168 West 48th Street, New York City
Produziert von Ron Aniello und Bruce Springsteen

Besetzung
Bruce Springsteen – Leadgesang, Gitarren, Banjo, Piano, Orgel, Schlagzeug, Percussion, Loops
Ron Aniello – Gitarre, Bass, Keyboard, Piano, Schlagzeug, Loops, Backgroundgesang
Art Baron – Euphonium, Tuba, Sousafon, Tin Whistle
Clarence Clemons – Saxofon (»Wrecking Ball« und »Land Of Hope And Dreams«)
Clark Gayton – Posaune
Charles Giordano – Akkordeon, Piano, Hammondorgel B3
Stan Harrison – Klarinette, Altsaxofon, Tenorsaxofon
Dan Levine – Althorn, Euphonium
Lisa Lowell – Backgroundgesang
Ed Manion – Tenorsaxofon, Baritonsaxofon
Curt Ramm – Trompete, Kornett
Patti Scialfa – Backgroundgesang, Gesangsarrangements
Soozie Tyrell – Violine, Backgroundgesang
Max Weinberg – Schlagzeug (»Wrecking Ball« und »We Are Alive«)

Weitere Musiker
Tiffeny Andrews – Backgroundgesang (»Easy Money«)
Lilly Brown – Backgroundgesang (»Easy Money«)
Kevin Buell – Schlagzeug und Backgroundgesang (»Death To My Hometown«)
Corinda Carford – Backgroundgesang (»Easy Money«)
Matt Chamberlain – Schlagzeug und Percussion (»Shackled And Drawn«, »Death To My Hometown« und »You've Got It«)

Soloman Cobbs – Backgroundgesang (»Easy Money«)
Steve Jordan – Percussion (»Easy Money«)
Rob Lebret – E-Gitarre (»Wrecking Ball«), Backgroundgesang (»Death To My Hometown«, »Wrecking Ball« und »You've Got It«)
Greg Leisz – Banjo, Mandola, Lap-Steel-Gitarre (»We Are Alive« und »You've Got It«)
Darrell Leonard – Trompete und Bass-Trompete (»We Are Alive«)
Cindy Mizelle – Backgroundgesang (»Shackled And Drawn«)
Michelle Moore – Backgroundgesang (»Easy Money«, »Rocky Ground« und »Land Of Hope And Dreams«)
Tom Morello – E-Gitarre (»Jack Of All Trades« und »This Depression«)
Marc Muller – Pedal-Steel-Gitarre (»Wrecking Ball«)
New York Chamber Consort – Streicher (»We Take Care Of Our Own«, »Jack Of All Trades« und »Wrecking Ball«)
Clif Norrell – Backgroundgesang
Ross Peterson – Backgroundgesang
Antoinette Savage – Backgroundgesang (»Easy Money«)
Victorious Gospel Choir – Chor (»Rocky Ground« und »Land Of Hope And Dreams«)

Covergestaltung
Dave Bett – künstlerische Leitung und Design
Danny Clinch – Fotografien
Michelle Holme – künstlerische Leitung und Design

Titelliste
»We Take Care Of Our Own«
»Easy Money«
»Shackled And Drawn«
»Jack Of All Trades«
»Death To My Hometown«
»This Depression«
»Wrecking Ball«
»You've Got It«
»Rocky Ground«
»Land Of Hope And Dreams«
»We Are Alive«

Veröffentlichungsdatum
6. März 2012

Label und Katalognummer
Columbia 88691 94254 2

Höchste Chartplatzierung
US: 1, UK: 1

Anmerkungen
Alle Songs von Bruce Springsteen. »Shackled And Drawn« enthält ein Zitat aus »Me And My Baby Got Our Own Thing Going« (von James Brown, Lyn Collins, Fred Wesley und Charles Bobbitt); »Death To My Hometown« enthält Samples aus »The Last Words Of Copernicus« (Alabama Sacred Harp Convention); »Rocky Ground« enthält Samples aus »I'm A Soldier In The Army Of The Lord« (Traditional); »Land Of Hope

And Dreams« enthält Zitate aus »People Get Ready« (von Curtis Mayfield).
In den USA und Europa auch veröffentlicht als Doppel-LP (88691 94254 1). Die Vinyl-Ausgabe enthält eine CD der Standard-Edition als Beigabe.
Die »Special Edition« (88691 94836 2) enthält zwei Bonustracks – »Swallowed Up (In The Belly Of The Whale)« und »American Land« (inspiriert von »He Lies In The American Land« von Andrew Kovaly und Pete Seeger).

HIGH HOPES 2014
Aufgenommen in:
Thrill Hill Recording/Stone Hill Studio (Springsteens Heimstudio in New Jersey); Very Loud House (Los Angeles); Renegade Studio (New York City); Veritas Studio (Tom Morellos Heimstudio in Los Angeles); Southern Tracks Studio (Atlanta); East West Studios (Los Angeles); NRG Studios (Los Angeles); Village Studios (Los Angeles); Studios 301 (Byron Bay und Sydney, Australien); Record Plant (Los Angeles); Electric Lady Studios (New York City); Avatar Studios (New York City); Sear Sound (New York City); Berkeley Street Studio (Santa Monica)
Produziert von Ron Aniello und Bruce Springsteen (»Harry's Place«, »Down In The Hole« und »Hunter Of Invisible Game« von Brendan O'Brien; »Heaven's Wall« von Brendan O'Brien, Ron Aniello und Bruce Springsteen)

Besetzung
The E Street Band
Bruce Springsteen – Leadgesang, Gitarren, Bass, Banjo, Mandoline, Orgel, Piano, Synthesizer, Vibrafon, Harmonium, Schlagzeug, Percussion-Loop
Roy Bittan – Piano, Orgel
Clarence Clemons – Saxofon (»Harry's Place« und »Down In The Hole«)
Danny Federici – Orgel (»Down In The Hole« und »The Wall«)
Nils Lofgren – Gitarren, Backgroundgesang
Patti Scialfa – Backgroundgesang
Garry Tallent – Bass
Steve Van Zandt – Gitarren, Backgroundgesang
Max Weinberg – Schlagzeug

Special Guest
Tom Morello – Gitarre, Backgroundgesang (und Leadgesang auf »The Ghost Of Tom Joad«)

Weitere Musiker
Tawatha Agee – Backgroundgesang (»Heaven's Wall«)
Ron Aniello – Drum- und Percussion-Loops, Bass, Synthesizer, Gitarre, Zwölfsaitige Gitarre, Percussion, Orgel, Farfisa-Orgel, Akkordeon, Vibrafon
Atlanta Strings – Streicher (»Harry's Place« und »Hunter Of Invisible Game«)
Sam Bardfeld – Violine (»Heaven's Wall«, »Frankie Fell In Love« und »This Is Your Sword«)
Everett Bradley – Backgroundgesang, Percussion
Jake Clemons – Saxofon, Backgroundgesang

Barry Danielian – Trompete
Keith Fluitt – Backgroundgesang (»Heaven's Wall«)
Josh Freese – Schlagzeug (»This Is Your Sword«)
Clark Gayton – Posaune, Tuba
Charles Giordano – Orgel, Akkordeon, Keyboard
Stan Harrison – Saxofon
John James – Backgroundgesang (»Heaven's Wall«)
Jeff Kievit – Piccolotrompete (»Just Like Fire Would«)
Curtis King – Backgroundgesang
Ed Manion – Saxofon
Cindy Mizelle – Backgroundgesang
Michelle Moore – Backgroundgesang
New York Chamber Consort Strings – Streicher (»Just Like
    Fire Would«, »Heaven's Wall« und »Dream Baby Dream«)
Curt Ramm – Trompete, Kornett
Evan, Jessie und Sam Springsteen – Backgroundgesang
    (»Down In The Hole«)
Al Thornton – Backgroundgesang (»Heaven's Wall«)
Scott Tibbs – Bläserarrangements
Soozie Tyrell – Violine, Backgroundgesang
Cillian Vallely – Dudelsack (»This Is Your Sword«)
Brenda White – Backgroundgesang (»Heaven's Wall«)

Covergestaltung
Danny Clinch – Fotografien
Michelle Holme – künstlerische Leitung und Design

Titelliste
»High Hopes«
»Harry's Place«
»American Skin (41 Shots)«
»Just Like Fire Would«
»Down In The Hole«
»Heaven's Wall«
»Frankie Fell In Love«
»This Is Your Sword«
»Hunter Of Invisible Game«
»The Ghost Of Tom Joad«
»The Wall«
»Dream Baby Dream«

Veröffentlichungsdatum
13. Januar 2014

Label und Katalognummer
Columbia 88843 01546 2

Höchste Chartplatzierung
US: 1, UK: 1

Anmerkungen
Alle Songs von Bruce Springsteen, außer: »High Hopes«
(von Tim Scott McConnell); »Just Like Fire Would« (von
Chris J. Bailey) und »Dream Baby Dream« (von Martin
Rev und Alan Vega).
In den USA und Europa auch veröffentlicht als Doppel-
LP (88843 01546 1). Die Vinyl-Ausgabe enthält eine CD
der Standard-Edition als Beigabe.
Die »Limited Edition« (88843 03210 2) enthält die
Bonus-DVD *Born in the U. S. A. Live* (88843 02903 2),

eine Filmaufnahme der Livedarbietung des gesamten
Albums beim Hard Rock Calling, Queen Elizabeth
Olympic Park, London am 30. Juni 2013.

LIVEALBEN

LIVE / 1975–85 1986
Aufgenommen an verschiedenen Auftrittsorten
zwischen Oktober 1975 und September 1985
Produziert von Jon Landau, Chuck Plotkin und Bruce
Springsteen

Besetzung
The E Street Band
Bruce Springsteen – Leadgesang, E-Gitarre, Mund-
    harmonika, Akustikgitarre
Roy Bittan – Piano, Synthesizer, Backgroundgesang
Clarence Clemons – Saxofon, Percussion, Background-
    gesang
Danny Federici – Orgel, Akkordeon, Glockenspiel,
    Piano, Synthesizer, Backgroundgesang
Nils Lofgren (ab 1984) – E-Gitarre, Akustikgitarre,
    Backgroundgesang
Patti Scialfa (ab 1984) – Backgroundgesang, Synthesizer
Garry Tallent – Bass, Backgroundgesang
Steve Van Zandt (bis 1981) – E-Gitarre, akustische
    Gitarre, Backgroundgesang
Max Weinberg – Schlagzeug

Weitere Musiker
Flo and Eddie (Howard Kaylan und Mark Volman) –
    Backgroundgesang (»Hungry Heart«)
The Miami Horns – Bläser (»Tenth Avenue Freeze-Out«)

Covergestaltung
Sandra Choron – künstlerische Gestaltung
Neal Preston – Coverfotografie

Seite eins
»Thunder Road«
»Adam Raised A Cain«
»Spirit In The Night«
»4th Of July, Asbury Park (Sandy)«

Seite zwei
»Paradise By The ›C‹«
»Fire«
»Growin' Up«
»It's Hard To Be A Saint In The City«

Seite drei
»Backstreets«
»Rosalita (Come Out Tonight)«
»Raise Your Hand«

Seite vier
»Hungry Heart«
»Two Hearts«

»Cadillac Ranch«
»You Can Look (But You Better Not Touch)«
»Independence Day«

Seite fünf
»Badlands«
»Because The Night«
»Candy's Room«
»Darkness On The Edge Of Town«
»Racing In The Street«

Seite sechs
»This Land Is Your Land«
»Nebraska«
»Johnny 99«
»Reason To Believe«

Seite sieben
»Born In The U. S. A.«
»Seeds«
»The River«

Seite acht
»War«
»Darlington County«
»Working On The Highway«
»The Promised Land«

Seite neun
»Cover Me«
»I'm On Fire«
»Bobby Jean«
»My Hometown«

Seite zehn
»Born To Run«
»No Surrender«
»Tenth Avenue Freeze-Out«
»Jersey Girl«

Veröffentlichungsdatum
19. November 1986

Label und Katalognummer
LP: US: Columbia C5X 40558, UK: CBS 450227 1
CD: US: Columbia C3K 40558, UK: CBS 450227 2

Höchste Chartplatzierung
US: 1, UK: 4

Anmerkungen
Alle Songs von Bruce Springsteen, außer: »Raise Your
Hand« (von Steve Cropper, Eddie Floyd und Alvertis
Isbell); »Because The Night« (von Bruce Springsteen
und Patti Smith); »This Land Is Your Land« (von Woody
Guthrie); »War« (von Barrett Strong und Norman Whit-
field) und »Jersey Girl« (von Tom Waits).
Wiederveröffentlicht in neuer Box in den USA 1997 (C3K
65328) und in den USA und Europa 2002 (US: C3K 86570,
Europa: 508125 2).

IN CONCERT / MTV PLUGGED 1993
Aufgenommen in den Warner Hollywood Studios, Los Angeles, am 22. September 1992
Produziert von Jon Landau und Bruce Springsteen

Besetzung
Bruce Springsteen – Leadgesang, Lead- und Rhythmus-
  gitarre, Mundharmonika
Zachary Alford – Schlagzeug
Roy Bittan – Keyboard
Gia Ciambotti – Backgroundgesang
Carol Dennis – Backgroundgesang
Shane Fontayne – Lead- und Rhythmusgitarre
Cleopatra Kennedy – Backgroundgesang
Bobby King – Backgroundgesang
Angel Rogers – Backgroundgesang
Patti Scialfa – Akustikgitarre, Harmoniegesang
  (»Human Touch«)
Tommy Sims – Bass
Crystal Taliefero – Akustikgitarre, Percussion, Back-
  groundgesang

Covergestaltung
Sandra Choron – künstlerische Gestaltung
Neal Preston – Coverfotografie

Seite eins
»Red Headed Woman«
»Better Days«
»Atlantic City«
»Darkness On The Edge Of Town«

Seite zwei
»Man's Job«
»Human Touch«
»Lucky Town«

Seite drei
»I Wish I Were Blind«
»Thunder Road«
»Light Of Day«

Seite vier
»If I Should Fall Behind«
»Living Proof«
»My Beautiful Reward«

Veröffentlichungsdatum
12. April 1993

Label und Katalognummer
LP: nur Europa: COL 473860 1
CD: US: COL CK 68730, Europa: COL 473860 2

Höchste Chartplatzierung
US: 189, UK: 4

Anmerkungen
Alle Songs von Bruce Springsteen.
Zuerst veröffentlicht in den USA im August 1997.

Filmaufnahmen dieses Auftritts wurden zuerst veröf-
fentlicht als 120-minütiges VHS-Video im Dezember
1992 mit folgender Titelliste: »Red headed Woman«/
»Better Days«/»Local Hero«/»Atlantic City«/»Darkness
On The Edge Of Town«/»Man's Job«/»Growin' Up«/
»Human Touch«/»Lucky Town«/»I Wish I Were Blind«/
»Thunder Road«/»Light Of Day«/»The Big Muddy«/»57
Channels (And Nothin' On)«/»My Beautiful Reward«/
»Glory Days« plus Bonussongs, die nicht in der MTV-
Show ausgestrahlt wurden – »Living Proof«, »If I Should
Fall Behind« und »Roll Of The Dice.« Das Video wurde im
November 2004 als DVD wiederveröffentlicht.

LIVE IN NEW YORK CITY 2001
Aufgenommen im Madison Square Garden, New York
City, am 29. Juni und 1. Juli 2000
Produziert von Bruce Springsteen und Chuck Plotkin

Besetzung
The E Street Band
Bruce Springsteen – Leadgesang, Gitarren, Mund-
  harmonika
Roy Bittan – Keyboard
Clarence Clemons – Percussion, Saxofon
Danny Federici – Keyboard
Nils Lofgren – E-Gitarre, Backgroundgesang
Patti Scialfa – Backgroundgesang, Akustikgitarre
Garry Tallent – Bass
Steve Van Zandt – E-Gitarre, Backgroundgesang
Max Weinberg – Schlagzeug

Covergestaltung
Sandra Choron – künstlerische Leitung
Neal Preston – Coverfotografie

Disc eins
»My Love Will Not Let You Down«
»Prove It All Night«
»Two Hearts«
»Atlantic City«
»Mansion On The Hill«
»The River«
»Youngstown«
»Murder Incorporated«
»Badlands«
»Out In The Street«
»Born To Run«

Disc zwei
»Tenth Avenue Freeze-Out«
»Land Of Hope And Dreams«
»American Skin (41 Shots)«
»Lost In The Flood«
»Born In The U.S.A.«
»Don't Look Back«
»Jungleland«
»Ramrod«
»If I Should Fall Behind«

Veröffentlichungsdatum
27. März 2001

Label und Katalognummer
US: COL C2K 85490, Europa: COL 500000 2

Höchste Chartplatzierung
US: 5, UK: 12

Anmerkungen
Alle Songs von Bruce Springsteen. »Two Hearts« enthält
einen kurzen Ausschnitt aus »It Takes Two« (von Sylvia
Moy und William »Mickey« Stevenson); »Tenth Avenue
Freeze-Out« enthält Ausschnitte aus »Take Me To The
River« (von Al Green und Mabon »Teenie« Hodges), »It's
All Right« (von Curtis Mayfield) und »Rumble Doll« (von
Patti Scialfa).
Auch veröffentlicht als Triple-LP (US: COL C3 85490,
Europa: COL 500000 1).
Das Doppel-DVD-Set (SONY 54071 9) mit dem gleichen
Titel enthält auf Disc eins ein von Bob Costas geführtes
Interview mit der Band plus Filmaufnahmen folgender
Songs: »My Love Will Not Let You Down«/»Prove It All
Night«/»Two Hearts«/»Atlantic City«/»Mansion On The
Hill«/»The River«/»Youngstown«/»Murder Incorporated«/
»Badlands«/»Out In The Street«/»Tenth Avenue Freeze-
Out«/»Born To Run«/»Land Of Hope And Dreams«/
»American Skin (41 Shots).« Disc zwei enthält Filmauf-
nahmen folgender Songs: »Backstreets«/»Don't Look
Back«/»Darkness On The Edge Of Town«/»Lost In The
Flood«/»Born In The U.S.A.«/»Jungleland«/»Light Of
Day«/»The Promise«/»Thunder Road«/»Ramrod«/»If I
Should Fall Behind.«

HAMMERSMITH ODEON LONDON '75 2006
Aufgenommen im Hammersmith Odeon, London,
am 18. November 1975
Produziert von Bruce Springsteen und Jon Landau

Besetzung
The E Street Band
Bruce Springsteen – Leadgesang, Gitarren, Mund-
  harmonika
Roy Bittan – Piano, Backgroundgesang
Clarence Clemons – Percussion, Saxofon
Danny Federici – Keyboard
Garry Tallent – Bass
Steve Van Zandt – Gitarre, Slide-Gitarre, Background-
  gesang
Max Weinberg – Schlagzeug

Covergestaltung
Christopher Austopchuk – künstlerische Leitung
David Bett – künstlerische Leitung
Michelle Holme – künstlerische Leitung

Disc eins
»Thunder Road«

»Tenth Avenue Freeze-Out«
»Spirit In The Night«
»Lost In The Flood«
»She's The One«
»Born To Run«
»The E Street Shuffle«
»It's Hard To Be A Saint In The City«
»Kitty's Back«
»Backstreets«

Disc zwei
»Jungleland«
»Rosalita (Come Out Tonight)«
»4th Of July, Asbury Park (Sandy)«
»Detroit Medley«
»For You«
»Quarter To Three«

Veröffentlichungsdatum
28. Februar 2006

Label und Katalognummer
Columbia 82876 77995 2

Höchste Chartplatzierung
US: 93, UK: 33

Anmerkungen
Alle Songs von Bruce Springsteen, außer: »Detroit Medley«, das aus folgenden Songs besteht: »Devil With A Blue Dress On« (von William Stevenson und Frederick »Shorty« Long), »C. C. Rider« (von Gertrude »Ma« Rainey und Lena Arant), »Good Golly Miss Molly« (von Robert Blackwell und John Marascalco) und »Jenny Takes A Ride« (von Bob Crewe, Enotris Johnson und Richard Penniman); und »Quarter To Three« (von Gene Barge, Frank J. Guida, Joseph F. Royster und Gary Anderson). »Spirit In The Night« enthält einen Ausschnitt aus »Stagger Lee« (Traditional); »The E Street Shuffle« enthält eine Passage aus »Having A Party« (von Sam Cooke); »Kitty's Back« enthält eine Passage aus »Moondance« (von Van Morrison); »Rosalita (Come Out Tonight)« enthält eine Passage aus »Come A Little Closer« (von Tommy Boyce, Bobby Hart und Wes Ferrell) und »Theme From Shaft« (von Isaac Hayes).
Im November 2005 zuerst auf DVD erschienen als Teil des *Born To Run*-Thirtieth-Anniversary-Edition-Boxset (C3K 94175).

LIVE IN DUBLIN 2007
Aufgenommen im Point Theatre, Dublin, vom 17. – 19. November 2006
Produziert von Bruce Springsteen und Jon Landau

Besetzung
The Sessions Band
Bruce Springsteen – Leadgesang, Gitarre, Mundharmonika
Sam Bardfield – Violine, Backgroundgesang

Art Baron – Sousafon, Posaune, Mandoline, Tin Whistle, Euphonium
Frank Bruno – Akustikgitarre, Feldtrommel, Backgroundgesang
Jeremy Chatzky – Kontrabass, Bassgitarre
Larry Eagle – Schlagzeug, Percussion
Clark Gayton – Posaune, Percussion, Backgroundgesang
Charles Giordano – Akkordeon, Piano, Hammondorgel, Backgroundgesang
Curtis King Jr. – Percussion, Backgroundgesang
Greg Leisz – Banjo, Backgroundgesang
Lisa Lowell – Backgroundgesang, Percussion
Ed Manion – Tenorsaxofon, Baritonsaxofon, Percussion, Backgroundgesang
Cindy Mizelle – Backgroundgesang, Percussion
Curt Ramm – Trompete, Percussion, Backgroundgesang
Marty Rifkin – Lap-Steel-Gitarre, Dobro, Mandoline
Patti Scialfa – Akustikgitarre, Backgroundgesang
Soozie Tyrell – Violine, Backgroundgesang

Covergestaltung
Christopher Austopchuk – künstlerische Leitung
Michelle Holme – künstlerische Leitung und Design

Disc eins
»Atlantic City«
»Old Dan Tucker«
»Eyes On The Prize«
»Jesse James«
»Further On (Up The Road)«
»O Mary Don't You Weep«
»Erie Canal«
»If I Should Fall Behind«
»My Oklahoma Home«
»Highway Patrolman«
»Mrs. McGrath«
»How Can A Poor Man Stand Such Times And Live«
»Jacob's Ladder«

Disc zwei
»Long Time Comin'«
»Open All Night«
»Pay Me My Money Down«
»Growin' Up«
»When The Saints Go Marching In«
»This Little Light Of Mine«
»American Land«
»Blinded By The Light«
»Love Of The Common People«
»We Shall Overcome«

Veröffentlichungsdatum
5. Juni 2007

Label und Katalognummer
US: COL 886970958226, Europa: COL 88697095822

Höchste Chartplatzierung
US: 23, UK: 21

Anmerkungen
Für die Credits siehe *We Shall Overcome: The Seeger Sessions*. Alle anderen Songs von Bruce Springsteen, außer: »When The Saints Go Marching In« und »This Little Light Of Mine« (Traditional); und »Love Of The Common People« (von John Hurley und Ronnie Wilkins). Die letzten drei Tracks auf Disc zwei sind als Bonussongs deklariert.
Auch veröffentlicht als DVD-Set (US: COL 886971013924, Europa: COL 88697108762).
Eine Special Edition der DVD, die es als Dankeschön für eine Spende an das nichtkommerzielle TV-Network Public Broadcasting Service (PBS) gab, enthält fünf Extrasongs: »Bobby Jean«/»The Ghost Of Tom Joad«/»Johnny 99«/»For You«/»My City Of Ruins«.

COMPILATIONS

GREATEST HITS
Veröffentlicht am 28. Februar 1995
US: COL C2 67060, Europa: COL 478555 2
US: 1, UK 1

Titelliste
»Born To Run«
»Thunder Road«
»Badlands«
»The River«
»Hungry Heart«
»Atlantic City«
»Dancing In The Dark«
»Born In The U. S. A.«
»My Hometown«
»Glory Days«
»Brilliant Disguise«
»Human Touch«
»Better Days«
»Streets Of Philadelphia«
»Secret Garden«
»Murder Incorporated«
»Blood Brothers«
»This Hard Land«

Anmerkungen
Alle Songs von Bruce Springsteen.

TRACKS
Veröffentlicht am 10. November 1998
US: COL CXK 69475, Europa: COL 492605 2
US: 27, UK: 50

Disc eins
»Mary Queen Of Arkansas«
»It's Hard To Be A Saint In The City«
»Growin' Up«
»Does This Bus Stop At 82nd Street?«
»Bishop Danced«

»Santa Ana«
»Seaside Bar Song«
»Zero And Blind Terry«
»Linda Let Me Be The One«
»Thundercrack«
»Rendezvous«
»Give The Girl A Kiss«
»Iceman«
»Bring On The Night«
»So Young And In Love«
»Hearts Of Stone«
»Don't Look Back«

Disc zwei
»Restless Nights«
»A Good Man Is Hard To Find (Pittsburgh)«
»Roulette«
»Dollhouse«
»Where The Bands Are«
»Loose Ends«
»Living On The Edge Of The World«
»Wages Of Sin«
»Take 'Em As They Come«
»Be True«
»Ricky Wants A Man Of Her Own«
»I Wanna Be With You«
»Mary Lou«
»Stolen Car«
»Born In The U.S.A.«
»Johnny Bye-Bye«
»Shut Out The Light«

Disc drei
»Cynthia«
»My Love Will Not Let You Down«
»This Hard Land«
»Frankie«
»TV Movie«
»Stand On It«
»Lion's Den«
»Car Wash«
»Rockaway The Days«
»Brothers Under The Bridges ('83)«
»Man At The Top«
»Pink Cadillac«
»Two For The Road«
»Janey, Don't You Lose Heart«
»When You Need Me«
»The Wish«
»The Honeymooners«
»Lucky Man«

Disc vier
»Leavin' Train«
»Seven Angels«
»Gave It A Name«
»Sad Eyes«
»My Lover Man«
»Over The Rise«
»When The Lights Go Out«

»Loose Change«
»Trouble In Paradise«
»Happy«
»Part Man, Part Monkey«
»Goin' Cali«
»Back In Your Arms«
»Brothers Under The Bridge«

Anmerkungen
Alle Songs von Bruce Springsteen.

18 TRACKS
Veröffentlicht am 13. April 1999
COL 494200 2
US: 64, UK: 23

Titelliste
»Growin' Up«
»Seaside Bar Song«
»Rendezvous«
»Hearts Of Stone«
»Where The Bands Are«
»Loose Ends«
»I Wanna Be With You«
»Born In The U.S.A.«
»My Love Will Not Let You Down«
»Lion's Den«
»Pink Cadillac«
»Janey, Don't You Lose Heart«
»Sad Eyes«
»Part Man, Part Monkey«
»Trouble River«
»Brothers Under The Bridge«
»The Fever«
»The Promise«

Anmerkungen
Alle Songs von Bruce Springsteen.

THE ESSENTIAL BRUCE SPRINGSTEEN
Veröffentlicht am 11. November 2003
US: COL C2K 90773, Europa: COL 513700 9
US: 14, UK: 28

Disc eins
»Blinded By The Light«
»For You«
»Spirit In The Night«
»4th Of July, Asbury Park (Sandy)«
»Rosalita (Come Out Tonight)«
»Thunder Road«
»Born To Run«
»Jungleland«
»Badlands«
»Darkness On The Edge Of Town«
»The Promised Land«
»The River«
»Hungry Heart«

»Nebraska«
»Atlantic City«

Disc zwei
»Born In The U.S.A.«
»Glory Days«
»Dancing In The Dark«
»Tunnel Of Love«
»Brilliant Disguise«
»Human Touch«
»Living Proof«
»Lucky Town«
»Streets Of Philadelphia«
»The Ghost Of Tom Joad«
»The Rising«
»Mary's Place«
»Lonesome Day«
»American Skin (41 Shots) (Live)«
»Land Of Hope And Dreams (Live)«

Bonus-Disc
»From Small Things (Big Things One Day Come)«
»The Big Payback«
»Held Up Without A Gun (Live)«
»Trapped (Live)«
»None But The Brave«
»Missing«
»Lift Me Up«
»Viva Las Vegas«
»County Fair«
»Code Of Silence (Live)«
»Dead Man Walkin'«
»Countin' On A Miracle (Acoustic)«

Anmerkungen
Alle Songs von Bruce Springsteen, außer: »Trapped (Live)« (von Jimmy Cliff); »Viva Las Vegas« (von Doc Pomus und Mort Shuman); und »Code Of Silence (Live)« (von Bruce Springsteen und Joe Grushecky). In Europa wiederveröffentlicht als Doppel-CD-Set ohne Bonus-CD 2003 (COL 513700 2) und 2011 (COL 88697973592).

GREATEST HITS (BRUCE SPRINGSTEEN & THE E STREET BAND)
Veröffentlicht am 13. Januar 2009
US: COL 88697439302, Europa: COL 88697532812
US: 43, UK: 3

Titelliste
»Blinded By The Light«
»Rosalita (Come Out Tonight)«
»Born To Run«
»Thunder Road«
»Badlands«
»Darkness On The Edge Of Town«
»Hungry Heart«
»The River«
»Born In The U.S.A.«
»Glory Days«

»Dancing In The Dark«
»The Rising«
»Lonesome Day«
»Radio Nowhere«

Anmerkungen

Alle Songs von Bruce Springsteen.
Die US-Edition war anfangs nur exklusiv bei Wal-Mart erhältlich. Die europäische »Limited Tour Edition« enthält zusätzlich »Long Walk Home« als letzten Track sowie zwei Bonustracks: »Because The Night (Live)« (von Bruce Springsteen und Patti Smith) und »Fire (Live)«.

THE PROMISE

Veröffentlicht am 16. November 2010
COL 88697 76177 2
US: 16, UK: 7

Disc eins

»Racing In The Street ('78)«
»Gotta Get That Feeling«
»Outside Looking In«
»Someday (We'll Be Together)«
»One Way Street«
»Because The Night«
»Wrong Side Of The Street«
»The Brokenhearted«
»Rendezvous«
»Candy's Boy«

Disc zwei

»Save My Love«
»Ain't Good Enough For You«
»Fire«
»Spanish Eyes«
»It's A Shame«
»Come On (Let's Go Tonight)«
»Talk To Me«
»The Little Things (My Baby Does)«
»Breakaway«
»The Promise«
»City Of Night«

Anmerkungen

Alle Songs von Bruce Springsteen außer »Because The Night« (von Bruce Springsteen und Patti Smith).
Es gibt einen Hidden Track am Ende der zweiten Disc: »The Way«.
Das Sechs-Disc-Boxset *The Promise: The Darkness On The Edge Of Town Story* (US: 88697 76525 2, Europa: 88697 78230 2) erschien am selben Tag. Neben der zuvor beschriebenen Doppel-CD enthält sie: eine remasterte CD des Originalalbums; eine DVD mit der Doku *The Promise: The Making Of Darkness On The Edge Of Town*; eine DVD mit der Livedarbietung des kompletten Albums im Paramount Theater, Asbury Park, 2009, sowie Filmmaterial von Sessions und Konzerten aus den Jahren 1976–1978; und eine DVD mit dem kompletten Konzert *Houston '78 Bootleg: House Cut*.

COLLECTION: 1973–2012

Veröffentlicht am 8. März 2013
Australien/Europa COL 88765 453852
US: nicht erschienen, UK: nicht gelistet

Titelliste

»Rosalita (Come Out Tonight)«
»Thunder Road«
»Born To Run«
»Badlands«
»The Promised Land«
»Hungry Heart«
»Atlantic City«
»Born In The U.S.A.«
»Dancing In The Dark«
»Brilliant Disguise«
»Human Touch«
»Streets Of Philadelphia«
»The Ghost Of Tom Joad«
»The Rising«
»Radio Nowhere«
»Working On A Dream«
»We Take Care Of Our Own«
»Wrecking Ball«

Anmerkungen

Alle Songs von Bruce Springsteen.
Anfangs nur in Australien als »Limited Tour Edition« erschienen. Im April 2013 in Europa veröffentlicht. Nicht offiziell in den USA erschienen, aber als kostenlose Promo-CD (88765 456062) an die Besucher des 2013 MusiCares Person of the Year Awards verteilt.

SINGLES UND EPs

Dies ist keine vollständige Auflistung, sondern eine Auswahl. Nicht enthalten sind beispielsweise Promo-Platten, Wiederveröffentlichungen sowie jede einzelne alternative B-Seite.

1973

»Blinded By The Light«/»The Angel« (US: –)
»Spirit In The Night«/»For You« (US: –)

1974

»4th of July, Asbury Park (Sandy)«/»The E Street Shuffle« (BRD)

1975

»Born To Run«/»Meeting Across The River« (US: 23, UK: 93)
»Tenth Avenue Freeze-Out«/»She's The One« (US: 83, UK: –)
»Rosalita (Come Out Tonight)«/»Night« (Niederlande)

1978

»Prove It All Night«/»Factory« (US: 33, UK: –)
»Badlands«/»Streets Of Fire« (US: 42, UK: –)
»The Promised Land«/»Streets Of Fire« (Europa)

1980

»Hungry Heart«/»Held Up Without A Gun« (US: 5, UK: 44)

1981

»Fade Away«/»Be True« (US: 20)
»Sherry Darling«/»Be True« (UK: –)
»Cadillac Ranch«/»Wreck On The Highway« (UK: –)
»I Wanna Marry You«/»Be True« (Japan)
»The River«/»Independence Day« (UK: 35)
»Point Blank«/»Ramrod« (Europa)
»The Ties That Bind«/»I'm A Rocker« (Südafrika)

1982

»Atlantic City«/»Mansion On The Hill« (Europa u. Kanada)
»Open All Night«/»The Big Payback« (Europa)

1984

»Dancing In The Dark«/»Pink Cadillac« (US: 2, UK: 4)
»Cover Me«/»Jersey Girl (Live)« (US: 7, UK: 16)
»Born In The U.S.A.«/»Shut Out The Light« (US: 9)

1985

»I'm On Fire«/»Johnny Bye Bye« (US: 6)
»I'm On Fire«/»Born In The U.S.A.« (Doppel-A-Seite) (UK: 5)
»Glory Days«/»Stand On It« (US: 5, UK: 17)
»I'm Going Down«/»Janey, Don't You Lose Heart« (US: 9)
»My Hometown«/»Santa Claus Is Coming To Town (Live)« (US: 6, UK: 9)

1986

»War (Live)«/»Merry Christmas Baby (Live)« (US: 8, UK: 18)

1987

»Fire (Live)«/»Incident On 57th Street (Live)« (US: 46)
»Fire (Live)«/»For You (Live)« (UK: 54)
»Born To Run (Live)«/»Johnny 99 (Live)« (UK: 16)
»Brilliant Disguise«/»Lucky Man« (US: 5, UK: 20)
»Tunnel Of Love«/»Two For The Road« (US: 9, UK: 45)

1988

»One Step Up«/»Roulette« (US: 13)
»Tougher Than The Rest«/»Tougher Than The Rest (Live)« (UK: 13)
Chimes of Freedom EP: »Tougher Than The Rest (Live)«/»Be True (Live)«/»Chimes Of Freedom (Live)«/»Born To Run (Live)«
»Spare Parts«/»Spare Parts (Live)« (UK: 32)

1992

»Human Touch«/»Better Days« (Doppel-A-Seite) (US: 16)
»Human Touch«/»Souls Of The Departed« (UK: 11)
»Better Days«/»Tougher Than The Rest (Live)« (UK: 34)
»57 Channels (And Nothin' On)«/»Part Man, Part Monkey« (US: 68)
»57 Channels (And Nothin' On)«/»Stand On It« (UK: 32)
»Leap Of Faith«/»Leap Of Faith (Live)« (UK: 46)
»If I Should Fall Behind«/»If I Should Fall Behind (Live)« (UK: –)

1993

»Lucky Town«/»Leap Of Faith (Live)« (Europa)
»Lucky Town (Live)«/»Lucky Town« (UK: 48)

1994

»Streets Of Philadelphia«/»If I Should Fall Behind (Live)«
(US: 9, UK: 2)

1995

»Murder Incorporated«/»Because The Night (Live)«
(Europa)
»Secret Garden«/»Thunder Road (Live)« (US: 63, UK: 44)
»Hungry Heart«/»Streets Of Philadelphia (Live)« (UK: 28)

1996

»The Ghost Of Tom Joad«/»Straight Time (Live)« (UK: 26)
»Dead Man Walkin'«/»This Hard Land (Live)« (Europa)
»Missing«/»Darkness On The Edge Of Town (Live)«
(Europa)
Blood Brothers EP: »Blood Brothers«/»High Hopes«/
»Murder Incorporated (Live)«/»Secret Garden (String
Version)«/»Without You«

1999

»Sad Eyes«/»Missing« (Europa)
»I Wanna Be With You«/»Where The Bands Are«/»Born In
The U.S.A.«/»Back In Your Arms Again« (Europa und Japan)

2002

»The Rising«/»Land Of Hope And Dreams (Live)«
(US: 52, UK: 94)
»Lonesome Day«/»Spirit In The Night (Live)«/»The
Rising (Live)«/»Lonesome Day (Video)« (US –, UK: 39)

2003

»Waitin' On A Sunny Day«/»Born To Run (Live)«/
»Darkness On The Edge Of Town (Live)«/»Thunder Road
(Live)« (UK: –)

2005

»Devils & Dust« (Download) (US: 72)

2007

»Radio Nowhere« (Download) (US: 102, UK: 96)

2008

»Girls In Their Summer Clothes (Winter Mix)«/»Girls In
Their Summer Clothes (Album Version)«/»Girls In Their
Summer Clothes (Video)« (Download-Bundle) (US: 52,
UK: 94)
Magic Tour Highlights EP: »Always A Friend« (mit
Alejandro Escovedo)/»The Ghost Of Tom Joad« (mit
Tom Morello)/»Turn! Turn! Turn!« (mit Roger McGuinn)/
»4th Of July, Asbury Park (Sandy)« (Danny Federicis
letzter Auftritt mit der E Street Band) (US: 48)
»Working On A Dream« (Download) (US: 95, UK: 133)
»My Lucky Day« (Download) (US: –, UK: –)
»The Wrestler« (Download) (US: 120, UK: 93)

2009

»What Love Can Do«/»A Night With The Jersey Devil«
(Limited Edition Sieben-Inch-Single anlässlich des
Record Store Day 2009)

2010

»Wrecking Ball (Live)«/»The Ghost Of Tom Joad (Live mit
Tom Morello)« (Limited Edition Zehn-Inch-Single an-
lässlich des Record Store Day 2010)
»Save My Love«/»Because The Night« (Limited Edition
Sieben-Inch-Single anlässlich des Black Friday Record
Store Day 2010)

2011

Live from the Carousel: »Gotta Get That Feeling«/
»Racing In The Street ('78)« (Limited Edition Zehn-Inch-
Single anlässlich des Record Store Day 2011)

2012

»We Take Care Of Our Own« (Download) (US: 106, UK: 111)
»Death To My Hometown« (Download) (US: –, UK: –)
»Rocky Ground«/»The Promise (Live)« (Limited Edition
Sieben-Inch-Single anlässlich des Record Store Day 2012)

2013

»High Hopes« (Download) (US: –, UK: 167)

2014

»Just Like Fire Would« (Download) (US:– UK: –))
American Beauty EP: »American Beauty«/»Mary Mary«/
»Hurry Up Sundown«/»Hey Blue Eyes« (Limited Edition
Zwölf-Inch-EP anlässlich des Record Store Day 2014)

KOMPILATIONEN MIT ANDEREN KÜNSTLERN

Diese Liste enthält Aufnahmen von Springsteen, die er
nicht unter eigenem Namen veröffentlicht hat.

1979

No Nukes (Musicians United for Safe Energy)
»Stay« (mit Jackson Browne und Rosemary Butler) und
»Devil With The Blue Dress Medley«

1987

A Very Special Christmas
»Merry Christmas Baby«

1988

Folkways: A Vision Shared
»I Ain't Got No Home« und »Vigilante Man«

1990

Harry Chapin Tribute
»Remember When The Music«

1991

For Our Children
»Chicken Lips And Lizard Hips«

1994

A Tribute to Curtis Mayfield
»Gypsy Woman«

1996

The Concert for the Rock and Roll Hall of Fame
»Shake, Rattle And Roll«, »Great Balls Of Fire« und
»Whole Lotta Shakin' Goin' On« (alle mit Jerry Lee Lewis)

1998

*Where Have All the Flowers Gone: The Songs of
Pete Seeger*
»We Shall Overcome«

2000

Til We Outnumber 'Em
»Riding My Car« und »Deportee (Plane Wreck At Los
Gatos)«

2001

America: A Tribute to Heroes
»My City Of Ruins (Live)«

2002

Kindred Spirits: A Tribute to the Songs of Johnny Cash
»Give My Love To Rose«

2004

Enjoy Every Sandwich: The Songs of Warren Zevon
»My Ride's Here«

2007

We All Love Ennio Morricone
»Once Upon A Time In The West«
Sowing the Seeds: The 10th Anniversary
»The Ghost Of Tom Joad« (mit Pete Seeger)
Give Us Your Poor
»Hobo's Lullaby« (mit der Sessions Band und Pete Seeger)

2010

The 25th Anniversary Rock & Roll Hall Of Fame Concerts
(Boxset)
»The Ghost Of Tom Joad« (mit Tom Morello), »Fortunate
Son« (mit John Fogerty), »Oh, Pretty Woman« (mit John
Fogerty), »Jungleland«, »A Fine Fine Boy« (mit Darlene
Love), »London Calling« (mit Tom Morello), »New York
State Of Mind« (mit Billy Joel), »Born To Run« (with Billy
Joel), »(Your Love Keeps Lifting Me) Higher And
Higher« (mit Darlene Love, John Fogerty, Sam Moore,
Billy Joel und Tom Morello), »Because The Night« (mit
U2, Patti Smith und Roy Bittan), »I Still Haven't Found
What I'm Looking For« (mit U2)
Hope for Haiti Now
»We Shall Overcome (Live)«

2011
The Bridge School Concerts 25th Anniversary Edition
»Born In The U. S. A. (Live)«

2013
12-12-12: The Concert for Sandy Relief
»Land Of Hope And Dreams (Live)«
»Wrecking Ball (Live)«

2014
Looking into You: A Tribute to Jackson Browne
»Linda Paloma« (with Patti Scialfa)

GASTAUFTRITTE

1977
Ronnie Spector and the E Street Band: »Say Goodbye
To Hollywood«/»Baby, Please Don't Go«
Akustikgitarre

1978
Robert Gordon with Link Wray: *Fresh Fish Special*
Piano auf »Fire«
The Dictators: *Bloodbrothers*
Gesang auf »Faster And Louder«
Lou Reed: *Street Hassle*
gesprochene Worte auf »Street Hassle«

1980
Graham Parker: *The Up Escalator*
Backgroundgesang auf »Endless Night« und »Paralyzed«

1981
Gary U.S. Bonds: *Dedication*
Coproduzent, Co-Leadgesang auf »Jolé Blon«, Gitarre
und Gesang auf »This Little Girl«

1982
Gary U.S. Bonds: *On the Line*
Coproduzent
Donna Summer: *Donna Summer*
Gitarre und Backgroundgesang auf »Protection«
Little Steven & the Disciples of Soul: *Men Without Women*
Harmoniegesang auf »Men Without Women«, »Angel
Eyes« und »Until The Good Is Gone«

1983
Clarence Clemons and the Red Bank Rockers: *Rescue*
Produzent, Gitarre auf »Savin' Up« und Gitarre auf
»Summer On Signal Hill«

1985
USA for Africa: *We Are the World*
Gesangspart auf »We Are The World«
Artists United Against Apartheid: *Sun City*
Gesangspart auf »Sun City«

1986
Jersey Artists for Mankind: »We've Got The Love«
Gitarrensolo

1987
Little Steven: *Freedom – No Compromise*
Co-Leadgesang auf »Native American«

1989
Roy Orbison and Friends: *A Black and White Night Live*
Gitarre, Backgroundgesang
L. Shankar with the Epidemics: *Eye Catcher*
Mundharmonika auf »Up To You«

1991
Nils Lofgren: *Silver Lining*
Backgroundgesang auf »Valentine«
Southside Johnny and the Asbury Jukes: *Better Days*
Co-Leadgesang auf »It's Been A Long Time« und Key-
board, Gitarren und Backgroundgesang auf »All The
Way Home«
John Prine: *The Missing Years*
Backgroundgesang auf »Take A Look At My Heart«

1993
Patti Scialfa: *Rumble Doll*
Gitarre und Keyboard

1995
Elliott Murphy: *Selling the Gold*
Gesang auf »Everything I Do (Leads Me Back To You)«
Joe Ely: *Letter to Laredo*
Backgroundgesang auf »All Just To Get To You« und
»I'm A Thousand Miles From Home«
Joe Grushecky and the Houserockers: *American Babylon*
Produzent und Backgroundgesang

1999
Mike Ness: *Cheating at Solitaire*
Gesang und Gitarre auf »Misery Loves Company«
Joe Grushecky and the Houserockers: *Down the Road
Apiece – Live*
Gitarre und Gesang auf »Talking To The King«, »Pum-
ping Iron« und »Down The Road Apiece«

2000
Emmylou Harris: *Red Dirt Girl*
Harmoniegesang auf »Tragedy«
John Wesley Harding: *Awake*
Co-Leadgesang auf »Wreck On The Highway«

2002
Marah: *Float Away with the Friday Night Gods*
Backgroundgesang und Gitarrensolo auf »Float Away«

2003
Soozie Tyrell: *White Lines*
Gitarre auf »White Lines« und Backgroundgesang auf
»Ste. Geneviève«
Warren Zevon: *The Wind*

Gitarre und Backgroundgesang auf »Disorder In The
House« und Backgroundgesang auf »Prison Grove«

2004
Clarence Clemons: *Live in Asbury Park Vol. II*
Gitarre und Gesang auf »Raise Your Hand«
Patti Scialfa: *23rd Street Lullaby*
Gitarre und Keyboard auf »You Can't Go Back«, »Rose«
und »Love (Stand Up)«
Gary U.S. Bonds: *Back in 20*
Gesang auf »Can't Teach An Old Dog New Tricks«
Jesse Malin: *Messed Up Here Tonight*
Gitarre und Gesang auf »Wendy«

2006
Joe Grushecky: *A Good Life*
Gesang und Gitarre on »Code Of Silence«, »Is She The
One«, »A Good Life« und »Searching For My Soul«
Sam Moore: *Overnight Sensational*
Gesang auf »Better To Have And Not Need«
Jerry Lee Lewis: *Last Man Standing*
Backgroundgesang auf »Pink Cadillac«

2007
Jesse Malin: *Glitter in the Gutter*
Gesang auf »Broken Radio«
Patti Scialfa: *Play it as it Lays*
Gitarre

2009
Bernie Williams: *Moving Forward*
Gitarre und Gesang auf »Glory Days«
John Fogerty: *The Blue Ridge Rangers Rides Again*
Gesang auf »When Will I Be Loved«
Roseanne Cash: *The List*
Gesang auf »Sea Of Heartbreak«

2010
Alejandro Escovedo: *Street Songs of Love*
Gesang auf »Faith«
Ray Davies: *See My Friends*
Co-Leadgesang auf »Better Things«

2011
Dropkick Murphys: *Going out in Style*
Co-Leadgesang auf »Peg O' My Heart«
Stewart Francke: *Heartless World*
Gesang auf »Summer Soldiers (Holler If Ya Hear Me)«

2012
Pete Seeger and Lorre Wyatt: *A More Perfect Union*
Co-Leadgesang auf »God's Counting On Me … God's
Counting On You«
Jimmy Fallon: *Blow Your Pants off*
Co-Leadgesang auf »Neil Young Sings ›Whip My Hair‹«

2013
Dropkick Murphys: *Rose Tattoo – For Boston Charity EP*
Gesang auf »Rose Tattoo«

QUELLENNACHWEIS

BÜCHER

Alterman, Eric. *Ain't No Sin to Be Glad You're Alive: The Promise of Bruce Springsteen.* New York: Little, Brown, 1999.

Burger, Jeff, Hrsg. *Springsteen on Springsteen: Interviews, Speeches, and Encounters.* Chicago: Chicago Review Press, 2013.

Carlin, Peter Ames. *Bruce.* Hamburg: Edel, 2013.

Clemons, Clarence, und Don Reo. *Big Man: Real Life & Tall Tales.* New York: Grand Central, 2009.

Cross, Charles R. *Backstreets: Springsteen, the Man and His Music.* New York: Harmony, 1989.

Dylan, Bob. *Chronicles: Volume One.* Hamburg: Hoffmann und Campe, 2004.

Gilmore, Mikal. *Night Beat: A Shadow History of Rock & Roll.* New York: Doubleday, 1998.

Maharidge, Dale, und Michael S. Williamson. *Journey to Nowhere: The Saga of the New Underclass.* Überarb. Aufl. New York: Hyperion, 1996.

Maharidge, Dale, und Michael S. Williamson. *Someplace Like America: Tales from the Great Depression.* Überarb. Aufl. Berkeley und Los Angeles: University of California Press, 2011.

Marcus, Greil. *Mystery Train: Rock'n'Roll und amerikanische Kultur.* Berlin: Ullstein, 1999.

Marks, Craig, und Rob Tannenbaum. *My MTV: The Uncensored Story of the Music Video Revolution.* New York: Plume, 2012.

Marsh, Dave. *Born to Run: The Bruce Springsteen Story.* New York: Thunder's Mouth Press, 1979.

Masur, Louis P., und Christopher Phillips, Hrsg. *Talk about a Dream: The Essential Interviews of Bruce Springsteen.* New York: Bloomsbury, 2013.

O'Connor, Flannery. *A Good Man Is Hard to Find and Other Stories.* New York: Harcourt, Brace & Company, 1955.

Rolling Stone, Hrsg. *Bruce Springsteen: Die Rolling Stone Fakten.* St. Andrä-Wördern: Hannibal, 1996.

Santelli, Robert. *Greetings from E Street: The Story of Bruce Springsteen and the E Street Band.* San Francisco: Chronicle, 2006.

Spera, Keith. *Groove Interrupted: Loss, Renewal, and the Music of New Orleans.* New York: St. Martin's Press, 2011.

Springsteen, Bruce. *Songs.* New York: HarperCollins, 1998.

St John, Lauren. *Hardcore Troubadour: The Life and Near Death of Steve Earle.* New York: Fourth Estate, 2003.

FEATURES UND INTERVIEWS

Arax, Mark, und Tom Gorman. »California's Illicit Farm Belt Export«. *Los Angeles Times*, 13. März 1995.

Bangs, Lester. Albumbesprechung *Greetings from Asbury Park, N.J. Rolling Stone*, 5. Juli 1973.

Bangs, Lester. Albumbesprechung *Born To Run. Creem*, November 1975.

Binelli, Mark. »Bruce Springsteen's American Gospel«. *Rolling Stone*, 22. August 2002.

Block, Melissa. »Springsteen Speaks: The Music of Pete Seeger«. *All Things Considered*, NPR, 26. April 2006.

Caramanica, Jon. »Everything Old Is Praised Again«. *New York Times*, 14. Februar 2012.

Colbert, Stephen. Kommentare zu Bruce Springsteen. *Colbert Report*, Comedy Central, 10. Oktober 2007.

Corn, David. »Bruce Springsteen Tells the Story of the Secret America«. *Mother Jones*, März/April 1996.

Crouch, Ian. »The Original Wrecking Ball: Bruce Springsteen's Nebraska«. *New Yorker*, 6. März 2012.

DiMartino, Dave. »Bruce Springsteen Takes It to the River«. *Creem*, Januar 1981.

Einstein, Damian. Interview mit Bruce Springsteen. WHFS-FM, 2. Juni 1973.

Flanagan, Bill. »Bruce Springsteen: Interview«. *Musician*, November 1984.

Flanagan, Bill. »Ambition, Lies, and the Beautiful Reward: Bruce Springsteen's Family Values«. *Musician*, November 1992.

Flippo, Chet. Interview mit Bruce Springsteen. *Musician*, November 1984.

Fricke, David. »Bruce Springsteen: Bringing It All Back Home«. *Rolling Stone*, 5. Februar 2009.

Fricke, David. »Q&A: Bruce Springsteen on Touring Europe, the E Street Band and a Half-Century of Rock«. *Rolling Stone*, 20. Juni 2013.

Fussman, Cal. »Bruce Springsteen: It Happened in Jersey«. *Esquire*, 1. August 2005.

Gibbons, Fiachra. »Bruce Springsteen: ›What Was Done to My Country was Un-American.‹« *Guardian*, 17. Februar 2012.

Gilmore, Mikal. »The *Rolling Stone* 20th Anniversary Interview: Bruce Springsteen.« *Rolling Stone*, 5. November 1987.

Greene, Andy. »Bruce Springsteen on ›Anomaly‹ of New Album *High Hopes*: Exclusive.« *Rolling Stone*, 17. December 2013.

Greene, Andy. »Tom Morello: ›Springsteen Concerts Are Orthopedically Exhausting‹«. *Rolling Stone*, 3. Januar 2014.

Hagen, Mark. »Meet the New Boss.« *Observer*, 18. Januar 2009.

Henke, James. »The *Rolling Stone* Interview: Bruce Springsteen Leaves E Street.« *Rolling Stone*, 6. August 1992.

Hepworth, David. Interview mit Bruce Springsteen. *Q*, August 1992.

Herman, Dave. Interview mit Bruce Springsteen. *King Biscuit Flower Hour*, DIR Radio Network, 9. Juli 1978.

Hilburn, Robert. Interview mit Bruce Springsteen. *Melody Maker*, 24. August 1974.

Humphries, Patrick, und Roger Scott. Interview mit Bruce Springsteen. *Hot Press*, 2. November 1984.

Kandell, Steve. »The Feeling's Mutual: Bruce Springsteen and Win Butler Talk about the Early Days, the Glory Days and Even the End of Days«. *Spin*, Dezember 2007.

Knobler, Peter, und Greg Mitchell. »Who Is Bruce Springsteen and Why Are We Saying All These Wonderful Things About Him?« *Crawdaddy!*, März 1973.

Koppel, Ted. Interview mit Bruce Springsteen. *Nightline*, ABC, 4. August 2004.

Landau, Jon. »Loose Ends«. *Real Paper*, 22. Mai 1974.

Lauer, Matt. »›The Boss‹ Is Back with a New CD.« *Today*, NBC, 25. April 2005.

Letterman, David. Interview mit Bruce Springsteen. *Late Show with David Letterman*, CBS, 1. August 2002.

Lillianthal, Steven B. »More than One Balloon«. *New York Times*, 8. Dezember 2002.

Loder, Kurt. »The *Rolling Stone* Interview: Bruce Springsteen on *Born in the U. S. A.*«. *Rolling Stone*, 6. December 1984.

Lombardi, John. »The Sanctification of Bruce Springsteen and the Rise of Mass Hip«. *Esquire*, Dezember 1988.

Lustig, Jay. »The Boss Says It Feels Good to Be Home«. *Star-Ledger*, 19. März 1999.

Marcus, Greil. Albumbesprechung *Born To Run. Rolling Stone*, 9. Oktober 1975.

Marcus, Greil. »The Great Pretender: Bruce Springsteen Appears at Once as the Anointed Successor to Elvis and as an Impostor Who Expects to Be Asked for His Stage Pass.« *New West*, 22. Dezember 1980.

Marsh, Dave. »A Rock Star Is Born: Bruce Springsteen and the E Street Band at the Bottom Line«. *Rolling Stone*, 25. September 1975.

Marsh, Dave. Interview mit Bruce Springsteen. *Musician*, Februar 1981.

Marsh, Dave. Interview mit Bruce Springsteen. *Live from E Street Nation*, E Street Radio, 10. Januar 2014

Martin, Gavin. »Hey Joad, Don't Make It Sad … (Oh, Go on Then)«. *New Musical Express*, 9. März 1996

Nelson, Paul. Albumbesprechung *The River. Rolling Stone*, 11. Dezember 1980.

O'Reilly, Bill. Kommentare zu Bruce Springsteen. *The O'Reilly Factor*, Fox News, 3. Oktober 2007.

Pareles, Jon. »Music: His Kind of Heroes, His Kind of Songs«. *New York Times*, 14. Juli 2002.

Pareles, Jon. »Bruce Almighty«. *New York Times*, 24. April 2005.

Pareles, Jon. »The Rock Laureate«. *New York Times*, 28. Januar 2009.

Pelley, Scott. Interview mit Bruce Springsteen. *60 Minutes*, CBS News, 7. Oktober 2007.

Percy, Will. »Rock and Read: Will Percy Interviews Bruce Springsteen«. *DoubleTake*, Frühjahr 1998.

Pond, Steve. Albumbesprechung *Nebraska. Rolling Stone*, 28. Oktober 1982.

Pond, Steve. Albumbesprechung *Tunnel of Love. Rolling Stone*, 3. Oktober 1987.

Rockwell, John. »Rock: Bruce Springsteen at the Garden«. *New York Times*, 29. November 1980.

Rose, Charlie. Interview mit Bruce Springsteen. *Charlie Rose*, PBS, 20. November 1998.

Rotella, Sebastian. »Children of the Border«. *Los Angeles Times*, 3. April 1993.

Schruers, Fred. »Bruce Springsteen and the Secret of the World«. *Rolling Stone*, 5. Februar 1981.

Sciaky, Ed. Interview mit Bruce Springsteen. 93.3 WMMR (Philadelphia), 3. November 1974.

Scott, A. O. »The Poet Laureate of 9/11«. *Slate*, 6. August 2002.

Scott, A. O. »In Love with Pop, Uneasy with the World«. *New York Times*, 30. September 2007.

Smith, R. J. »Springsteen Looks Back and Drives On«. *Michigan Daily*, 5. Oktober 1980.

Springsteen, Bruce. »A Statement from Bruce Springsteen«. brucespringsteen.net, 22. April 2003.

Springsteen, Bruce. »Chords for Change«. *New York Times*, 5. August 2004.

Stewart, Jon. »Bruce Springsteen's State of the Union«. *Rolling Stone*, 29. März 2012.

Sutcliffe, Phil. Interview mit Bruce Springsteen. *MOJO*, Januar 2006.

Sweeting, Adam. »Bruce Springsteen: ›I Think I Just Want to Be Great‹«. *Uncut*, September 2002.

Tucker, Ken. Albumbesprechung *Nebraska. Philadelphia Inquirer*, 3. Oktober 1982.

Tucker, Ken. »Springsteen Talks«. *Entertainment Weekly*, 28. Februar 2003.

Tyler, Andrew. »Bruce Springsteen and the Wall of Faith«. *New Musical Express*,
15. November 1975.

Tyrangiel, Josh. »Reborn in the USA«. *Time*, 5. August 2002.

Werbin, Stuart. »Bruce Springsteen: It's Sign Up a Genius Month«. *Rolling Stone*,
26. April 1973.

Wilkinson, Alec. »The Protest Singer: Pete Seeger and American Folk Music«. *New Yorker*,
17. April 2006.

Will, George. »Bruce Springsteen: ›The Blue-Collar Troubadour‹«. *Observer-Reporter*
(Washington), 15. September 1984.

Wolcott, James. »The Hagiography of Bruce Springsteen«. *Vanity Fair*, Dezember 1985.

»Bruce Springsteen: The Seeger Sessions«. PRX, 30. Juni 2006.

»Q&A: Pete Seeger«. *Billboard*, 26. Juni 2006.

»Random Notes«. *Rolling Stone*, 25. November 1982.

»Random Notes«. *Rolling Stone*, 12. Mai 1983.

»Random Notes«. *Rolling Stone*, 1. September 1983.

»Random Notes«. *Rolling Stone*, 2. Februar 1984.

»Random Notes«. *Rolling Stone*, 17. März 1984.

»Rock Concert Rocks Community«. *Courier*, 17. September 1970.

VH1 Storytellers, »Bruce Springsteen«. VH1, 23. April 2005.

»Working on a Dream: A Super Bowl Journal«. NFL Network, 7. September 2009.

PRESSEKONFERENZEN UND REDEN

Earle, Justin Townes, und Joe Pug. Gespräch auf der Bühne bei einem Auftritt in Carrboro,
North Carolina, 9. März 2010.

Kerry, John. »How Do You Ask a Man to Be the Last Man to Die in Vietnam?« Aussage vor dem
United States Senate Committee on Foreign Relations, 23. April 1971.

Obama, Barack. Rede bei der 32. Verleihung der Kennedy Center Honors, Washington,
6. Dezember 2009.

Seeger, Pete. Befragung vor dem Komitee für unamerikanische Umtriebe,
18. August 1955.

Springsteen, Bruce. Laudatio anlässlich der Aufnahme von Bob Dylan in die Rock and Roll
Hall of Fame, 20. Januar 1988.

Springsteen, Bruce. Pressekonferenz anlässlich des 43. Super Bowl, Tampa, Florida,
29. Januar 2009.

Springsteen, Bruce. Grabrede für Clarence Clemons (beerdigt am 21. Juni 2011), veröffentlicht
im *Rolling Stone*, 29. Juni 2011.

Springsteen, Bruce. Pressekonferenz, Théâtre Marigny, Paris, 16. Februar 2012.

Springsteen, Bruce. Grundsatzrede, SXSW-Musikkonferenz, NPR, 15. März 2012.

Springsteen, Bruce. Rede anlässlich der Präsidentschaftswahlkampagne Obama for America,
Des Moines, Iowa, C-SPAN, 5. November 2012.

CDS UND DVDS

Springsteen, Bruce. Linernotes. *Tracks*. CD-Boxset. Columbia. Veröffentlicht am
10. November 1998.

Springsteen, Bruce. Kommentare. *Devils & Dust*. Bonus-DVD, Regie: Danny Clinch. Columbia.
Veröffentlicht am 25. April 2005.

Springsteen, Bruce. Linernotes. *Bruce Springsteen and the E Street Band: Hammersmith Odeon,
London '75*. DVD, Regie: Derek Burbidge. Columbia. Veröffentlicht am 15. November 2005.

Springsteen, Bruce. Linernotes. *We Shall Overcome: The Seeger Sessions*. CD/DVD. Columbia.
Veröffentlicht am 24. April 2006.

Springsteen, Bruce. »Behind the Scenes«. *We Shall Overcome: The Seeger Sessions*. Bonus DVD,
Regie: Thom Zimny. Columbia. Veröffentlicht am 24. April 2006.

Springsteen, Bruce. »The Sessions«. *Working on a Dream*, Deluxe Edition. Bonus-DVD, Regie:
Thom Zimny. Columbia. Veröffentlicht am 27. Januar 2009.

Springsteen, Bruce. Linernotes. *High Hopes*. CD. Columbia. Veröffentlicht am 14. Januar 2014.

In Concert: MTV Plugged. Aufgezeichnet am 22. September 1992. DVD. Columbia.
Veröffentlicht am 9. November 2004.

The Promise: The Making of Darkness on the Edge of Town. DVD, Regie: Thom Zimny. Columbia.
Veröffentlicht am 16. November 2010.

Wings for Wheels: The Making of Born to Run. DVD, Regie: Thom Zimny. Columbia.
Veröffentlicht am 15. November 2005.

BILDNACHWEIS

Wir haben uns bemüht, sämtliche Inhaber von Bildrechten zu ermitteln und korrekt zu nennen.
Sollte es dennoch unbeabsichtigt zu Unterlassungen oder Fehlern gekommen sein, bitten wir um
Entschuldigung. Für Korrekturen in der nächsten Auflage mögen sich Betroffene bitte melden.

Corbis: Vorsatz, 128–129 (Brooks Kraft); 13, 24 l, 83, 90 u, 91, 96 (Lynn Goldsmith); 28–29,
37 l & r (Found Image Press); 45, 48 o (Jeff Albertson); 75 (Bettmann); 113 (Aaron Rapoport);
182 (Albert Ferreira/Reuters); 206 l, 241 o (Saed Hindash/*Star-Ledger*); 209 l; 237 (Andy Mills/
Star-Ledger); 240 (Ron Sachs/Pool/CNP); 242–243 (Joe Skipper/Reuters); 247 o (Julia Robinson/
Reuters); **Getty Images:** 1, 53 u, 268–269 (Tom Hill/WireImage); 2, 3, 9, 191, 192 l, 196, 199,
200–201, 205, 206–207, 211, 222–223, 228–229, 231, 233, 240 u, 284–285 (Danny Clinch); 15, 39,
40–41, 42, 46, 49, 52–53, 88–89, 94, 118, 120 (The Estate of David Gahr); 19 M, 27, 31, 43 l, 109 l
(Michael Ochs Archives); 30 (Bob Parent/Hulton Archive); 51 (Terry O'Neill); 53 M, 74 (Fin Costello/
Redferns); 66–67 (Chalkie Davis); 77, 105 r (*New York Daily News*); 82 (Donna Santisi/Redferns);
90 o (Chris Walter/WireImage); 109 r (Eric Schaal/*LIFE* Picture Collection); 110, 245 (AFP); 121
(Janette Beckman/Redferns); 136 (Jim Steinfeldt); 141 (Ron Galella/WireImage); 151 (Brian
McLaughlin); 155, 168 o (Ebet Roberts); 158 l, 181 o, 184, 185, 194, 198, 202, 203, 208, 212, 226,
234, 235 l & r, 247 u (Kevin Mazur Archive/WireImage); 168 u (*Washington Post*); 177 (Mitch
Jenkins); 178–179 (Bob King); 181 u (Doug Kanter/AFP); 186 (Peter Pakvis/Redferns); 188–189
(Justin Sullivan); 192–193 (Harry Scott/Redferns); 195 (Timothy A. Clary); 213 (David Redfern/
Redferns); 215 (Paul Bergen/Redferns); 218–219 (Edd Westmacott/Photoshot); 227 (Joe Raedle);
232 o (Roger Kisby); 232 M (Peter Still/Redferns); 246 (Barry Chin/*Boston Globe*); 247 M (Heidi
Gutman/NBCUniversal); 248 (John Shearer/WireImage); 249 (James Nielsen/AFP); 250 (John
Cohen); 251, 260–261, 262 (Lloyd Bishop/NBC/NBCU Photo Bank); 252–253, 254 (Kevin Mazur/
WireImage/SiriusXM); 255 (Buda Mendes); 256 (Kevin Nixon/*Classic Rock Magazine*/TeamRock);
257 (Jewel Samad/AFP); 259 (Will Russell); 260 l (Debra L. Rothenberg); 265 (Leaane Stander/
Foto24/Gallo Images); © **Neal Preston:** 10, 24–25, 98–99, 114, 115, 116, 119, 122, 123, 124–125,
126, 131, 132–133, 134 B, 137, 138–139, 142–143, 150, 152–153, 157, 158–159, 161, 163, 166–167,
169, 170, 288; **Photoshot:** 19 u (MPTV); 55 (Michael Putland/Retna); 105 l (UPPA); 135 (HBO-
Cinemax/Photofest/Retna); 164 (Neal Preston/Retna); 174–175 (Caserta/DALLE/Idols); 209 r
(Starstock); 232 u (InfoPhoto/Retna); © **Chuck Pulin/DavidMcGough.com:** 32, 35, 48 u;
© **Peter Cunningham:** 33; © **Art Mailett:** 36; © **Carl Dunn:** 40 l; © **Barbara Pyle:** 53 o, 58–59, 64;
© **Eric Meola, 2005, 2011:** 56, 57, 60–61, 62–63, 72, 81, 84–85; © **Frank Stefanko:** 69, 70–71, 76–
77, 87, 92, 96 o & M, 97, 102 l, 104, 111, 172–173; **Rex Features:** 79–80 (Andre Csillag); 165 (Everett
Collection); © **David Michael Kennedy:** 101, 102–103, 107, 108; **PA Images:** 106, 140, 146–147,
149, 187, 220 u, 222 l; **Eyevine:** 145 (Keith Meyers/*New York Times*); 217, 224 (Todd Heisler/*New
York Times*); **Alpha:** 156; **Heidi Gutman/NBC NewsWire:** 221; © **Michael Gallagher:** 266.

Albumcover: Columbia (s. Diskografie für nähere Angaben zu Design und Fotografien)

Unser besonderer Dank gilt Ian Whant für seine große Hilfe bei der Bildrecherche sowie Guy
White von Snap Galleries, London, und Aaron Zych von der Morrison Hotel Gallery, New York.

DANKSAGUNG

Der Dank gebührt an erster Stelle Bruce Springsteen dafür, dass er ein Lebenswerk geschaffen hat,
über das es Spaß macht, zu schreiben. Dieses Buch ist zwar ohne Peter Ames Carlins Mitarbeit
entstanden, aber ohne ihn hätte ich nie das Vergnügen gehabt, es zu schreiben. Vielen Dank für deine
außerordentliche Freundschaft (und dafür, dass du mir dein Archiv zur Verfügung gestellt hast).
Zachary Schisgal war ruhig und gelassen, als ich jemanden brauchte, der genau das ist. Vielen Dank
auch an Colin Webb von Palazzo Editions, der mir den Job anvertraute. James Hodgson hat meine
Texte trotz der großen Zeitverschiebung sorgfältig lektoriert. Die Websites www.backstreets.com und
brucebase.wikispaces.com bieten für jeden Springsteen-Fan eine Fülle an Informationen, und auch
ich griff häufig darauf zurück. Es gibt eine Menge großartiger Bücher über Springsteen, von denen
ich die meisten über die Jahre gelesen habe. Tom Johnson und Yoona Park stellten mir ihre Dienste
als Rechtsberater kostenlos zur Verfügung. Moralische Unterstützung (und kühles Bier) erhielt ich von
Helen Jung und Patrick Green. Meine Eltern sind einfach ganz wunderbare Eltern – und waren es
immer schon. Und für April und Stella gilt: Das hier ist für euch. Danke für alles. Für immer und ewig.
Ryan White

Palazzo Editions danken David Costa von Wherefore Art? für seine ersten Layoutentwürfe und
seine zahllosen Ideen und Inspirationen, mit denen er uns begleitete.

»WARUM SOLLTE JEMAND IN MEINEM ALTER NOCH DA RAUSGEHEN UND SICH DERART VERAUSGABEN? DAFÜR KANN ES NUR EINEN GRUND GEBEN: ER MUSS EINFACH.«

Bruce Springsteen, 2014